ARTHUR SCHNITZLER: ZUR DIAGNOSE DES WIENER BÜRGERTUMS
IM FIN DE SIÈCLE

Rolf-Peter Janz/Klaus Laermann

Arthur Schnitzler: Zur Diagnose des Wiener Bürgertums im Fin de siècle

1977
J. B. Metzlersche Verlagsbuchhandlung

CIP-Kurztitelaufnahme der Deutschen Bibliothek

Janz, Rolf-Peter
Arthur Schnitzler : zur Diagnose d. Wiener Bürgertums im Fin de siècle / Rolf-Peter Janz ;
1. Aufl. – Stuttgart : Metzler,
1977.
   ISBN 3-476-00368-X
NE: Laermann, Klaus:

Die Umschlagabbildung gibt das Ölgemälde von Theo Zaschl
»Ringstraßenkorso in Wien« (um 1900) wieder.
Der Nachdruck erfolgt mit freundlicher Genehmigung des Bildarchivs
der Österreichischen Nationalbibliothek Wien.

ISBN 3 476 00368 X

© J. B. Metzlersche Verlagsbuchhandlung und Carl Ernst Poeschel Verlag GmbH
in Stuttgart 1977.
Satz: Bauer & Bökeler, Denkendorf
Druck: Gulde-Druck, Tübingen
Printed in Germany

Inhalt

Vorbemerkung

Die Verfasser danken Prof. Dr. h.c. Heinrich Schnitzler für die freundliche Erlaubnis, die Tagebücher seines Vaters einsehen und aus ihnen zitieren zu dürfen. Ferner danken sie Friedrich Achleitner, Wilhelm Emrich, Ernst Ludwig Offermanns, Reinhard Urban und den Mitarbeitern des Deutschen Literaturarchivs in Marbach a. N. für wichtige Hinweise.

Die von Rolf-Peter Janz verfaßten Kapitel haben dem Fachbereich Germanistik der Freien Universität Berlin im Wintersemester 1975/76 als Habilitationsschrift vorgelegen.

Das Kapitel über *Leutnant Gustl* stellt die erweiterte Fassung des Habilitationsvortrags dar, den Klaus Laermann im Juni 1976 vor demselben Fachbereich gehalten hat.

Das Interesse der Verfasser an der Wiener Literatur der Jahrhundertwende geht auf eine Lehrveranstaltung zurück, die sie im Wintersemester 1974/75 gemeinsam durchgeführt haben.

Einleitung

Der Versuch, die Literatur des Wiener Fin de siècle am Beispiel Arthur Schnitzlers in ihren konstitutiven Momenten zu analysieren, bindet sich nicht an die geistesgeschichtliche Tradition, eine literarische Richtung aus der Entgegensetzung zu einer andern zu begreifen, auf die sie folgt oder die mit ihr gleichzeitig besteht. Die Literatur des »Jungen Wien« wird im folgenden nicht als Erwiderung auf den Berliner und Münchner Naturalismus verstanden, sondern als eine literarische Richtung im Ensemble der ›Modernismen‹, mit denen die Avantgarde in Europa seit den achtziger Jahren auf historische Tendenzen reagiert, auf die Ablösung des liberalen Konkurrenzkapitalismus im Zeichen des Imperialismus, auf Industrialisierung, Verstädterung und Klassenkampf, auf naturwissenschaftlichen und technischen Fortschritt, die die Gründerzeit kennzeichnen [1]. Naturalismus, Impressionismus, Neuromantik, Symbolismus und Jugendstil [2] ist gemeinsam die Abkehr von der Gründerzeit, auch wenn diese Sezession auf je verschiedene Weise geschieht. [3] Gewiß entsprach die schnelle Folge der künstlerischen Stile dem »Bedürfnis einer scheinbar gesicherten Bildungsschicht nach ästhetischen Sensationen und Innovationen«; sie ist überdies begründet in einer »prinzipiellen Oppositions- und Sezessionsbereitschaft der Intelligenz« gegenüber den jeweils herrschenden gesellschaftlichen, wissenschaftlichen oder ästhetischen Konventionen wie auch im zunehmenden Konkurrenzkampf der Künstler und der Künste, in dem die Propagierung eines Neuen die Bedingung des künstlerischen wie des finanziellen Erfolgs sein konnte. [4]

Solche Erklärungsversuche der Abfolge verschiedener Stilrichtungen bleiben allerdings die Antwort auf eine Reihe von Fragen schuldig, so auch auf die, inwieweit unbeschadet der subjektiven Intention der Künstler im jeweils Neuen, gleich ob im Naturalismus oder im Jugendstil, die historische Entwicklung ihren Ausdruck findet. [5].

Läßt sich die Moderne um 1900 in allen ihren Richtungen als Abkehr von der Gründerzeit deuten, so wird am Naturalismus etwa und an der Literatur »Jung-Wiens« evident, wie unterschiedlich diese Sezession vonstatten gegangen ist.

Während der Naturalismus eher Probleme von Kleinbürgern als von Proletariern in den Mittelpunkt rückt, die beide den Preis für die wirtschaftliche Prosperität einer kleinen Schicht zu zahlen hatten, und in düsteren

Elendsschilderungen die Kehrseite der Gründerzeit in einer Weise zu seinem Thema macht, daß die sozialdemokratische Partei sie ihrer Negativität und Hoffnungslosigkeit wegen den Arbeitern nicht zumuten mochte, wendet sich die Wiener Literatur den Bürgersöhnen zu, die von der Gründergeneration und ihren Maximen, von Kapitalakkumulation und deren verschwenderischer Zurschaustellung nichts mehr wissen wollen. Während die Naturalisten jedenfalls zeitweilig der sozialdemokratischen Partei nahestehen und sich für die Ausgebeuteten und Unterdrückten engagieren, [6] verstehen sich die Wiener Literaten als späte Nachfahren eines historisch überholten Liberalismus, der ihnen gleichermaßen verwehrt, sich offen für die Großbourgeoisie oder die Unterschichten zu erklären; das Hainfelder Programm der Österreichischen Sozialdemokratie, das deren politische Erfolge in den neunziger Jahren ermöglichte, [7] wird von ihnen nicht zur Kenntnis genommen. Schnitzler, Hofmannsthal, Beer-Hofmann, Salten und Altenberg teilen aber die historische Erfahrung, orientierungslos am Ende einer Epoche zu stehen. »Heute scheinen zwei Dinge modern zu sein«, schreibt Hofmannsthal 1893, »die Analyse des Lebens und die Flucht aus dem Leben.« »Wir haben nichts als ein sentimentales Gedächtnis, einen gelähmten Willen und die unheimliche Gabe der Selbstverdopplung. Wir schauen unserem Leben zu [...].« [8]

So radikal sich der Naturalismus von der Gründerzeit abwenden wollte, an dem sie beherrschenden Glauben an die Naturwissenschaften hat er unbeirrt festgehalten. So bemüht sich Holz unter dem Einfluß Zolas in seinen theoretischen Arbeiten um eine Formel, die die größtmögliche Annäherung der Kunst an die Wirklichkeit ausdrücken sollte; Bölsche veröffentlicht ein Buch *Über die naturwissenschaftlichen Grundlagen der Poesie*. Anders die Wiener Literatur: Bahr, Altenberg, Schnitzler, Hofmannsthal setzen der die zweite Hälfte des 19. Jahrhunderts beherrschenden Begeisterung für die Naturwissenschaften trotz ihrer unbestreitbaren Erfolge eine prinzipielle Skepsis entgegen, die gelegentlich irrationalistische Züge annimmt.

Unbeschadet der so verschiedenen sujets und der oft kaum mehr zu vergleichenden sprachlichen Mittel stehen sich etwa die Dramenformen des Naturalismus und der Wiener Literatur erstaunlich nahe. [9] Sie kommen darin überein, daß in ihnen die noch in der Gründerzeit wirksamen klassischen Vorbilder verabschiedet worden sind. Gemeinsam sind ihnen u. a. die offenen Schlüsse und die Priorität der Charaktere vor der Handlung. Diese Priorität haben die Naturalisten auch programmatisch immer wieder gefordert. Überdies fallen, sieht man auf Hauptmann und Schnitzler, die Genauigkeit der Milieuschilderung, zumal in den Regieanweisungen, wie auch die Verwendung des jeweiligen Dialekts in den Blick, der den Werken die regionale wie soziale Authentizität verbürgen soll.

Hermann Bahrs *Überwindung des Naturalismus* schließlich muß als der folgenreichste Versuch gelten, bei allem Neuerungspathos gegenüber dem ›überholten‹ Naturalismus den Zusammenhang zwischen dem »Jüngsten

Deutschland« und der Wiener Avantgarde, die später oft Impressionismus genannt wird, auch theoretisch zu begründen. Zentrale Forderungen des Naturalismus wie die nach der naturwissenschaftlichen Exaktheit der Beobachtung und Darstellung sollen festgehalten werden. Der Naturalismus habe sich allerdings auf die »Objektivierung der äußeren Sachenstände« beschränkt. Auf der Tagesordnung stünde nunmehr die »Objektivierung der inneren Seelenstände«. Die »états de choses« »hat man satt, und gründlich; nach états d'âme [...] wird wieder verlangt.« [10] »Der moderne Geschmack«, schreibt Bahr, »kommt nun einmal aus dem Naturalismus und ist zu lange im Naturalismus gewesen. Er denkt nicht daran, von seinen dort erworbenen Gewohnheiten auch nur eine einzige aufzugeben. Er hat alle naturalistischen Bedürfnisse mit herübergebracht und will sie ungeschmälert behalten. Er will nur noch mehr: er will, was nur immer der Naturalismus jemals zu bieten vermag, und obendrein noch den vom Naturalismus versagten Genuß der intérieurs d'âme.« [11] Gewiß hat Bahr auf den in Deutschland den literarischen Markt beherrschenden Naturalismus taktische Rücksichten genommen. Entscheidender ist, daß sein Versuch, die Nähe von Naturalismus und Impressionismus zu akzentuieren, in der Tat von der gemeinsamen Wendung beider Richtungen gegen die Gründerzeit und ihre Kultur seinen Ausgang nimmt.

Gegenüber dem Scherbengericht, das die Naturalisten mit der Gründerzeit veranstaltet haben [12] und gelegentlich auch nur zu veranstalten meinten, [13] ist die Distanzierung der Wiener Literaten eher geräuschlos und weniger konsequent erfolgt. Die Naturalisten verdammten unter Berufung auf den Sturm und Drang und das Junge Deutschland mit den Dichter- und Malerfürsten und den musikalischen Heroen, mit Heyse, Lenbach, Wagner, aber auch mit Felix Dahn, Gustav Freytag, Hebbel und C. F. Meyer eine Kultur, deren Historismus oder klassizistische Epigonalität sie als Versuch verstanden, die Prosa der industriellen Entwicklung der Gründerzeit ästhetisch vergessen zu lassen. Nicht genug damit, verfielen auch Klassiker wie Goethe und Schiller gelegentlich ihrer Kritik.

Auch die Wiener Literatur hat mit den literarischen Epigonen dieser »stil-verlassensten Epoche« [14] gebrochen und lange vor der Wiener Sezession nicht nur in der bildenden Kunst der Gründerzeit, die in Wien Makart-Zeit heißen konnte, ein Ende gesetzt. Daß der Bruch der Naturalisten mit den Gründerjahren radikaler ausfällt als der des »Jungen Wien«, deutet u. a. auf den historischen Vorsprung der Industrialisierung in Deutschland. Die unübersehbaren Fabrikanlagen und das Elend des großstädtischen Industrieproletariats wie die Deklassierung des Kleinbürgertums aufgrund der Kapitalkonzentration haben die Intellektuellen in Berlin früher und nachhaltiger erfahren können als in Wien, wo der technische Fortschritt langsamer vonstatten ging und kleinbetriebliche Strukturen dominierten. [15]

In den Werken Schnitzlers und Hofmannsthals wie auch in den Schriften

Bahrs und Karl Kraus' findet sich die Auseinandersetzung mit einer historischen Entwicklung reflektiert, die das mit der Gründerzeit zu Macht und Ansehen gelangte liberale Bürgertum in seine schwerste Krise geführt hat. In den Jahren der Depression [16], zwischen dem ökonomischen Zusammenbruch 1873 und dem Beginn der sogenannten »Dritten Gründerzeit« am Ende des Jahrhunderts, finden mit einiger Verspätung gegenüber Deutschland auch in Österreich jene Konzentrationsprozesse in der Industrie und unter den Banken statt, die den Liberalen, gerade weil sie von ihnen profitieren, zum Verhängnis werden. Mit dieser Entwicklung wird ökonomisch und politisch das liberale Großbürgertum identifiziert, vor allem bei denen, die die Opfer dieser Entwicklung sind, beim Proletariat sowie den Kleingewerbetreibenden und Handwerkern. Sie beginnen sich in sozialdemokratischen bzw. christlichsozialen Parteien zu organisieren, um der Bedrohung durch den Industrialisierungsprozeß und das neue Großkapital standhalten zu können. Unter Führung der Großbanken schreitet die Konzentration soweit fort, daß am Jahrhundertende die sechs größten Hochofenwerke Österreichs fast die gesamte Roheisenproduktion erzeugen. Die beiden größten Firmen der Schwerindustrie, die Österreichische Alpine-Montangesellschaft und die Prager Eisenindustriegesellschaft, kontrollieren den größten Teil der Eisenerzförderung. Im Zuge der Monopolisierung teilen die Großbanken die Einflußsphären untereinander auf. So beherrscht die Creditanstalt die Zucker-, Textil- und Spiritusindustrie, die Länderbank die ungarische Schwerindustrie und die Bodencreditanstalt die österreichische Maschinenindustrie. [17]

Zu den Folgen der Industrialisierung und der Konzentration des Kapitals in den Händen weniger gehört die Aktualisierung des traditionellen zu einem manifest politischen Antisemitismus, in dem während der jahrelangen Depression das Kleinbürgertum, Gewerbetreibende und Handwerker vor allem, den ihm drohenden ökonomischen Ruin und die soziale Deklassierung einer seit langem diskriminierten Minderheit anlastet, die sie mit Industrialisierung und Kapitalkonzentration identifiziert. In Österreich machen sich die christlichsoziale Partei und ihre Vorläufer den Antisemitismus als »eine der Formen des sozialpsychischen Eskapismus vor den schmerzhaften Erfahrungen ungleichmäßigen ökonomischen Wachstums« und sozialer Statusminderung zunutze [18] und übernehmen mit antisemitischen Parolen schließlich vom liberalen Bürgertum die Macht in Wien. Theodor Mommsen, der in der Berliner Universität gegen die Antisemiten um Treitschke den Widerstand der Liberalen organisierte, schrieb voll Verbitterung an Hermann Bahr:

»Sie täuschen sich, wenn Sie glauben, daß man da überhaupt mit Vernunft etwas machen kann. Es ist alles umsonst. Was ich Ihnen sagen könnte [...], das sind doch immer nur Gründe, logische und sittliche Argumente. Darauf hört doch kein Antisemit. Die hören nur auf den eigenen Haß und den eigenen Neid, auf die schändlichsten Instinkte [...]. Gegen den Pöbel gibt es keinen Schutz – ob es nun der Pöbel auf der Straße oder der Pöbel im Salon ist, das macht keinen Unterschied. Kanaille bleibt Kanaille, und der Antisemitismus ist die Gesinnung der Kanaille. Er ist wie eine schauerliche Epidemie, wie die Cholera – man kann ihn weder erklären noch heilen. Man muß geduldig warten, bis sich das Gift von selber auflöst und seine Kraft verliert.« [19]

Auf den Sieg der antisemitischen christlichsozialen Partei Luegers bei den Wiener Gemeinderatswahlen reagiert das liberale Bürgertum, sieht man von einer industriekapitalistischen Elite ab, die von der »Dritten Gründerzeit« profitiert, überwiegend mit politischer Resignation. Den seit Jahren voraussehbaren und schließlich 1895 vollzogenen Verlust der innenpolitischen Herrschaft erfährt es als eine Erschütterung, von der es sich nicht mehr erholt hat.

Im Œuvre Schnitzlers oder Hofmannsthals kommt die skizzierte historische Entwicklung nur sehr vermittelt in den Blick. Ihre Helden geben sich allerdings als Söhne der Gründergeneration zu erkennen, denen – darin sind sie ihren Autoren verwandt – das kapitalistische Credo der siebziger Jahre gleichgültig ist und die darauf aus sind, sich den ökonomischen und gesellschaftlichen Maximen der Väter zu entziehen. Die Abkehr von der Gründerzeit, die die Wiener Literaten vollzogen, kommt im Frühwerk Schnitzlers, Hofmannsthals und Beer-Hofmanns u. a. im ästhetizistischen Gestus zur Geltung.

Über sie urteilte Georg Lukács 1908, einige Jahre vor der *Theorie des Romans*:

»Sie alle schreiben die Tragödie des Ästheten (und nicht nur sie), die große Abrechnung, mit dem nur inneren, nur seelischen, nur aus nach außen projizierten Träumen bestehenden Leben, mit dem schon bis zu einer Naivität gesteigerten Raffinement des Solipsismus, dessen Grausamkeit gegen andere gar keine Grausamkeit mehr ist und dessen Güte keine Güte und Liebe keine Liebe mehr ist; denn jeder andere ist ihm so entfernt, so sehr nur Materie seines einzigen wirklichen Lebens – des Inneren, des Lebens der Träume – daß er gar nicht ungerecht, gar nicht schlecht gegen ihn sein kann. [...] Die Klagen von Hofmannsthals Claudio und die Resignation mit der bei Schnitzler irgend ein alternder Anatol sich auf den Weg macht, der den selbstgeschaffenen Einsamkeiten zuführt. Und tragisch ironische Gegenüberstellungen, in denen das stets ironische Lächeln feiner Lippen bitter wird und die Fortsetzung des Spiels – vielleicht selbst vor ihnen – nur das erstickte Schluchzen des inneren Zerbrochenseins maskieren will. In solchem Gegenüberstehen rächt sich das Leben; es ist eine rohe, grausame, unbarmherzige Rache, die mit der gedrängten Qual und Demütigung einer halben Stunde die verächtliche Geste eines Lebens heimzahlt.« [20]

Mit der »Tragödie des Ästheten« und »innerem Zerbrochensein« werden in Lukács' Deutung, die in ihrem assoziativen Duktus selber ein Stück impressionistischer Prosa ist, zwei der Themen benannt, denen das Interesse der Literatur in Wien seit den neunziger Jahren gilt. Sie weisen auf die Krise des liberalen Bürgertums, die mit dem Sieg der Christlichsozialen offenkundig wird. Der Ästhetizismus, verstanden als jene Liebe zur Kunst, die künstlerische Produktivität und Leben gleichermaßen ausschließt, reflektiert Einstellungen, wie sie in Teilen des Wiener Bürgertums verbreitet sind, das seine historische Aussichtslosigkeit in einer nachgerade kultischen Kunstverehrung zu verdrängen sucht. Der Verlust der lebensgeschichtlichen und politischen Perspektive tritt an den Figuren Schnitzlers und Hofmannsthals auch als Entscheidungs- und Handlungsunfähigkeit zutage. Den impressionistischen Helden interessiert nicht die Realität, sondern die Vielfalt der Möglichkeiten, sich zu ihr zu verhalten. Erträglich ist sie ihm nur in der Virtualisierung. Die verwirrende Folge von Handlungsmöglichkeiten, die ihm vermeintlich zu Gebote stehen, begünstigt aber den Wunsch nach Dauer; ihm kann im ästhetizistischen Akt stattgegeben werden, in dem ein Gegenstand als schön wahrgenommen und gegenüber anderen festgehalten, gleichsam stillgestellt wird.

Neben der »Tragödie des Ästheten« reagiert zumal das Frühwerk Schnitzlers auf die historische Situation, indem es die Entgegensetzung von Stadt und Vorstadt thematisiert. Wo dies eher beiläufig geschieht, in *Anatol* etwa oder in *Liebelei*, muß mitgedacht werden, daß bis in die späten fünfziger Jahre ein riesiges Glacis die Residenz der Donaumonarchie von den Vorstädten in mehr als nur geographischer Hinsicht trennte (Karte I). Die in den Gründerjahren unternommene Verbauung des Glacis zur Ringstraße, deren späte Zeugen Schnitzler und seine Zeitgenossen sind, hat in der Sozialstruktur Wiens große Verschiebungen mit sich gebracht – das Gefälle zwischen großbürgerlich-feudaler Innerer Stadt und den kleinbürgerlichen und proletarischen Vorstädten hat sie nicht geändert. Die Szenen des *Anatol* etwa zeigen, daß Schnitzlers Publikum, ohne daß Gemeindebezirke genannt würden, die geographische und soziale Signatur von Stadt und Vorstadt geläufig war. Mit Bedacht sind auch in *Der Weg ins Freie* die Wohnungen und die Stadtviertel gewählt, die die soziale und intellektuelle Welt des Romans bilden.

Wenn die Literatur des Wiener Fin de siècle auf ihre historische Situation nur sehr vermittelt bezogen ist, erscheint der Versuch zunächst wenig aussichtsreich, das frühe Œuvre Schnitzlers unter bislang von allen interpretatorischen Richtungen vernachlässigten Gesichtspunkten, d. h. vor allem im spezifisch geschichtlichen und sozialen Kontext des letzten Jahrzehnts des 19. Jahrhunderts neu zu explizieren. [21] Dabei ist der Titel der vorliegenden Studie nicht mißzuverstehen. Die literarischen Werke werden nicht danach befragt, welches Material sie hergeben für eine ›Krankengeschichte‹ der Mittelschichten oder für die Rekonstruktion der sozialen Gegebenheiten Wiens um 1900. Vielmehr wird in der Interpretation einzelner Werke Schnitzlers deren historischer Gehalt ebenso wie die Historizität der ästhetischen Formen analysiert mit Rücksicht auf die Situation des Wiener Bürgertums, die sie reflektieren, auch wo sie sie nicht wahrhaben wollen.

Bewußt wird dabei der Gesamtinterpretation einiger exemplarischer Werke Schnitzlers der Vorzug gegeben vor der Berücksichtigung des vielfältigen literarischen Spektrums in Wien, dessen extensive Darstellung einen entscheidenden Mangel schwerlich wettzumachen vermöchte, den Verzicht auf den Deutungszusammenhang eines Werkes, in dem der Stellenwert konstitutiver Momente des Wiener Fin de siècle allererst ermittelt werden kann. Hamann/Hermand illustrieren zwar an Passagen aus *Anatol*, daß Schnitzlers Held »allgemein als ein Vorbild des impressionistischen Lebensgefühls angesehen wurde«, inwiefern aber die Form des Einakter-Zyklus Anatol der Kritik aussetzt, bleibt in ihrer Fragestellung außer Betracht. [22]

Wenn Schnitzlers Figuren erstaunlich oft im Fiaker über die Ringstraße fahren, ist nicht von einer beliebigen Spazierfahrt die Rede. Solch ein zunächst unscheinbares Handlungsmoment gibt sich der sozialgeschichtlichen Analyse, die hier zum erstenmal auch die stadtgeschichtlichen und soziographischen Untersuchungen zugrunde legt, die in den letzten Jahren Bobek, Lichtenberger, Helczmanovski u. a. vorgelegt haben, als Veranstaltung zu erkennen, die die Zugehörigkeit zum Bürgertum der Gründerzeit zur Schau stellen soll, das sich mit dieser Prachtstraße ein Denkmal seiner ökonomischen und kulturellen Ambitionen geschaffen hat. Die Fahrt über den Ring führt an Rathaus, Parlament, Hofoper und Burgtheater ebenso vorbei wie an der Börse. Wer über den Ring fährt, läßt nicht so sehr die Bauten des liberalen Bürgertums der Gründerzeit Revue passieren als daß er der in ihnen sinnfälligen Allianz von Besitz und Bildung seine Reverenz erweist, die auch für die Zukunft hoffen läßt. Wenn etwa die Heldin der *Kleinen Komödie* zwischen Stadtpark und Museum zu Fuß geht und den Fiaker nachfahren läßt, so deshalb, um symbolisch am Ringstraßencorso teilzunehmen, in dem die feine Wiener Gesellschaft ihre Selbstdarstellung dem Volk präsentierte. Sie spaziert durch das exklusivste Viertel am Ring, in dem sich alte Aristokratie und neues Industriebürgertum zusammenfinden. Die Nobelpalais am Opern- und Kärntner Ring sind nicht nur das bevorzugte Wohngebiet des Adels, sie beherbergen zugleich die Kontore der privaten Eisenbahngesellschaften und der Schwerindustrie, nicht zu vergessen die ersten Autosalons. [23]

Ist in Schnitzlers Dramen und Novellen die Ringstraße als Symbol der Gründerzeit gedeutet, deren Fassaden die ökonomischen Ziele des liberalen Großbürgertums zusammen mit dessen feudalen Repräsentationswünschen dem Betrachter vor Augen führen, so kommt in ihnen die Krise bürgerlichen Selbstbewußtseins in der Weise zum Ausdruck, daß ihre Helden dem Ring den Rücken kehren. Wer die Ringstraße verläßt, hat allerdings nicht mit den Imperativen und Lebensformen der Gründerzeit gebrochen; vielmehr bleibt die Wendung gegen sie ambivalent. Wergenthin in *Der Weg ins Freie* bleibt die Rückkehr an die Ringstraße offen, am Ende des Romans wohnt er im ›Hotel Impérial‹, das den Namen der Epoche trägt. Anatol entzieht sich zwar der ökonomischen Konkurrenz, und seine Abenteuer sucht er vorzugsweise in der Vorstadt, doch korrespondieren seine Phantasien von Herrschaftsausübung, über seine Geliebten wie über Sachen zu verfügen, ja sie »zermalmen« zu können, auf eigentümliche Weise den imperialen Träumen der Bourgeosie [24], von denen er sich indigniert abgewandt hat.

Neben dem Gestus des Ästheten verweist auch die soziale Unentschiedenheit der Helden Schnitzlers – sie sind ohne Arbeit, ohne Beruf, ohne Familie, oft auch alterslos – auf die Neigung eines Teils des Wiener Bürgertums in den neunziger Jahren, sich den Zwängen der ökonomischen und sozialen Ordnung zu entziehen, die seit dem Krach von 1873 zunehmend in Verruf geraten war. Mußte der Bürger seine Handlungsspielräume durch die Unterschichten gefährdet sehen, so hielt er gleichwohl durch vielfältige soziale Beziehungen nach ›oben‹ und ›unten‹ am liberalen Postulat von der Gleichheit aller fest. Die soziale Unentschiedenheit impressionistischer Helden (Schnitzlers Anatol, Alfred von Wilmers, Georg von Wergenthin; Hofmannsthals Andrea, Claudio) ist ein untrügliches Zeichen der Zugehörigkeit zur Oberschicht, wenn auch nicht zu deren dominierender Fraktion, den wenigen, die sich die »Dritte Gründerzeit« zunutze machen.

Der soziale Gegensatz zwischen Oberschicht (Bürgertum, Adel) und Unterschichten (Kleinbürgertum, Proletariat), den Schnitzlers Frühwerk thematisiert, nicht aber Hoffmansthals *Gestern* oder *Der Tod des Tizian*, findet seine vielleicht prägnanteste Formulierung in *Anatol, Liebelei* und *Reigen*, in der Konstellation junger Herr – süßes Mädel; erst eine »lecture sociologique« [25] wird begründen können, daß das süße Mädel, die berühmteste Figur der Wiener Literatur um 1900, zwar eine ästhetische Fiktion, zugleich aber die Darstellung eines authentischen Sozialcharakters ist, dem unter den gegebenen gesellschaftlichen Bedingungen bewußt oder unbewußt die Verachtung ebenso wie die Faszination des Wiener Bürgers gehören mußte. Das süße Mädel gilt dem jungen Herrn, anders als die Maitresse oder die unverheiratete Frau ›aus gutem Hause‹, als ideale Geliebte, über die er nur den Kopf schüttelt, wenn sie wie Christine in *Liebelei* die Rollenerwartung des jungen Herrn durchbricht.

Zählt die Betrachtung im Spiegel oder im Bild zu den bevorzugten Motiven der Literatur der Jahrhundertwende, so läßt sich an Wildes *Dorian Gray* wie auch an Hofmannsthals *Der Tod des Tizian* und Schnitzlers *Die Frau mit dem Dolche* zeigen, daß in ihnen eine Selbstvergewisserung unternommen wird, die offenkundig auf eine tiefgreifende Erschütterung des Individuums in dieser Zeit antwortet. [26] »Wir besitzen unser Selbst nicht«, schreibt Hofmannsthal im Gespräch *Über Gedichte*, »von außen weht es uns an, es flieht uns für lange und kehrt uns in einem Hauch zurück. Zwar – unser ›Selbst‹! Das Wort ist solch eine Metapher. Regungen kehren zurück, die schon einmal früher hier genistet haben. Und sind sie's auch wirklich selber wieder? [...] Genug, etwas kehrt wieder. Und etwas begegnet sich in uns mit anderem. Wir sind nicht mehr als ein Taubenschlag.« [27]

Erfahrungen wie diese hoffte das Ich u. a. in der Weise zu bewältigen, daß es lernte, sich als einen relativ beständigen, aber zufälligen Komplex von Empfindungen wahrzunehmen, dem eine aus gleichartigen Empfindungselementen gebildete Dingwelt zugeordnet sein sollte. In der Philosophie

Machs fand es diese Wahrnehmung ausgeführt. Mach lehrte, daß Erkenntnis nicht länger mehr auf ein erkennendes Subjekt als ihr Zentrum bezogen sein müsse, sondern sich nur in einem depersonalisierten Empfindungsfluß entfalten könne.

»Nicht das Ich ist das Primäre, sondern die Elemente (Empfindungen) ... Die Elemente bilden das Ich ... Genügt uns die Kenntnis des Zusammenhangs der Elemente (Empfindungen) nicht, und fragen wir, ›wer hat diesen Zusammenhang der Empfindungen, wer empfindet?‹, so unterliegen wir der alten Gewohnheit, jedes Element (*jede* Empfindung) einem *unanalysierten* Komplex einzuordnen; wir sinken hiermit unvermerkt auf einen älteren, tieferen und beschränkteren Standpunkt zurück ... Das Ich ist unrettbar ... Der einfachen Wahrheit, welche sich aus dieser psychologischen Analyse ergibt, wird man sich auf die Dauer nicht verschließen können.« [28] Die Einheit des Ich ließ sich mithin als nützliche Fiktion entlarven. Ebenso aber zerfiel die Identität der Dingwelt. Das führte schließlich auf die ästhetizistisch verwertbare Empfehlung, »*sein Ich für nichts zu achten*, dasselbe in eine vorübergehende Verbindung von wechselnden Elementen aufzulösen.« [29] Machs Philosophie stellt mithin eine die Zeit bestimmende Identitätskrise im Gewande der Erkenntnistheorie dar.

Daß Schnitzler zufolge unter den gegebenen historischen Verhältnissen mit der psychischen zugleich die soziale Identität bedroht ist, tritt bis in Regungen des Unbewußten hinein, die in einer kaum verhohlenen Statusangst Ausdruck finden, auch an der Gestalt des *Leutnant Gustl* hervor. Die bloße Darstellung der Innenansicht dieser Figur wurde von zahlreichen Zeitgenossen als Beschmutzung eines Leitbilds der Epoche empfunden. Denn in der Gestalt des jugendlichen Leutnants wollten sie einen Ehrenkodex verkörpert sehen, dem sie selbst überall und jederzeit verpflichtet zu sein vorgaben. Im Duell war zugleich mit diesem Ehrenkodex ein soziologisch ungemein folgenreiches Institut der extralegalen Rechtsfindung entstanden. Es diente zum einen der Abschließung und Homogenisierung der Oberschicht durch das Kriterium der Satisfaktionsfähigkeit. Zum anderen diente es dazu, die Machtansprüche der herrschenden Klassen gegenüber dem Monopolanspruch des Staates auf die Anwendung physischer Gewalt trotz eines entgegenstehenden strafrechtlichen Duellverbots zu behaupten und durchzusetzen.

Schnitzler hat den Duellzwang, der sich aus diesen Machtansprüchen entwickelte, wiederholt kritisiert. In seinem Stück *Freiwild* zeigt er, wie der Duellzwang zum Symptom einer Militarisierung der Gesamtgesellschaft geworden ist. In anderen Novellen und Dramen, vor allem in *Liebelei* und *Das weite Land* behandelt er das Duell in einer Weise, die deutlich werden läßt, daß es eine leere, wenn auch keineswegs folgenlose Konvention darstellt. Sie dient zumeist der Wiederherstellung des Scheins ehelicher Treue. Denn das Duell mußte ausschließlich dann in sein Recht treten, wenn dieser Schein, nicht jedoch wenn die Treue verletzt worden war. Daß die Satisfaktionsfähigkeit als Ausweis der Zugehörigkeit zur Oberschicht das Duell gerade für Juden interessant werden ließ, die bestrebt waren, sich zu assimilieren, hat Schnitzler in zwei Episoden seines Romans *Der Weg ins Freie* ironisch kommentiert.

Thema dieses Romans sind Formen der Identitätskrise und die Bedingungen ihres Zustandekommens. Dargestellt werden sie an zumeist jüdischen Intellektuellen, Künstlern und Fabrikanten sowie an ambitionierten Kleinbürgern, die zusammen die soziale Welt des Romans ausmachen. Die Identitätskrise erfaßt den Kleinbürger Rosner, der die liberalen Leitbilder vor allem durch die christlichsoziale Karriere seines Sohnes in Frage gestellt sieht, ebenso wie den Fabrikanten Salomon Ehrenberg, der die Assimilationsbestrebungen in der eigenen Familie verabscheut und der aufgrund des herrschenden Antisemitismus Sympathien für die Sozialdemokratie entwickelt.

Im Mittelpunkt des Romans steht Georg von Wergenthin, ein Komponist adliger Herkunft, dessen musikalische Begabung sich am Ende darin erschöpft, der Musik anderer zuzuhören. *Der Weg ins Freie* erzählt die Geschichte seines Helden als Biographie eines Ästheten, dessen unproduktive Liebe zur Kunst und dessen Liebe zu Anna Rosner sich wechselseitig deuten. Indem er Anna liebt, liebt er vor allem die Kunst. Wergenthins Unproduktivität sowie die der übrigen im Roman auftretenden Künstler wird von Schnitzler als Symptom der Orientierungslosigkeit des liberalen Bürgertums verstanden. Darin erweist sich der Künstlerroman zugleich als Gesellschaftsroman. Von der Identitätskrise des Bürgertums bleiben, wie Schnitzler zeigt, auch seine Künstler nicht verschont.

I ›Anatol‹, ›Die kleine Komödie‹

1 Stadt, Vorstadt, Bohème

Daß er »in der kleinen Welt [...] nur geliebt; in der großen – nur verstanden« werde, ist die vielleicht wichtigste Einsicht, die Arthur Schnitzler seinen Helden in der zweiten Szene des *Anatol*-Zyklus gewinnen läßt, eine Einsicht allerdings, die nicht von Dauer ist.[1] Thematisiert wird in dieser Szene, *Weihnachtseinkäufe*, die Erfahrung eines jungen Herrn, daß es in der Vorstadt anders zugehe als in der Stadt, in der er wie seine ›mondäne‹ Gesprächspartnerin dem sozialen Rang nach gehört. Stadt und Vorstadt sind die sozialen Ebenen, aus deren Abstand explizit oder auch vermittelt viele der frühen Werke Schnitzlers ihre sei's dramatische sei's novellistische Spannung gewinnen. Mit ihnen ist vorläufig der soziale Ort einmal des gehobenen Wiener Bürgertums bezeichnet, von dessen ökonomischer, politischer, moralischer und nicht zuletzt psychischer Verfassung Schnitzlers Œuvre handelt oder gerade nicht handelt, zum andern der der Unterschichten.

Die Stadt wird in Schnitzlers Œuvre nicht als indifferenter Handlungsraum wahrgenommen, als Kulisse, vor der seine Dramen und Erzählungen ablaufen; vielmehr ist sie für die Handlung konstitutiv. Freilich treten bei Schnitzler noch nicht die bedrohlichen Seiten der Großstadt zutage, die u. a. Baudelaire und Poe dargestellt haben.[2] Die Anonymität der Masse etwa, die auch der städtische Verkehr erfahrbar macht, wird für Schnitzlers Figuren nicht zum Problem. In der Großstadt Wien, nach London, Paris und Berlin die viertgrößte Stadt in Europa mit 1,3 Millionen Einwohnern im Jahre 1890 und bereits 1,4 Millionen im Jahre 1894 [3], geht es, glaubt man Schnitzlers Personen, die mit Fiaker, Tramway oder Eisenbahn fahren, eigentlich idyllisch zu. In der Unterscheidung von Stadt und Vorstadt erscheint die Gesellschaft Wiens noch klar und einigermaßen fraglos gegliedert. Die Trennung zwischen der Inneren Stadt und den Vorstädten hat für die Gestalten Schnitzlers eine so selbstverständliche Geltung, daß sie zu durchbrechen einen Reiz besonderer Art verschaffen kann.

Unter den Liebesbeziehungen, die das Thema des *Anatol*-Zyklus ausmachen und die dramaturgische Einheit des Werkes verbürgen, sind u. a. solche zu Mädchen aus der Vorstadt. Die Konfrontation zwischen Stadt und Vorstadt findet hier allein unter dem Gesichtspunkt statt, welche Beziehungen der junge Herr in der Vorstadt einzugehen imstande ist. Von

Cora, der Geliebten aus der ersten Szene, heißt es später, daß sie die Frau eines Tischlermeisters geworden sei. »Ja, so enden diese Mädel mit den zerstochenen Fingern. In der Stadt werden sie geliebt und in der Vorstadt geheiratet ... 's war ein Schatz!« (S. 54) Aus der Sicht des jungen Herrn sind damit zugleich Distanz und Nähe zwischen Stadt und Vorstadt angegeben. Liebe finde die Näherin nur in der Stadt, den Mann fürs Leben müsse sie sich in der Vorstadt, unter ihresgleichen suchen. Für den jungen Herrn kommt das Vorstadtmädchen nur als Liebesobjekt in Betracht. Mit dem Gestus der Generosität läßt er sie zeitweilig eine Empfindung erleben, auf die sie, wie er meint, in der Vorstadt vergeblich hoffen muß. Damit verkehrt Anatol freilich ins Gegenteil, was er in der Szene zuvor Gabriele gegenüber bekannt hat: daß er in der kleinen Welt »nur geliebt«, in der großen »nur verstanden« werde. Nicht das Vorstadtmädchen findet in der Stadt die Liebe, die ihr in der Vorstadt vorenthalten bleibt, sondern der junge Herr erlebt die Liebe in der Vorstadt, beim »süßen Mädl«; in der Stadt wird sie ihm verwehrt.

Die *Weihnachtseinkäufe* führen aus, was aus der Perspektive des gehobenen Bürgertums die Vorstadt zugleich abstoßend und attraktiv macht. Anatol ist Beziehungen mit Vorstadtmädchen eingegangen, weil Frauen seines Standes wie Gabriele ihn haben erfahren lassen, daß nach den geltenden gesellschaftlichen Konventionen Koketterie die Liebe zu ersetzen hat. Nicht aus Perfidie hat sie mit Anatol ihr Spiel getrieben, vielmehr hat sie selbst weder in ihrer Ehe noch außerhalb erfahren können, was Liebe ist. Um so ausgesuchter sind die Kränkungen, die sie Anatol und dem Vorstadtmädchen – neidisch auf deren Glück – zuzufügen bereit ist. Die »summarische Verachtung«, die ihr Anatol für alles nachsagt, »was nicht Ihr Kreis ist« (S. 45), trifft die Vorstadt als ganze, insbesondere aber deren vermeintlich lockere Moral. Was ihr an Liebe versagt blieb, kann sie am wenigsten einer andern sozialen Welt zugestehen. Anatols Bekenntnis, seine Geliebte habe »die weiche Anmut eines Frühlingsabends ... und die Grazie einer verzauberten Prinzessin ... und den Geist eines Mädchens, das zu lieben weiß«, quittiert sie mit Sarkasmus: »Diese Art von Geist soll ja sehr verbreitet sein ... in Ihrer kleinen Welt«. (S. 47) Nichts kennzeichnet ihre Geringschätzung für »solche Vorstadtdamen«, die es Anatol augenscheinlich so leicht machen, daß die Vorstadt zur Stätte seiner Triumphe wird, besser als die ebenso billigen wie geschmacklosen Geschenke, mit denen sie das Mädchen zu diskriminieren sucht – und mit ihm Anatol. Gabriele wirft Anatol nicht so sehr vor, daß er eine Beziehung in der Vorstadt hat, sondern, daß dies auf ihre Kosten geschieht. Zwar hat sie selbst Anatols Zuneigung verschmäht; indem aber ein Vorstadtmädchen diese Zuneigung gewinnt, geht sie ihr verloren. Was Gabriele empört, ist die Minderung ihres emotionalen Besitzstandes:

Anatol: Aber ... Sie haben eine so unklare Empfindung, daß – man dort Ihnen etwas wegnimmt. Stille Feindschaft!
Gabriele: Ich bitte – mir nimmt man nichts weg – wenn ich etwas behalten will.
Anatol: Ja ... aber, wenn Sie selber irgend was nicht wollen ... es ärgert Sie doch, wenn's ein anderer kriegt? – (S. 45)

Angesichts des drohenden Verlustes sucht Gabriele Antalos Neigung zu erhalten. Was sie hier höchst mittelbar eingesteht – wenn sie etwas *nicht* behalten will, kann sie es auch gewähren, kann man es ihr auch nehmen –, wiederholt sie später in dem Angebot, das Zimmer des Mädchens für Anatol auszustatten:

Aber ich möchte Ihnen – ja Ihnen! das Zimmer so recht nach Ihrer Weise schmücken! (S. 47)

Hat sich Gabriele zunächst an Anatols Stelle gesetzt, nicht, um ein Geschenk für das Mädchen zu kaufen, sondern eher, um es damit zu demütigen, so setzt sie sich nun an die Stelle des Mädchens, dem das Zimmer gehört, um unter Beweis zu stellen, daß sie sich auf Anatol und seinen Geschmack besser versteht. Ihr Vorschlag, das Zimmer mit den »gemalten Wänden« nach großbürgerlichem Standard einzurichten (mit persischen Teppichen, ein paar Vasen und einer Ampel »von gebrochenem, rotgrünem Glas«) besagt sowohl, daß Anatol nicht in die Vorstadt gehöre, wie auch, daß dies soziale Terrain seiner Reize wegen für die Stadt zu arrondieren sei. Freilich bleibt ihr Versuch vergeblich, das Zimmer des Mädchens zumindest durch seine Ausstattung zu ihrem und zu Anatols zu machen. Als Gabriele einsieht, daß ihr die Welt der Vorstadt unzugänglich bleibt – Anatol insistiert darauf, daß im Zimmer des Mädchens nichts fehle –, tritt eine Faszination durch die Vorstadt zutage, die deren Verachtung bislang verdeckt hatte. Das moralische Verdikt macht der Bewunderung für ein Mädchen Platz, dessen für sie unerreichbare Liebesfähigkeit an einen niederen sozialen Ort gebunden scheint. Während das Mädchen in der Vorstadt moralische Konventionen zu ignorieren vermag, die sexuelle Freiheit verbieten, sieht sich Gabriele unter den Verhältnissen, die in ihrer Schicht herrschen, um Liebe und Glück betrogen.

Wie die Geschenke, die sie gekauft hat, vermutlich schön sind und durch Kostspieligkeit das Prestige der »Mondainen« unter Beweis stellen,[4] geht Gabriele demonstrativ unter ihr Niveau, um dem Vorstadtmädchen mit dem, was billig und häßlich ist, seine soziale Unterlegenheit vorzuführen. Gabrieles Verhalten ist insofern am Warenfetischismus orientiert, als für sie an die Stelle eigenen Glücks das Prestige der Dinge tritt.[5] Ihr Interesse, die Wohnung des süßen Mädels mit Gütern nach ihrem so teuren wie guten Geschmack auszustatten, geht mit der Absicht einher, eifersüchtig das Glück zu verhindern, das sie selbst entbehrt.

Von hier aus erhält auch das unscheinbare Handlungsmotiv, ob Anatol

Gabrieles Weihnachtspakete tragen darf oder nicht, seine Bedeutung. Die Pakete als Prestigeobjekte aus der Hand zu geben, kommt einer Entlastung gleich, die es der Dame, die den Verkehrsformen der monde unterliegt, erst ermöglicht, ihren eigenen Glücksanspruch zu artikulieren. Als Gabriele erkennt, daß sie das Glück, das sie vermißt, einer anderen zugestehen muß, nimmt sie resigniert die ihren Status exponierenden Geschenke als Surrogat eigenen Glücks zurück.

Wie für Gabriele hat auch für Anatol die Vorstadt den Reiz des Fremden. Wenn er das süße Mädel liebt, so nicht so sehr als Person, sondern um der Liebe willen, die sie gewährt, und wegen der Fremdheit ihres sozialen Milieus. Gegenüber dem großbürgerlichen Interieur der Gründerzeit – dem »glänzenden Salon« mit »schweren Portieren«, »Makartbuketts«, »Bibelots«, »Leuchttürmen«, »mattem Samt … und dem affektierten Halbdunkel eines sterbenden Nachmittags« – bietet das Zimmer des Mädchens Anatols Wahrnehmung zufolge den sublimen Reiz des Schlichten: ein »kleines dämmeriges Zimmer – so klein mit gemalten Wänden« und mit der Aussicht auf die Dächer und Rauchfänge der Stadt (S. 47). Unabdingbar hat die Beziehung zwischen Anatol und dem süßen Mädel die soziale Distanz zwischen Stadt und Vorstadt zur Voraussetzung. Gäbe es sie nicht, wären das Mädchen und ihr Milieu für Anatol ohne Reiz. Dafür, daß Anatol sie nicht als Person liebt, spricht ebenso ihre Namenlosigkeit wie seine ausdrückliche Versicherung, daß sie kein »spezieller Fall« sei, daß es in der Vorstadt wie in der Stadt nur Typen gäbe. Ist damit auch dem Mädchen die Individualität abgesprochen, so ist freilich nicht zu verkennen, wieviel ihm diese Beziehung bedeutet. Zwar hat er zunächst seine prinzipielle Ungebundenheit beteuert – es sei ihm unmöglich, im Herbst schon zu wissen, wem man zu Weihnachten etwas schenken werde –, doch weist ihm Gabriele nach, daß er in Wahrheit schon Weihnachten daran denkt, im Mai mit dem Mädchen zusammenzusein. Freilich bleibt sich Anatol auch in dieser Beziehung bewußt, daß sein Glück, wenn es denn eines ist, nicht von Dauer sein kann.

Der soziale Gegensatz von Stadt und Vorstadt ist in den *Weihnachtseinkäufen* für den Helden in dem Maße interessant, als sich aus ihm für eine Affäre Nutzen ziehen läßt. Da die Stadt allenfalls Verständnis, die Vorstadt aber Liebe für ihn bereithält, wendet er sich der Vorstadt zu – nicht ohne die Genugtuung, die mondäne Frau der Konkurrenz aus der Unterschicht ausgesetzt zu haben. Konstitutiv wie für die *Weihnachtseinkäufe* ist das Gefälle zwischen Stadt und Vorstadt auch für *Liebelei* und für einige Szenen des *Reigen*. In zwei anderen Einaktern des *Anatol*-Zyklus, *Die Frage an das Schicksal* und *Abschiedssouper*, ist es zwar von geringerem Gewicht, doch sind in allen Szenen die sozialen Koordinaten genau zu beachten, in denen Schnitzler die Affären seines Helden angeordnet hat. Von den Geliebten, die er für sich und Max in *Episode* Revue passieren läßt, ist »die eine aus irgendeinem kleinen Häuschen aus der Vorstadt, die andere aus dem prunkenden Salon ihres Herrn Gemahls – Eine aus der Garderobe ihres Theaters –«. (S. 51 f.) Aus dem großbürgerlichen Salon, aus der Vorstadt und aus der Bohème stammen denn auch alle weiblichen Figuren, mit denen Anatol in den einzelnen Szenen auftritt: Gabriele und Else aus der Stadt, Cora aus der Vorstadt, Bianca, Annie und Ilona aus der Boheme. So schwer auch die soziale Definition etwa von Emilie *(Denksteine)* fallen mag – über ihre Herkunft ist nichts gesagt, als Kurtisane bewohnt sie ein Zimmer, nicht in der Beletage, doch in der Inneren Stadt, [6] sowenig ist daraus der Schluß zu ziehen, für die Schnitzlersch Figuren sei ihr gesellschaftlicher Kontext, da er oft unklar bleibe, auch nicht von Belang. Vielmehr ist gerade an der vermeintlichen sozialen Unbestimmtheit des Helden zu zeigen, welcher bestimmten Gesellschaftsschicht er zugehört. Wie seine Verhaltensweisen und Reakionen sind auch die der Frauen, denen er begegnet, durch die sozialen Positionen bedingt, die sie Schnitzler zufolge zu besetzen haben. So unterschiedlich Anatols Verhalten im einzelnen zu diesen Frauen sein mag, am Ende kommt es einer Demütigung gleich.

In einem 1912 geschriebenen Aufsatz *Über die allgemeinste Erniedrigung des Liebeslebens* hat Freud die Trennung von himmlischer und irdischer Liebe als verbreitetes Kulturphänomen seiner Zeit beschrieben. Es sei allgemein unter den gegebenen historischen Voraussetzungen eine psychisch-moralische Erniedrigung des Sexualobjekts nötig als Bedingung dafür, daß der Mann die volle sexuelle Befriedigung erfahre. Seine Zärtlichkeit sei dagegen der moralisch höherstehenden Frau reserviert. Freud hat dabei auch gesehen, daß vermeintliche moralische Minderwertigkeit und niedriger sozialer Rang zusammenfallen können: »Möglicherweise ist auch die so häufig zu beobachtende Neigung von Männern der höchsten Gesellschaftsklassen, ein Weib aus niederem Stande zur dauernden Geliebten oder selbst zur Ehefrau zu wählen, nichts anderes als die Folge des Bedürfnisses nach dem erniedrigten Sexualobjekt, mit welchem psychologisch die Möglichkeit der vollen Befriedigung verknüpft ist.« [7]

Wenn Schnitzler Anatol sagen läßt, Verständnis finde er in der Stadt, Liebe aber in der Vorstadt, so ist daraus nicht zu schließen, daß das Stück als ästhetische Formulierung Freudscher Thesen zu lesen sei – schließlich erschien Freuds Aufsatz sehr viel später –, wohl aber bleibt zu prüfen, ob Freuds Beobachtungen einen bei Schnitzler beschriebenen Sachverhalt zureichend zu erklären vermögen oder doch besser als andere, etwa von der zeitgenössischen Philosophie bereitgestellte Mittel der Interpretation. Anatol findet Liebe – kein Zweifel, daß er und Gabriele darunter auch sexuelle Befriedigung verstehen – bei einem moralisch verdächtigen Mädchen niederen Standes. Schnitzler wie Freud zufolge ist so ein Zusammenhang zwischen moralischer Erniedrigung und niederem sozialen Rang anzunehmen. Das erklärt zwar Anatols Vorliebe für die Vorstadt und Bohème, deren soziale Geltung aus der Perspektive der feinen Gesellschaft unstreitig gering ist, nicht aber seine Beziehung zu den Frauen der Oberschicht. Anatols Verhalten gegenüber Else in *Agonie* zeigt, daß die psychische Erniedrigung der Frau auch unbeschadet ihres sozialen Ranges stattfindet; d.h. der niedere soziale Status gilt zwar nicht als notwendige Bedingung moralischer Erniedrigung, ohne Zweifel aber begünstigt er sie. So ist es kaum Zufall, wenn unter den Geliebten Anatols nur eine Frau dem gehobenen Bürgertum zugehört; alle anderen stammen aus Vorstadt und Bohème. Was die soziale Qualifikation der Frauen aus der Vorstadt und Theaterwelt angeht, so wird ihnen zwar Anatols Geringschätzung gleichermaßen zuteil, doch zeigt sich etwa in der Gegenüberstellung der Balletttänzerin Annie mit dem Vorstadtmädchen, Anatols alter und neuer Geliebter, daß – wiewohl beide gleicher Herkunft sind – das Vorstadtmädchen auf ihr Milieu verwiesen bleibt, während die Ballettänzerin Zugang zur Gesellschaftsschicht Anatols hat. Mit Annie, wie auch mit der Zirkusreiterin Bianca, trifft sich Anatol im Sacher, mit der Geliebten aus der Vorstadt nur dort: ihr angemessen, erklärt er Max, sei »das Vorstadtbeisel, das gemütliche – mit den geschmacklosen Tapeten und den kleinen Beamten am Nebentisch! – Ich war die letzten Abende immer in solchen Lokalen mit ihr!« (S. 70) Schärfer als in *Anatol* sind allerdings die Distinktionen zwischen den Frauen aus der Vorstadt und dem Theatermilieu im *Reigen* ausgebildet.

Werden die Frauen aus der Vorstadt und der Bohème moralisch wie sozial disqualifiziert, so trifft die Frauen gleichen Standes nur eine ausschließlich moralische Diskriminierung. Der verheirateten Dame (Else) wirft er vor, »lüstern und verlogen zugleich« zu sein, das Abenteuer gewollt zu haben, von dem er profitiert; die Ballettänzerin dagegen, die es wagt, ihm einen andern vorzuziehen, beleidigt er mit Vermutungen über dessen sozialen Status:

Anatol: Was ist er? – Ein Kommis? – Ein Rauchfangkehrer – ? – Ein Reisender in Petroleum –
Annie: Ja, Kind – beleidigen lasse ich ihn nicht!
Max: So sagen Sie doch endlich, was er ist!
Annie: Ein Künstler!
Anatol: Was für einer? – Wahrscheinlich Trapez? Das ist ja was für euch – Aus dem Zirkus – wie? Kunstreiter?
Annie: Hör' auf zu schimpfen! – Es ist ein Kollege von mir ... (S. 76)

Besser noch gibt die *Episode* Aufschluß über Anatols Demütigungen.

2 *Gestörte Kommunikation*

Anatol bringt Max ein Paket mit Blumen, Locken, Briefen etc. zur Aufbewahrung – Dingen, die an seine früheren Geliebten erinnern: »Ich beginne ein neues Leben auf unbestimmte Zeit. Dazu muß ich frei und allein sein, und darum löse ich mich von der Vergangenheit los.« (S. 51)

Die Helden des Wiener Fin de siècle, Schnitzlers Anatol wie auch Hofmannsthals Andrea, müssen jede Wirklichkeit enttäuschend finden und auf dem Reiz der reinen Möglichkeit bestehen. So begreift Andrea Schaffen als Vernichtung seiner Kreativität, so gilt Anatol eine reale Liebesbeziehung als Beeinträchtigung möglicher anderer Beziehungen. Daß Anatol dem Verhältnis zu Bianca die größte Bedeutung beimißt, liegt daran, daß das Rendezvous mit ihr nur zwei Stunden dauerte und ihre Abreise am nächsten Tag von vornherein feststand. Zu Recht nennt er darum diese Beziehung »Episode«. In ihr ist die Virtualität einer Liebesbeziehung idealtypisch ausgebildet. Was Anatol an der Episode so außerordentlich schätzt, ist der Genuß an der puren Möglichkeit.

Darin kommt Schnitzlers Held entgegen der Aura des Verschwenders, die er sich gibt, mit dem Geizigen überein. [8] Wie dieser das Seine festhält, insbesondere sein Geld als den reinsten Ausdruck dessen, daß ihm alle Möglichkeiten offenstehen und seine Verausgabung verweigert, eben weil sie seine Möglichkeiten unausweichlich einschränken würde, kann sich Anatol nicht von den Erinnerungsstücken trennen, den Locken, Briefen, Blumen als den Symbolen seiner Möglichkeiten, über die er – und sei's auch nur in der Erinnerung – jederzeit wieder verfügen kann. »Wenn ich so in diesen Blättern, Blumen, Locken wühle«, erklärt Anatol Max, »– du mußt mir gestatten, manchmal zu dir zu kommen, nur um zu wühlen – dann bin ich wieder bei ihnen, dann leben sie wieder, und ich bete sie aufs neue an.« (S. 51)

Der libertine Liebhaber, der mit buchhalterischer Sorgfalt die Symbole seiner Eroberungen dem Freund zur Aufbewahrung gibt, gleicht dem Geizigen, der mit immer neuem Genuß seine Goldstücke mit Händen greift und zählt.

Freilich kann die Aussicht, sich in jedem Augenblick der Geliebten erinnern zu können, das Eingeständnis, ihrer niemals sicher gewesen zu sein, nicht vergessen machen. Nur in der Gestalt von Blumen und Locken glaubt sich Anatol der Geliebten dauerhaft vergewissern zu können, doch zeigt der Ausgang der *Episode*, daß dieser Glaube trügt. Im Grunde hat Anatol nicht Frauen erobert, sondern Blumen und Locken. Die Erinnerungsstücke, die er vorderhand als »Tand« abtun möchte, gelten ihm als Trophäen, die von Heldentaten zeugen sollen: »[...] ich kam mir so vor, wie einer von den Gewaltigen des Geistes. Diese Mädchen und Frauen – ich zermalmte sie unter meinen ehernen Schritten, mit denen ich über die Erde wandelte. Weltgesetz, dachte ich, – ich muß über euch hinweg.« (S. 54f.) So unscheinbar sich Anatols Form des bürgerlichen Heroismus, amouröse Eroberungen zu versuchen, gegenüber den imperialistischen Ambitionen seiner Zeit ausnehmen, seine bescheidenen Trophäen sind mit den Beutestücken jener

Politik, die sich die Welt untertan machen wollte, darin noch entfernt verwandt, daß sie zur Schau gestellt werden müssen. Die Trophäen seiner Eroberungen, Blumen, Briefe, Locken, erfordern, soll ihnen geglaubt werden, öffentliche Anerkennung. Anatol muß zu Max gehen, nicht um seine Vergangenheit zu verbergen, sondern um sie einem Publikum zu präsentieren. [9] Die Gelassenheit, die er an den Tag legt, soll die Angst überspielen, daß ihm seine Eroberungen nicht geglaubt werden. Die Blumen und Locken sind ihm unverzichtbar, weil sie untrügliche Beweise seiner ›Heldentaten‹ sind.

Der Titel des Einakters *Das Abenteuer seines Lebens,* den Schnitzler nicht in den *Anatol*-Zyklus aufgenommen hat, macht sichtbar, daß Anatol jenen Abenteurergestalten nahesteht, die in der nicht-naturalistischen Literatur um 1900 ins Auge fallen. [10] Hofmannsthals *Lebenslied* und *Der Abenteurer und die Sängerin,* die *Buddenbrooks* wie auch Schnitzlers Roman *Der Weg ins Freie* thematisieren – letztere in der Gestalt Christian Buddenbrooks bzw. Oskar Ehrenbergs – das Abenteuer als Flucht aus bürgerlichen Verhältnissen, als Ausbruch aus jener Lebensprosa, deren Grammatik die Gründerzeit rigoros als Profitsteigerung und prunkvolle Repräsentation vorgeschrieben hat. Anatol reist nicht in ferne Länder, die Abenteuer seines Lebens finden ihre geographische Grenze am Wiener Linienwall. Anatols Abenteuer sind beiläufige Liebesabenteuer, die nicht einmal die Erkundung seiner selbst zum Ziel haben. Als Flucht aus bürgerlicher Lebenspraxis ist das Abenteuer, wie es in der Literatur um 1900 in Erscheinung tritt, indessen nur unzureichend charakterisiert. [11] An Anatol läßt sich vielmehr zeigen, daß diese Flucht zugleich Züge der Eroberung trägt. Seine Abenteuer sind ambivalent. Der resignierte Rückzug aus der ökonomischen Alltäglichkeit geht, sieht man auf die *Episode,* mit Aggressionen und Omnipotenzphantasien einher, die an eben die imperialen Taten der Bourgeoisie erinnern, von denen sich Anatol indigniert abgewandt hat. Auf die Beutestücke seiner Liebesabenteuer, die Anatol Max zur Aufbewahrung gibt, ist er so stolz wie der Bürger auf die Insignien kolonialen Erwerbs.

»Sie war fort – plötzlich aus meinem Leben. Ich versichere Dir, das kommt manchmal vor. Es ist, wie wenn man irgendwo einen Regenschirm stehen läßt und sich erst viele Tage später erinnert ... Man weiß dann nicht mehr wann und wo.« (S. 54) Zwar sind Anatol seine Geliebten in Gestalt von Erinnerungsstücken präsent. Die Verdinglichung aber, der er sie unterwirft, um sich ihrer zu erinnern, führt gerade dazu, daß er sie vergißt, eben wie einen Regenschirm. Mit Bedacht hat er nicht Namen, sondern einen »Vers, ein Wort, eine Bemerkung« für jedes Päckchen ausgewählt, »die mir das ganze Erlebnis in die Erinnerung zurückrufen.« (S. 52) Daß er nicht Namen nannte, begründet er zwar mit der Einzigartigkeit der jeweiligen Geliebten – »denn Marie oder Anna könnte schließlich jede heißen« –, in Wahrheit geht es ihm aber darum, von der Individualität der Frau abzusehen zugunsten *seines* Erlebnisses, das er sich erinnernd, sooft er will, zu eigen machen kann. Die gestörte Kommunikation, die Anatol der *Episode* zufolge zu seinen früheren Geliebten hat, charakterisiert auch sein Verhältnis zu den dramatis personae. Unausgesetzt ist in allen Szenen des *Anatol* davon die Rede und wird vorgeführt, daß man einander nicht versteht.

Am ehesten läßt sich die gestörte Kommunikation aus Anatols Sozialcharakter und psychischer Verfassung erklären. Schnitzlers Held ist ohne Familie, unverheiratet, ohne Kinder, ohne Beruf, auch alterslos; er tut gewöhnlich nichts, geht spazieren und scheint mit dem »herrlich Planlosen« dieser Lebensweise einverstanden zu sein. Stillschweigend wird vorausgesetzt, daß er über Vermögen verfügen muß, um so leben zu können. Was ihn beschäftigt, sind einzig seine Affären. Daß er ihnen in den Salons wie im Theater und im Vorstadtbeisel nachgeht, suggeriert eine soziale Ortlosigkeit, wie sie dem Rentier möglich erscheint, der auf Geschäfte nicht mehr angewiesen ist. Unmißverständlich aber bezeugen neben seinem Sozialverhalten das erlesene Interieur seiner Wohnung, und die Verfügung über Hauspersonal, daß er in der Oberschicht zu Hause ist.

Der extremen sozialen Beziehungslosigkeit entspricht, daß Anatols Beziehung zu sich selbst gestört ist. Sowenig er im Grunde Beziehungen zu Frauen einzugehen imstande ist, sowenig weiß er mit sich selbst anzufangen. Zur Charakteristik des Helden gehört die gestörte Kommunikation ebenso wie ein irritiertes Selbstbewußtsein. Seine Omnipotenzphantasien, die Vorstellungen, er könne über Frauen verfügen wie über Sachen, ja, sie »zermalmen«, bezeugen nichts anderes, als daß er seiner selbst nicht sicher ist. Die Geliebten, über die er hinwegzugehen vermeint, sind dazu da, seine Identität nicht sowohl zu bestätigen als allererst zu konstituieren: »Sie war wieder eine von denen gewesen«, berichtet er Max von Bianca, »über die ich hinweg mußte. Das Wort selbst fiel mir ein, das dürre Wort: Episode. Und dabei war ich selber irgend etwas Ewiges ... Ich wußte auch, daß das ›arme Kind‹ nimmer diese Stunde aus ihrem Sinn schaffen könnte – gerade bei der wußt' ich's. [...] Für diese, die da zu meinen Füßen lag, bedeutete ich eine Welt; ich fühlte es, mit welch einer heiligen unvergänglichen Liebe sie mich in diesem Momente umgab. Das empfindet man nämlich; ich lasse es mir nicht nehmen. Gewiß konnte sie in diesem Augenblick nichts anderes denken, als mich – nur mich. Sie aber war für mich jetzt schon das Gewesene, Flüchtige, die Episode.« (S. 56)

Da Anatol unausgesetzt fürchtet, vergessen zu werden, wünscht er sich jemanden, der ihm seine Einzigartigkeit beglaubigt. Aus Angst vor der eigenen Belanglosigkeit denkt er an eine Frau, für die er eine Welt bedeuten kann. Zwar gibt Anatol vor, allein sein zu wollen, doch wäre das für ihn nicht nur schmerzlich, sondern ruinös. Nicht Bianca ist das Flüchtige;

vielmehr ist es seine eigene diffuse Identität, die die Konsolidierung durch
eine Frau unabdingbar macht.

Sosehr ist er auf die Versicherung seiner Identität durch andere angewiesen, daß er sie sich durch die Beschwörung der Nacht mit Bianca selbst
inszeniert. Gehört die Bespiegelung seiner selbst durch die zu diesem Zweck
erniedrigte Frau (»Für diese, die da zu meinen Füßen lag, bedeutete ich
eine Welt«) allgemein zu den Bedingungen des narzißtischen Liebhabers, so
trifft auf Anatol zu, daß die Liebe, die er zu empfangen meinte, nur die
eigene ist. Daß Max ihn erinnert, Biancas Empfindung für ihn sei »Licht
von *deinem* Lichte« (S. 58) gewesen, verfängt nicht; erst als Bianca Anatol
leibhaftig gegenübertritt, sind seine Operationen zur Stabilisierung seiner
selbst durch fingierte Erfolge gescheitert. Anatol will sich von der Vergangenheit lösen – und löst sich von der Gegenwart; statt ein »neues Leben« zu beginnen, versenkt er sich ins alte. Statt »frei und allein« zu
sein, wird er zum Gefangenen seiner Vergangenheit. Nicht er bestimmt
über sich selbst und über andere, sondern er bleibt um seiner selbst willen
auf die Bestimmung durch andere angewiesen. Nicht er hat Bianca, sondern
Bianca hat ihn vergessen. Zwar macht sie Anatols Versuch ein Ende, sich in
einer von ihm entworfenen Märchengestalt selbst zu spiegeln, statt sich an
zwei Stunden mit einer Zirkusreiterin zu erinnern. Doch ist dieser Versuch wegen der Laborbedingungen, unter denen er stattfand (Max: »du
brauchst das Halbdunkel, deine grün-rote Ampel ... dein Klavierspiel«)
jederzeit wiederholbar. (S. 57) Bianca bestätigt Anatol nicht seine Einzigartigkeit, sondern seine Ersetzbarkeit, sie verwechselt ihn mit einem andern
in Petersburg. Nicht sie, scheint es, war für Anatol, sondern Anatol war
für sie eine Episode. Schnitzler läßt die Zirkusreiterin, die sich augenscheinlich an der großen Welt orientiert und die auch zum Sacher Zutritt hat, [12]
sich ihrer Affären auf die gleiche Weise erinnern wie den jungen Herrn;
erst mit Hilfe einiger Requisiten – »Klavier – Ampel ... so eine rot-
grüne ...« – fällt ihr die Person wieder ein. Ihre Beziehung zu den Männern
ist so problematisch wie die Anatols zu den Frauen. Und für einen Moment,
bei Anatols Weggang, als sie die Blume, die an sie erinnert, bemerkt, verfällt sie – wiederum Anatol ähnlich – der Illusion, dem andern mehr bedeutet zu haben:

Bianca: Er hat mich also geliebt?
Max: Heiß, unermeßlich, ewig – wie alle diese. (Deutet auf die Päckchen).
Bianca: Wie ... alle diese! ... Was heißt das? Sind das lauter Blumen?
Max: Blumen, Briefe, Locken, Photographien. Wir waren eben daran, sie zu ordnen.
Bianca: (in gereiztem Tone) In verschiedene Rubriken.
Max: Ja, offenbar.
Bianca: Und in welche komme ich?
Max: Ich glaube ... in diese! (Wirft das Kuvert in den Kamin) (S. 61)

Nicht ungestraft kann die Zirkusreiterin, wenngleich ungewollt, dem jungen Herrn die Identität bestreiten. Der Kränkung Anatols, den Bianca mit einem anderen verwechselt, läßt Max, stellvertretend für Anatol, die Demütigung einer symbolischen Vernichtung folgen. Mit der Verbrennung des Kuverts wird Bianca vor Augen geführt, daß sie Anatol wie auch Max noch weniger bedeutet hat als jede andere Episode. An Anatols Kränkung durch Bianca ist abzulesen, daß nichts bei seiner psychischen Disposition ihm schlechter bekäme als allein zu sein. Zwar erlaubt ihm die sozial konditionierte Isolierung nur eine gestörte Kommunikation, auch an ihr aber ist der Wunsch erkennbar nach unverwechselbaren menschlichen Beziehungen.

Gehören Rationalität, individuelle Freiheit, die Verbindlichkeit juristischer wie auch moralischer Normen und der Glaube an den Fortschritt der Geschichte zu den Prinzipien, denen sich das liberale Bürgertum Österreichs in der zweiten Hälfte des 19. Jahrhunderts noch verpflichtet wußte,[13] so läßt sich an *Anatol* zeigen, in welchem Maße sie in den neunziger Jahren bereits in Frage gestellt oder auch stillschweigend dementiert waren. Vernünftige Einwände, wie sie Max oft genug formuliert, werden von Anatol kaum zur Kenntnis genommen. Und in *Anatols Größenwahn* stellt der Held Max die Frage: »Hast du übrigens etwas dagegen, wenn ich das Gegenteil von dem behaupte, was ich vor einer Minute sagte?« (S. 107) Daß Anatol die Geltung von moralischen Gesetzen vertraut ist und in welcher Weise er sie respektiert, veranschaulicht u. a. *Die Frage an das Schicksal*. Während er selbstverständlich von Cora erwartet, daß sie dem Treuegebot folgt, beansprucht er das Recht, sich selbst davon zu dispensieren. Inwiefern schließlich Anatols psychische und soziale Verfassung ihm jede Zukunftsaussicht nimmt, wurde schon an der Unmöglichkeit seines Versuchs ersichtlich, ein »neues Leben« zu beginnen; ausführlicher wird dies im Zusammenhang mit Anatols Ästhetizismus zu erörtern sein. Was die individuelle Freiheit angeht, so findet sie Schnitzlers Held gleich auf doppelte Weise problematisiert. Um ein »neues Leben« – wiewohl nur »auf unbestimmte Zeit« – beginnen zu können, muß er »frei und allein« sein. Einmal erfährt Anatol individuelle Freiheit gleichsam nur noch als deren Kehrseite, als Einsamkeit. Zum andern verkehrt sich der Rückzug auf sich selbst in neue Abhängigkeit, nämlich die von der jeweiligen, mit den Anlässen wechselnden Stimmung. Zwar wähnt sich Anatol »frei«, so frei, daß er sich vorstellt, »diese Mädchen und Frauen« ›zermalmt‹ zu haben, doch geben sich gerade solche Phantasien von Herrschaftsausübung als Reaktionen des Individuums auf die Bedrohung seiner selbst zu erkennen, auf die Gefahr, zunehmend Zwängen unterworfen zu werden, derer es sich bislang kaum bewußt war.

Die historischen Ursachen dieser Zwänge bleiben bei Schnitzler freilich ungenannt. Noch so bizarre Formen eines Nonkonformismus – »Man

muß immer genau so gesund wie die andern – man kann aber ganz anders
krank sein wie jeder andere!« (S. 84) – taugen nicht als Mittel, die bedrohte
Individualität zu sichern, sie sind nur deren Ausdruck. Daß Schnitzler
seinen Helden diese Erfahrungen machen läßt, muß seine Interpreten
davor bewahren, dem Autor die Apologie eines aristokratisch sich geben-
den Genießers nachzusagen. Wenn Anatols Versuche, seiner prekären
Lage zu entgehen, alle zum Scheitern verurteilt sind, so verweist dies auf
den kritischen Gehalt des Werks, den es genauer zu bestimmen gilt.

3 Die Attitüde des Ästheten

Nicht allein ist die Kommunikation zwischen Anatol und den Frauen
gestört, denen er begegnet; gestört ist im Grunde sein Verhältnis zur
Realität. Die von zeitgenössischen Philosophen wie Mach, Avenarius u. a.
behauptete Krise der Erkenntnis ist bei Schnitzler insofern thematisch,
als sein Held die Vernunft als Instanz objektiver Erkenntnis der Wirklichkeit für unzuständig erklärt. [14] Er wisse, sagt Anatol in *Schicksal*, daß
Cora ihn betrüge, und auf Max' Frage nach Beweisen erwidert er: »Ich ahne
es … ich fühle es … darum weiß ich es!« Daß Max dies eine »sonderbare
Logik« nennt, wird von Anatol ignoriert. (S. 31)

Sein Verhältnis zur Welt ist nicht so sehr reflektiert, sondern wird fast
ausschließlich über die Sinne vermittelt. Immer wieder ist in diesen Einaktern die Rede von Anatols Fühlen und Empfinden. Die Realität wird von
ihm in erster Linie als Abfolge sensorischer Reize aufgefaßt, nicht als Ort
eigener Entscheidungen und Handlungen. Zu welchen Konsequenzen das
führt, hat Schnitzler in der *Episode* illustriert. Anatol erzählt Max von
seiner Beziehung zu Bianca: »Und das macht mir das Leben so vielfältig und
wandlungsreich, daß mir eine Farbe die ganze Welt verändert. Was wäre
für dich, für tausend andere dieses Mädchen gewesen mit den funkelnden
Haaren; was für euch diese Ampel, über die du spottest! Eine Zirkusreiterin
und ein rot-grünes Glas mit einem Licht dahinter! Dann ist freilich der
Zauber weg; dann kann man wohl leben, aber man wird nimmer was erleben. Ihr tappt hinein in irgendein Abenteuer, brutal, mit offenen Augen,
aber mit verschlossenem Sinn, und es bleibt farblos für euch! Aus meiner
Seele aber, ja, aus mir heraus blitzen tausend Lichter und Farben drüber
hin, und ich kann empfinden, wo ihr nur – genießt!« (S. 57)

Wo andere mit offenen Augen nur die prosaische Realität in ihrer
Farblosigkeit zu erkennen vermögen, verfügt Anatol über einen Sinn, der
ihm das Leben »vielfältig und wandlungsreich« macht. Während die andern
in der Szenerie eines Rendezvous nichts als die Wirklichkeit vor Augen
haben: eine Zirkusreiterin, ein rot-grünes Glas mit einem Licht, kann für
Anatol »eine Farbe die ganze Welt verändern«. Verändert wird freilich

nicht die Welt, sondern Anatols Sehweise. Daran ist zunächst bemerkenswert nicht nur das Eingeständnis der Monotonie des Lebens, die Anatol
so groß scheint, daß es raffinierter Operationen bedarf, um ihr zu entgehen, sondern auch die Exklusivität dessen, der allein über die Fähigkeit,
zu »erleben«, zu »empfinden« verfügt. Es ist die Fähigkeit des Ästheten.
An der belanglosen Beziehung zu Bianca hat Anatol nur das wahrgenommen, was schön war, genauer: er hat die prosaische Realität in die ästhetische verwandelt. Aus der Zirkusreiterin, die ihm ein Abenteuer wie
jedes andere bedeutete, macht Anatol die einzigartige Geliebte. »Nicht ich
habe etwas übersehen, was an ihr war«, belehrt ihn Max, »sondern du
sahst, was nicht an ihr war. Aus dem reichen und schönen Leben deiner
Seele hast du deine phantastische Jugend und Glut in ihr nichtiges Herz
hineinempfunden, und was dir entgegenglänzte, war Licht von *deinem*
Lichte.« (S. 58) Was Anatol wahrnimmt, ist nicht eine veränderte Welt,
sondern die Projektion seiner eigenen Empfindungen auf die Welt. Nicht
Anatol »mußte empfinden«, was Bianca ihm an Zuneigung gab; vielmehr
war, was Bianca empfand, nichts als die Spiegelung der Liebe Anatols. Er
liebt nicht Bianca, sondern seine Liebe zu ihr – oder besser: die »Stimmung«, in die er sich gleichsam mit Hilfe bestimmter Versuchsbedingungen
(Halbdunkel – grün-rote Ampel – Klavierspiel) zu versetzen weiß. Was
er für seine Liebe hält, ist nicht die Antwort auf die Faszination durch
eine Frau, sondern ein Zustand, für dessen Herstellung er erprobte In-
gredienzien zur Hand hat. Wenn die Realität für das Subjekt allein in der
Empfindung gegeben ist, hört sie Schnitzler zufolge auf, als Realität erkannt zu werden und wird zu einem Entwurf des Subjekts, in dem es sich
spiegelt.

Anatols Versuch, die prosaische Welt in eine ästhetische zu verwandeln,
läßt sich an einer weiteren Passage des Zyklus einsichtig machen:

Gabriele: Sie gehen wohl immerfort spazieren?
Anatol: Spazieren! Da legen Sie so einen verächtlichen Ton hinein! Als wenn es was
   Schöneres gäbe! – Es liegt so was herrlich Planloses in dem Wort! Heut paßt es
   übrigens gar nicht auf mich – heut bin ich beschäftigt, gnädige Frau – genau so wie
   Sie! (S. 42 f.)

Ein Leben, das darin besteht, gewöhnlich nichts zu tun, spazieren zu gehen,
wird von Anatol für über die Maßen schön erklärt. Was sein Leben schön
macht, ist ›herrliche Planlosigkeit‹. Anatols Versuch, sein Leben als Kunstwerk zu leben, ist in einem genauen Sinn zu nehmen; es soll die herrliche
Planlosigkeit des Schönen haben. Dem Ästhetizismus, wie Schnitzler ihn
Anatol hier formulieren läßt, ist scheinbar ein Begriff von Kunst inhärent,
dessen wesentliche Bestimmung Funktionslosigkeit ist. Das Leben soll dem
Kunstwerk darin nachgebildet werden, daß es funktionslos ist. [15] Dabei
entgeht Anatol, was die autonome Kunst vom Leben des Ästheten objektiv
unterscheidet. Während die Kunst gegen ihr auferlegte Zwecksetzungen die

Selbstdefinition ihrer Gehalte und Ziele behauptet, führt Anatols absolute
Ziellosigkeit gerade zur Abhängigkeit von extern vermittelten Stimmungen.
Die Folgen des schönen Lebens sind im Fortgang der Szene bereits angedeutet. Anatol wird durch seinen Ästhetizismus daran gehindert, sich zu
beschäftigen, und sei's auch nur damit, ein Weihnachtsgeschenk auszu-
suchen. Indem er den Kaufleuten Erfindungsgeist und Geschmack bestreitet, verkennt er, daß es sein Ästhetizismus ist, der ihm neben anderen
Entscheidungen ironischerweise auch die über das, was schön oder nicht
schön ist, das Geschmacksurteil also, unmöglich macht. Was sich als avan-
cierte Sensibilität für das Schöne behauptet, erweist sich als Verlust des
Geschmacks. Sosehr Anatol auch bemüht ist, am Leben nur das wahrzunehmen, was er genießen kann, sowenig gelingt es ihm auf die Dauer, sich
der Realität, an die auch Max ihn ständig erinnert, zu entziehen. Um so
größer die Erwartungen, die er an die verbleibenden Augenblicke des
Genusses stellt. In ihnen gewinnt die ästhetische Wahrnehmung zuweilen
den Charakter des Kulinarischen. Anatol zu Else:»Kannst du dich denn
nicht wenigstens sekundenlang unverheiratet denken? – Schlürfe doch
den Reiz dieser Minute – denke doch, wir zwei sind allein auf der Welt«.
(S. 86 f.) Zum Ästhetizismus, wie ihn Anatol sich wünscht, gehört überdies, auch noch das, was ihm widerstrebt, zum Gegenstand des Genusses zu
machen.[16] So findet es Anatol zwar mißlich, jeden Abend zweimal, mit
der alten und mit der neuen Geliebten, essen zu gehen, andererseits gewinnt er diesem Doppelleben, jedenfalls vorübergehend, erhöhten Genuß
ab. Die Unfähigkeit, die eine nicht verabschieden und die andere nicht gewinnen zu können, verwandelt sich ihm in das Problem, am gleichen Abend
einen billigen Landwein und Champagner zu trinken.

Max: Also du trinkst Markersdorfer in der letzten Zeit –?
Anatol: Ja ... vor Zehn – dann natürlich Champagner ... So ist das Leben!
Max: Na ... entschuldige ... das Leben ist nicht so!
Anatol: Denke dir nur, der Kontrast! Ich hab' ihn jetzt aber zur Genüge ausge-
   kostet! – (S. 70)

In welchem Maße Anatol und, ihm folgend, auch den übrigen Figuren an
der Ästhetisierung der Wirklichkeit gelegen ist, wird schließlich erkennbar
an der inflationären Verwendung des Prädikats »schön«. Nichts ist so
wichtig wie einen andern, ein Ding, eine Begebenheit schön zu finden, keine
Kränkung folglich so verletzend wie die zu behaupten, eine andere sei
»tausendmal besser und schöner« (S. 78).

4 Ästhetizismus und Sozialverhalten

Der Ästhet – auch das ist an Anatol zu zeigen – ist so disponiert, daß er
das, was er im ästhetischen Genuß wahrnimmt, etwa seine Geliebte, im

Grunde verachtet, und zwar nicht erst dann, wenn seine Illusion zerstört wird. So ist die Schönheit des Erlebnisses mit Bianca untrennbar mit der Vorstellung verbunden, sie zu erniedrigen, zu »zermalmen«. Die ästhetische Erhöhung der Geliebten geht nicht mit ihrer Verehrung, sondern mit ihrer Verachtung einher, der Vorstellung, über sie verfügen zu können. Manifest wird diese Herabsetzung allerdings erst dort, wo Anatol nicht mehr genießen kann. Zwar hat die Verklärung der Zirkusreiterin für den Augenblick ihren sozialen Status vergessen lassen, nach Anatols Desillusionierung aber geht der Angriff auf ihre Identität noch über eine soziale Diskriminierung hinaus.

Präziser ist der Zusammenhang zwischen Ästhetizismus und Sozialverhaten in *Abschiedssouper* beschrieben, in der Beziehung Anatols zur Ballettänzerin Annie. Das Mädchen, das seinen Reiz für Anatol verloren hat, fällt der Verachtung anheim. Auffällig konvergiert das Verdikt, sie sei nicht schön (eine andere sei tausendmal schöner) mit dem andern, sie sei nichts Besseres als die Geliebte eines Kommis. Die Aberkennung der Schönheit und soziale Geringschätzung fallen so zusammen. Einerseits ist die soziale Differenz oft die Voraussetzung des ästhetischen Reizes, auf den Anatol aus ist; andererseits hat der ästhetische Genuß, sein Versuch, die Welt so wahrzunehmen, als wäre sie ein Kunstwerk, wiederum die soziale Diskriminierung zur Folge. Legt schon der Umstand, daß Anatol tendenziell mit allen – aus Stadt, Vorstadt und Bohème – in Beziehung treten kann, die Interpretation nahe, das Stück stelle nach liberalem Verständnis die prinzipielle Gleichheit aller unter Beweis, so leistet sein Ästhetizismus dieser Interpretation insofern Vorschub, als er, da alles zum Gegenstand des ästhetischen Genusses werden kann, auch die sozialen Distinktionen zu nivellieren scheint. Demgegenüber war zu zeigen, daß das Verhalten der Figuren im Stück durchgängig sozial definiert ist und daß der Ästhetizismus Anatols Orientierung an den Imperativen gesellschaftlicher Distinktion nicht außer Kraft setzt, sondern affirmiert.

Mit der Figur des Helden wird der Verfassung des liberalen Bürgertums in Wien die Diagnose gestellt. Sie ist gekennzeichnet durch eine Problematisierung des Individuums, die in der eigenen Klasse ebenso wie in den durch Faszination und Verachtung gleichermaßen geprägten Beziehungen zu den Unterschichten erfahren wird. Die politische Erschütterung, die der freilich seit Jahren voraussehbare Sieg der christlichsozialen Partei bei den Wiener Gemeinderatswahlen 1895 im liberalen Bürgertum ausgelöst hat, muß beträchtlich gewesen sein. Das Wahlergebnis, 92 Mandate für die »Vereinigten Christen« gegenüber 46 Mandaten für die Liberalen, bedeutete das als Katastrophe empfundene Ende einer jahrzehntelangen unangefochtenen Herrschaft in Wien, und zwar auf der Grundlage einer von den Liberalen selbst verfaßten Gemeindeordnung (1890), die die Besitzenden mit hoher Steuerleistung privilegierte. [17] Das antiindustrielle und

überdies antisemitische Programm der Christlichsozialen, das auf die
Ängste der Kleingewerbetreibenden und Handwerker zugeschnitten war,
mußte vom liberalen, darunter vor allem vom jüdischen Wiener Bürgertum
als Bedrohung empfunden werden, das sich unbeschadet des Zusammen-
bruchs von 1873 als Garant der wirtschaftlichen Prosperität verstand.
Auch mit Rücksicht auf das Bürgertum hat der Kaiser die Bestätigung der
Bürgermeisterwahl zweimal verweigert und erst 1897 Lueger den Einzug
ins Wiener Rathaus zugestanden. In dieser Lage wird für Teile des Wiener
Bürgertums die Kunst zum Fluchtpunkt der politischen und privaten Aussichtslosigkeit.[18] Die letzten Jahre, warnte Karl Kraus 1899, hätten »den
Wirkungskreis des Wiener Liberalismus auf ein Premierenparkett beschränkt«.[19] Die tendenzielle Verwechslung von Kunst und Leben, das
zeigt Anatol, hat eine soziale Verachtung der unteren Schichten zur Folge
sowie die erneute Akzentuierung sozialer Gegensätze, denen zu entgehen
das erklärte oder auch verschwiegene Ziel der ästhetizistischen Ambitionen
war.

Wenn Anatol weder als Apologie des Lebemannes – allerdings nur der
»bürgerlichen«, gemäßigten »Ausgabe zu fünfhundert Gulden monatlich« –[20] noch als dessen Verdikt zu verstehen ist, so deshalb, weil in
Schnitzlers Figur eine eigentümliche Ambivalenz angelegt ist. Anatol hat
sich der ökonomischen Konkurrenz entzogen, er unterliegt nicht mehr dem
Gesetz der Gründerzeit, daß Zeit Geld sei. Er ist offensichtlich reich genug,
um untätig zu sein; allerdings ist seine Muße, der verschwenderische Umgang eher mit der Zeit als mit Geld, weit davon entfernt, nach den Regeln
gründerzeitlichen Protzens unausgesetzt seinen Reichtum unter Beweis zu
stellen. Anatol tut nichts, weil sein Vermögen ihm gestattet, auf Arbeit
zu verzichten, und weil andere Motive, tätig zu werden, für ihn als Melan-
choliker, dem keine sinnvolle Lebensperspektive erkennbar ist, ausfallen.
Zweifellos ist Anatols Existenz parasitär, als Rentier lebt er von der
Arbeit anderer. Wenn das Stück ihn dennoch kaum als Nichtstuer verurteilt, sondern ihm einige Sympathien bewahrt, so deshalb, weil die Planlosigkeit seines Lebens, sein Spazierengehen partiell recht behält gegen
den Kampf ums Dasein, den Zwang zur rationalen Gestaltung des Lebens,
dem er enthoben ist. Anatols luxurierende Existenz verfällt nicht schon
darum der Kritik, weil sie der zweckrationalen Lebenspraxis entzogen ist,
sondern deshalb, weil Anatol die Muße, das Ausgenommensein vom Ar-
beitsprozeß, das ihm Möglichkeiten zur Selbstverwirklichung böte, die den
meisten vorenthalten werden, nicht zu nutzen versteht. Daß Schnitzler
solchermaßen in *Anatol* die soziale Rolle des jungen Herrn als Voraussetzung wie auch als Folge des Ästhetizismus expliziert, verleiht seiner
Kritik des Ästhetizismus, die auch an die eigene Adresse geht, besonderes
Gewicht.[21]

5   Soziale Indetermination

Verstärkt im *Anatol*-Zyklus das soziale Gefälle zwischen Stadt und Vorstadt gelegentlich die Geschlechterspannung, so wird sie in der 1892/93 geschriebenen Novelle *Die kleine Komödie* nachgerade zur Bedingung ihrer Möglichkeit. Weder der wohlhabende junge Herr noch die sich zu seiner Klasse zählende Kurtisane sehen in den Liebesbeziehungen, die sie im aristokratisch-großbürgerlichen Milieu der Stadt unterhalten haben, noch eine Aussicht, dem Ennui zu entgehen. Nur eine Affäre in der vorwiegend kleinbürgerlichen Vorstadt bietet die Gewähr für eine Sensation des Neuen.

Für Alfred von Wilmers' soziale Identität ist entscheidend nicht so sehr das Adelsprädikat als vielmehr ein Vermögen, das ihm das Leben eines Rentiers zu führen gestattet. Zwar bleibt seine Wohnung ungenannt – aus Gründen, die noch zu erörtern sind –, doch liegt sie seinen Lebensbedingungen nach zu urteilen augenscheinlich in der Innenstadt, im I. Bezirk, der die Altstadt und die Ringstraße umfaßt. Bezeichnenderweise läßt Schnitzler ihn die Einsicht in die Unerträglichkeit seines Lebens auf einem »langen einsamen Spaziergang um den ganzen Ring« [22] gewinnen. Alfred lebt in jenem Wohnviertel, das sich seit den fünfziger Jahren das zur Herrschaft gelangte liberale Bürgertum als architektonisches Denkmal gesetzt hat, mit Ambitionen, die, folgt man Schorske, sogar die des französischen Bürgertums unter Napoleon III. übertrafen. [23] Die repräsentativen Bauten huldigen noch dem Wohnideal des Adels, sind aber weitgehend nicht mehr in dessen Hand. Die Ringstraßenzone ist in den neunziger Jahren mit ihren Mietpalais und Nobelmiethäusern das Wohngebiet der Oberschicht, des Adels und des Großbürgertums.

Wie wenig gegen Ende des Jahrhunderts das Adelsprädikat allein noch über den sozialen Rang aussagt, wird schon durch die Volkszählung des Jahres 1869 in der Wiener Innenstadt (d.h. in der Altstadt und in der seit etwa zehn Jahren im Bau befindlichen Ringstraßenregion) dokumentiert. Sie unterscheidet nicht mehr, wie noch die Konskription von 1834, nach dem Geburtsstand (Adel, Geistlichkeit, bürgerliche Gewerbetreibende etc.), sondern führt das Vermögen als Kriterium für die Definition der Oberschicht ein, die als Gruppe der »kapitalistischen Renten- und Hausbesitzer« bezeichnet wird. »Unter diesem Dachbegriff befinden sich die Angehörigen des Adels, die von ihren Landrenten leben, ebenso wie die wirtschaftlichen Führungskräfte, die großbürgerliche Elite in Geldwesen, Großhandel und Großindustrie sowie die Spitzenvertreter der Bürokratie und Wissenschaft.« [24] Wenn Alfred dem Ring den Rücken kehrt, so verläßt er eine Sphäre, in der der liberale, mit dem Fortschritt rechnende, expansive Kapitalismus der Gründerzeit angesiedelt ist, der sich in den Bauwerken dieser Region darstellt.

Wie er den Ehrgeiz leid ist, »die bestangezogene Geliebte in Wien zu besitzen« (S. 185), und an ein Mädchen aus der Vorstadt denkt, so ist Josefine ihrer Liebhaber und ihres Reichtums überdrüssig und wünscht sich einen Dichter, der arm ist. Den Statuswechsel, den beide vollziehen, begründet der Wunsch nach dem sozial geringeren Partner ebenso wie die Sehnsucht, den sozialen Determinationen auszuweichen, denen sie in der Stadt unterliegen. Der müde, an »Überreiztheit« leidende Aristokrat möchte wieder ein »frischer, junger Mensch« sein, der um seiner selbst willen, nicht wegen seiner Zahlungsfähigkeit und seines Schneiders geliebt wird. Seine soziale Identität zu leugnen, scheint ihm die Bedingung dafür zu sein, statt einer Maitresse eine Geliebte zu finden. Auch Josefine sucht ihre soziale Rolle abzulegen, die geschäftsmäßige Beziehung zwischen Kunden und Kurtisane durch eine emotionale (»fürs Gemüt«) zu ersetzen: »Reichtum hab' ich bei dem nicht zu fürchten, und die Soupers beim Sacher sowie brillante Geschenke sind ausgeschlossen.« (S. 194) Was beide hoffen läßt, dem Ennui woanders, in der Vorstadt, zu entkommen, ist der Glaube, daß, wer arm ist, auch glücklich sei. Zum Statuswechsel entschließt sich Alfred, nachdem ein erster Versuch, der Vorstadt Reize abzugewinnen, gescheitert ist. Er geht zunächst nicht auf den Konstantinhügel, Treffpunkt der feinen Gesellschaft, sondern in den Wurstlprater, »mich so recht encanaillieren«. Aber der Versuch, sich mit dem Volk gemein zu machen in der Hoffnung »eine Freud' [zu] haben wie ein Schneidergesell« (S. 177), scheitert gründlich. Der Mangel an Dampfbädern und Parfüms im »niederen Volk« ist ihm ekelhaft. Um so mehr verspricht er sich nach dieser Erfahrung von der Rückkehr zu seinem sozialen Niveau. »Nämlich nach dem Wurstlprater bin ich doch noch auf den Konstantinhügel. – Ach ja! Ich dachte anfangs, der Kontrast müsse wirken! Ich machte mir das selbst möglichst deutlich. Siehst Du, jetzt warst Du unter lauter Menschen, mit zerfransten Hosen, fettigen Hüten, rauhen Stimmen – die ›Kurze‹ rauchen, die sich die ganze Woche gerackert haben und den muffigen Geruch ihrer Vorstadtwohnungen in den Haaren tragen –, unter Weibern, die sich in der Küche geplagt haben und mit den Kindern und mit allem möglichen ›Häuslichen‹ –, unter Dirnen, die sich heute abend in den Praterauen werden liebkosen lassen; – – und jetzt kommst Du zu den wohlsoignierten Herren in eleganten Sommerkostümen – die leise sprechen, heute früh ihr Bad genommen haben, ägyptische Zigaretten oder Pfosten à 2,50 rauchen und zwölf Glas Cognac trinken, ohne um eine Nuance röter im Gesichte zu werden –, zu den Damen mit gepflegten, rosigen Nägeln – welche schwarze Seidenstrümpfe tragen, zum Teil auch schwarze Seidenhemden [...] – die nach Violette de Parme duften und alle Gemeinheit nur in der Seele haben! – Wie hübsch, wie taktvoll das ist! Da ich mich um ihre Seele nicht kümmere, sind sie einfach entzückend. –« (S. 183)

Auch der hier wahrgenommene Gegensatz zwischen Stadt und Vorstadt kann nicht die Leere, die der Aristokrat empfindet, vergessen machen.

Erst die Verhüllung seiner sozialen Identität in der Rolle des Dichters, der nach eigenem Verständnis und nach der Beobachtung Josefines in der Vorstadt anzusiedeln ist, läßt ihn aufleben. Zwar haben Alfred von Wilmers und Josefine in der Rolle des Dichters und der Kunststickerin ein vergleichbares soziales Niveau erreicht, doch verdanken sie das Glück, das sie empfinden, nicht der Vorstadt, der sie es zusprechen, sondern der Distanz der Vorstadt zur Stadt. Was sie füreinander empfinden, ist untrennbar mit der Illusion verknüpft, von einem höheren sozialen Rang aus jemanden aus niederem Milieu zu lieben. In der Maskerade sind sich beide der eigenen Identität, nicht aber der des andern bewußt. Die Kurtisane glaubt den armen Schriftsteller, der bürgerliche Aristokrat die Kunststickerin vor sich zu haben. Sowenig beide in der Stadt angesichts der Leere, die sie dort empfinden, aneinander Interesse gefunden hätten, so gewiß ist die im Rollenspiel nur verdeckte soziale Spannung zwischen Stadt und Vorstadt die Bedingung der Möglichkeit dieser Liebesbeziehung. Wo Alfred, Josefines Angaben bereitwillig folgend, die vermeintliche Kunststickerin sozial angesiedelt wissen will, geht auch aus der Beschreibung ihrer Wohnung hervor. Sein Entzücken verdankt sich der Vorstellung, die Kunststickerin bewohne, augenscheinlich allein, »ein kleines Zimmer im dritten Stock, Aussicht über die Höfe, ein sehr einfaches Zimmer natürlich«; ihr Fenster habe er unter sechsundsiebzig andern in den dritten Stockwerken ihrer Gasse ausfindig gemacht. (S. 192, 196)

Liest man diese Bestimmung im Kontext der Wohn- und Sozialstruktur Wiens um die Jahrhundertwende, wie sie H. Bobek und E. Lichtenberger beschrieben haben, so ist deutlich, daß Alfred, wie auch Josefine, die Kunststickerin privilegiert sehen will. Sie soll, wie übrigens auch das »süße Mädl« aus den *Weihnachtseinkäufen*, nicht zu jenen gewerblichen Hilfskräften, Arbeitern etc. gehören, die als Untermieter oder gar Bettgeher in Kleinstwohnungen unter katastrophalen hygienischen Bedingungen zu leben hatten, wie sie für einige Vorstädte und Vororte Wiens typisch waren. Die Wohnungsgröße zählt zu den entscheidenden Kriterien, den bei Schnitzler dargestellten sozialen Gegensatz zu veranschaulichen. Am Ende der Gründerzeit gilt die »einfache Formel«, daß – abgesehen von den früher bürgerlichen Sommerfrischen Währing und Döbling – »die Wohnungsgröße von der Innenstadt über die Vorstädte zu dem nunmehr kompakt verbauten alten Vorortegürtel stufenweise von Groß- über Mittel- zu Klein- und Kleinstwohnungen abnahm und dergestalt ein Spiegelbild des in Wien bezeichnenderweise aufrechtgebliebenen sozialen Gefälles von der Innenstadt zum Rande hin bot.« [25] Alfreds soziale Wahrnehmung gilt, das zeigen auch die Reflexionen über die sonntägliche Szenerie in der Vorstadt und über die Wirtshäuser, die er mit Josefine besucht, insbesondere dem Kleinbürgertum, doch trifft sein sozialer Dünkel die Unterschichten insgesamt.

Nur scheinbar widerspricht Alfreds Abscheu gegen die Vorstadt der Neigung, die er Josefine in ihrer Rolle als Vorstadtmädchen entgegenbringt. In Wahrheit liebt er nicht das Vorstadtmädchen, sondern seine Vorstellung von ihm. Er erkennt an ihm die Züge, die er sucht, die er gegen seine Beobachtung erkennen möchte: »— und es war wirklich ganz wunderbar, was dieser süße Mädchenleib für einen wohligen Duft ausströmte. Das ist so nett von diesen kleinen Vorstädtlerinnen, daß sie immer so soigniert sind. Die Kleine hat sich zum Namenstag jedenfalls einen sehr guten Parfüm schenken lassen.« (S. 191) Was ihn fasziniert, ist die Vorstadt, mit städtischen Accessoires nobilitiert; von ihr die verabscheuungswürdige Realität vorstädtischer Lebensbedingungen zu unterscheiden, fällt ihm leicht. – Auch Josefine schätzt an ihm, was sie für Eigenschaften der feinen Leute hält: gute Manieren; daneben freilich, was der Kurtisane die Stadt denn doch versagt: Hochachtung, die ihr das Gefühl gibt, eine anständige Frau zu sein.

Von kaum etwas berichten beide mit solcher Emphase wie von der Rührung, die sie selbst empfinden und zu vermitteln verstehen. Josefine: »Na, und über das, was ich ihm erzählt hab', war er ganz gerührt! Du hättest es aber auch nur hören müssen! Eine Räubergeschicht' von einem Liebhaber, der mich nicht mehr gern hat, von einer alten Tant', mit der ich mich überworfen hab', und von einem kleinen Zimmer, und was ich für eine brave arme Person bin, und alles mögliche. [...] Eigentlich hab' ich auch so eine Art Rührung gehabt. Es ist mir eingefallen, was so ein armer Schriftsteller alles durchzumachen hat, der noch dazu sein halbes Einkommen für seine Mutter aufbraucht und natürlich von den Konkurrenten verfolgt wird und angefeindet.« (S. 194) Auch das Mitleid, das beide füreinander empfinden, verdankt sich dem Abstand zwischen Stadt und Vorstadt, dem sozialromantischen Blick auf das fremde Terrain, wo man arm, aber rechtschaffen ist. So wichtig wie die Rührung, die jeder beim anderen auslöst, ist die selbstempfundene: »Ach, wie sie da an meinen Lippen hängt! Wie man ihr die Rührung ansieht! – Und dann laß ich mir wieder von ihr erzählen; da kommen mir wirklich manchmal die Tränen. An wieviel Traurigkeit und Süßigkeit wir doch vorübergehen, um Lustiges und Schales dagegen einzutauschen.« (S. 197) Beide lieben nicht den andern, sondern die Empfindung, die sie anläßlich des andern haben, also letztlich sich selbst. Daß Alfred die Tränen kommen, beglückt ihn deshalb so, weil er sich unter seinesgleichen zu solcher Gemütsbewegung nicht mehr imstande sah. Der Gefühllosigkeit in der Stadt zieht er Tränenseligkeit vor. Noch am falschen Sentiment, an der Rührung, zeigt sich, was beide in der Stadt vermissen und auch in der vermeintlichen Vorstadt nicht finden: menschliche Beziehungen. Disponiert, nicht um jemanden zu lieben, sondern den eigenen Narzißmus zu bestätigen – und zwar unter Verzicht auf die Insignien und Rituale ihres Standes, die bislang dies Geschäft erleichterten –, finden sie in der Tat, was sie suchten. »Mir genügt die Empfindung«, sagt Alfred, »daß ich eine Art Erlösung für sie bedeute.« (S. 198)

6   Die Abkehr von der Ringstraße

Daß Alfred die Rolle des Dichters wählt, läßt zwar erkennen, daß er sich der Lebensweise seines Standes zeitweilig zu entziehen wünscht, ebenso aber, daß er ihm nahebleibt. Gemeinsam ist dem bürgerlichen Aristokraten und dem Dichter, den er abgeben möchte, die Insistenz auf sozialer Indetermination. Kein Zufall, daß beider Wohnungen ungenannt bleiben. Beweist sich der Aristokrat die Indetermination u. a., indem er sowohl auf den Konstantinhügel wie auch in den Wurstlprater geht, so der Dichter, indem er seine Herkunft in ein fernes Städtchen verlegt oder das unstete Bohème-Dasein seines Freundes für sich reklamiert. Deutlich wird jene Unentschiedenheit auch in seiner Garderobe. Während Samtrock, liegender Kragen, fliegende Krawatte ihm suggerieren, er sähe aus wie ein Anstreicher, erkennt Josefine an ihnen den Dichter. Nicht nur aus Gründen der Indetermination wählt der Aristokrat die Rolle des Dichters, sondern auch deshalb, weil dieser ihm vermeintlich etwas voraus hat, worum er ihn beneidet. »Was für ein Leben lebst Du!« ist das Motto, nach dem alle Briefe an den Freund in Neapel geschrieben sind. (S. 176) Wie viele Helden impressionistischer Literatur, so Andrea in Hofmannsthals *Gestern* charakterisiert auch Alfred von Wilmers der Glaube oder besser die Gewißheit, selbst nicht zu leben, sondern Leben für das Privileg des Künstlers zu halten. Hatte er zuvor auch den Freund und sein Talent mit der »souveränen Verachtung für alle Leute, die etwas leisten wollten«, bedacht, so bedauert er nun, selbst kein Talent zu haben. Das ›in philistros‹ gesprochene Verdikt gegen alle, die »etwas leisten« müssen, um zu leben, hält er auch dort noch aufrecht, wo er sich eingestehen muß, ohne selbst etwas zu leisten auch nicht leben zu können, und zwar deshalb, weil ihm einzig die Kunst als Tätigkeit erscheint, die Leben verheißt. Freilich sind seine eigenen ästhetischen Ambitionen gescheitert: »Und jetzt, ich sage Dir, wenn ich nur Porträte malen könnte, wäre ich schon glücklich. Das Photographieren habe ich nämlich ganz aufgegeben, nicht einmal darin hab' ich's zu was gebracht. Meine letzten zwei Kunstwerke waren: der Kahlenberg vom Leopoldiberg gesehen und der Leopoldiberg vom Kahlenberg aus gesehen.« (S. 176 f.)

Was Alfred resignieren läßt, sind nicht so sehr die trivialen Resultate eines Dilettanten. Vielmehr hat sich die Aussichtslosigkeit seines Lebens, die ihm erst beim Spaziergang oder besser bei der Spazierfahrt rund um den Ring bewußt wird, in einem genauen Sinn bereits in seinen ästhetischen Versuchen manifestiert. Von einem Berg am Rande Wiens hat er den andern, vom andern aus wiederum den einen photographiert, d. h. die eigenen Aussichtspunkte. Anders als dem Kunstwerk, das mit seinem Gegenstand, einer Landschaft etwa, immer auch das ästhetische Subjekt darstellt, gelingt Alfred nichts als die Reproduktion seiner jeweiligen Standorte, die ohne Aussicht und letztlich gegenstandslos ist. Die Unfähigkeit zu leben spiegelt sich in der Unfähigkeit zur Kunst. Kunst und Leben sind nicht denkbar ohne eine widerständige Realität. Der Versuch, sie auszulassen, von einer Aussicht nur den jeweils anderen Aussichtspunkt wahrzunehmen in einem Zirkel, der die Rundfahrt über den Ring antizipiert, zwingt zur Resignation. Da Alfred nicht leben kann, auch kein Kunstwerk schaffen kann, die Kunst aber für die Bedingung des Lebens hält, verwandelt er das Leben in Kunst. Da er das Leben nicht leben kann, sucht er es zu spielen; er wird nicht Künstler – auch seine späteren Versuche zu dichten, scheitern –, aber er spielt einen Künstler: als Ästhet.

Daß Alfred das Leben in Kunst zu verwandeln sucht, zeigt sich an der Komödie vom armen Schriftsteller, die er mit Josefine so perfekt spielt, daß ihm Leben und Spiel vertauschbar scheinen: »ich lebe ein zärtliches Idyll [...], denn ich fühle nicht mehr, daß ich es spiele.« (S. 195) Überdies soll nach literarischem oder musikalischem Vorbild gelebt werden, nach der Johann-Strauß-Operette *Der lustige Krieg*: »[...] wir haben die Absicht, uns auf ein paar Tage aufs Land zurückzuziehen, ganz in die Einsamkeit – unter Bäumen, süß zu träumen, wie der Dichter der Gräfin Melanie sagt.« (S. 198) [26] Änlich legitimiert Josefine, was sie tut, an literarischen Vorbildern; auch der Künstler, den sie sucht, soll »ein Künstler, wie in den früheren Romanen« sein. (S. 187)

Trotz des Statuswechsels aber bleiben die Figuren, was sie sind; sie haben ihre Garderobe, nicht aber ihren Sozialcharakter gewechselt. Beide sehnen sich, nachdem die Reize des Fremden genossen sind, zurück in die Lebensbedingungen der feinen Leute. Unwiderstehlich ist schließlich für beide die Versuchung, den höchsten Reiz aus der Enthüllung des sozialen Abstandes zu gewinnen, der sie vermeintlich trennt. Wie Josefine den Dichter und seine Armut leid wird, so Alfred den Omnibus und die kleinbürgerlichen Vorstadtwirtshäuser. Was den Aristokraten von der Kurtisane mit den sozialen Merkmalen der parvenue unterscheidet, bleibt auch in der Maskerade als Dichter und Kunststickerin erkennbar; am deutlichsten wird es im Verhältnis zum Geld. Genoß die Kurtisane aus kleinen Verhältnissen [27] bislang, daß man sich ihretwegen verausgabte, so nun, in der Rolle der Kunststickerin, daß man ihretwegen spart. Weder Herkunft noch Lebensweise erlauben ihr die souveräne Verachtung von Geld, die dem zu Gebote steht, der seit langem über es verfügt. Zwar genießt es Alfred, wenn er gemahnt wird, kein Geld auszugeben, ebensosehr aber liebt er es, zu demonstrieren, wie wenig es darauf ankomme. Daß er die Garderobe, nicht aber seinen Charakter ändert, zeigt sich vor allem in Fragen des Geschmacks. Schnitzler hat seinen Helden als wohlhabenden Aristokraten eingeführt, dessen künstlerische Ambitionen gebrochen im Gestus des Ästheten erscheinen; ihn interessiert nicht der Zustand seiner Finanzen, der ausgezeichnet ist, sondern der seines Geschmacks, der desolat ist: »Es ist unglaublich, wie mein Geschmack verdorben worden ist, seit ich so ungeheuer elegant bin und den Ehrgeiz habe, die bestangezogene Geliebte in Wien zu besitzen.« (S. 185) Wie der Aristokrat den Wurstlprater und mit ihm das »niedere Volk« »ekelhaft« findet, wie die sonntägliche Szenerie der Vorstadt in ihrem Gegensatz zu den Arbeitstagen dem »sehr zuwider« ist, der nur Sonntage kennt, so wird ihm die ländliche Idylle durch die Vorstellung verleidet, bei Regen dort in Kot zu versinken. Und genierlich ist ihm zudem der Umstand, »daß mein Zimmer gemalt und nicht tapeziert ist. Das ist unangenehm, wenn man so mit der Hand über die Mauer fährt.« (S. 201) Dem Ästheten erscheint die Welt häßlich, nicht, weil sie an sich häßlich wäre, sondern weil er sie aus der »künstlichen zweiten Welt des Schönen« betrachtet. [28] Daß er dem »niederen Volk« den Mangel an Dampfbädern und Parfüms zum Vorwurf mache, bekennt Alfred, »ist wahrscheinlich eine Gemeinheit von mir«. Nicht daß das Volk gemein sei, wird hier betont, sondern daß die Gemeinheit von Alfred ausgeht. Allein die ästhetische Wahrnehmung entscheidet über die Urteilsbildung. Zwar weiß er, daß die Damen der noblen Gesellschaft »alle Gemeinheit« »in der Seele« haben, doch beunruhigt ihn das nicht, da es sein Geschmacksurteil nicht irritiert: »Wie hübsch, wie taktvoll das ist! Da ich mich um ihre Seele nicht kümmere, sind sie einfach entzückend.« (S. 183) Den Abstand zwischen Wurstlprater und Konstantinhügel vergrößert er eigens, um ihn zu genießen. »Ich dachte anfangs, der Kontrast müsse wirken! Ich machte mir das selbst möglichst deutlich.« An den Unterschichten interessiert ihn nicht, ob sie etwa seine Interessen, die Herrschaft seiner Klasse, bedrohen, sondern, ob sie seinen Geschmack beleidigen könnten. Dem Ästheten ist auch der soziale Gegensatz vor allem ein Problem des Geschmacks.

Einerseits ist die zeitweilige Abkehr vom Ring, die Schnitzler den Helden der *Kleinen Komödie* vollziehen läßt, als die Unfähigkeit vor allem wohl des gebildeten liberalen Bürgertums im Wien des Fin de siècle zu deuten, noch dem kapitalistischen Credo der Gründerjahre zu folgen, jenem Manchesterliberalismus, der seit dem ökonomischen Zusammenbruch 1873 und der auf ihn folgenden Depression gründlich diskreditiert war. Andererseits ist am Verhalten dieser Figur erkennbar, daß das liberale Bürgertum auf die politische Bedrohung durch die kleinbürgerlichen und proletarischen Schichten, die sich bereits in Parteien organisiert hatten, wie bisher nur mit jener sozialen Verachtung zu reagieren imstande war, die schon die liberale Gemeindeverwaltung seit 1861 angesichts des sozialen Elends, das sie verschuldete, gekennzeichnet hatte. [29] Wenn Alfred angesichts der Ausweglosigkeit, die er in seinem Milieu erfährt: »Das geht nicht mehr so weiter, diese Gesellschaft, dieser Ton, diese Hohlheit, diese Verblödung [...]«,

und aufgrund seines bornierten Unverständnisses gegenüber den Unterschichten die Rolle des Dichters wählt, nach dem Vorbild des reisenden
Jugendfreundes, so ist damit die Disposition des Wiener Bürgertums um
1900 charakterisiert, das den Künstler, Schauspieler etc. als ein gesellschaftliches Leitbild akzeptierte. [30]

Auch die Gründerzeit hatte den Künsten und den Künstlern höchste
Reverenz erwiesen. Davon zeugt u. a. die Architektur der Ringstraße. Für
deren repräsentative öffentliche Bauten, Opernhaus, Universität, Rathaus,
Parlament und Burgtheater wurden einige der bedeutendsten Architekten der
Zeit gewonnen, unter ihnen Heinrich Ferstel [31], Theophil Hansen und
Gottfried Semper. Der Historismus der Stile, der diese Bauten beherrscht,
entsprach nicht allein dem ästhetischen Imperativ seiner Architekten; in ihm
verschaffte sich vielmehr das wohlverstandene Interesse des zu ökonomischer
Macht gelangten Bürgertums Geltung, sich selbst im Zitat vergangener
Kunstepochen und über sie in der historischen Tradition zu legitimieren. [32]
Welchen Rang das Bürgertum in seiner Selbstdarstellung der Kunst ein-
räumte, hat nach dem Urteil der Zeitgenossen am eindruckvollsten jener
Festzug demonstriert, mit dem es am 27. April 1879 Franz Josef und der
Kaiserin Elisabeth anläßlich ihrer Silberhochzeit huldigte. Sein Arrangeur
war der Maler Franz Makart. Nach seinem Willen fand der historische Zug
mit der Gruppe der Künstler »seinen Höhepunkt und Abschluß«, wie die
Zeitung des liberalen Großbürgertums, die *Neue Freie Presse* begeistert
schrieb:

»Von Makart wendeten sich Aller Augen dem Festwagen zu, der an der Stirnseite
durch die silberblinkende Copie der medicäischen Venus, welche sich auf einer kühn
geschwungenen, reich vergoldeten Volute erhebt, charakterisirt war. An den vier
Ecken des Wagens erhoben sich vier Candelaber, deren Flammenschalen von Puttis,
wahren Perlen der Holzschneidekunst, getragen sind. Unter dem rothen Sammt-
baldachin, der sich über die Rückseite des Wagens wölbt, standen und saßen auf
dem reich mit echt persischen, indischen und türkischen Teppichen belegten
terrassirten Boden Künstlerfrauen in der reichen Tracht jener Zeit [...]«. [33]

So überschwenglich auch die Gründerzeit die Künste feierte und in Makart
oder auch in der Schauspielerin Charlotte Wolter, die als Lady Macbeth
Makart-Kostüme trug, ihr Idol wie ihr modisches Vorbild fand, [34] – hell-
sichtigeren Zeitgenossen war an Makarts Bildern selbst nicht verborgen geblieben, welche Funktion die Kunst für das Bürgertum der Gründerzeit hatte.
»Seine Kürbisse sehen aus wie getriebenes Goldgerät«, schreibt Ludwig
Hevesi, »seine Meeresbrandung wie Schwärme von Perlmuttermuscheln«.
[35] Die Kunst der Gründerzeit hatte in erster Linie die Prosa der ökono-
mischen Verhältnisse zu legitimieren, auch wenn die *Neue Freie Presse* im
Bericht über den Huldigungsfestzug schrieb, »Kunst, Wissenschaft, Handel,
Gewerbe, Industrie« hätte die Vaterlandsliebe und die Kaisertreue des
Wiener Bürgertums bezeugt, [36] und damit unbeirrt den Vorrang der Kunst
vor den übrigen gesellschaftlichen Bereichen behauptete.

Beim Bau des neuen Burgtheaters etwa wurde freilich offenkundig, in welchem Maße die künstlerischen Interessen dieses bedeutenden Theaters dem Repräsentationsbedürfnis des Bürgertums zum Opfer gefallen waren. »Nichts als Pracht, Luxus, Verschwendung und zerstreuender Firlefanz tritt uns auf Schritt und Tritt in der neronischen Schöpfung unseres neuen, unheimlichen Hauses entgegen, und nirgends eine Spur von Berücksichtigung des Kunstbedürfnisses, des praktischen Theaterelementes«, schrieb Hugo Thimig in seinem Tagebuch. [37]

Keine Epoche hat ihren Künstlern so gehuldigt wie die Gründerzeit ihren musikalischen Genies und Malerfürsten Wagner, Lenbach und Makart; ihre Häuser standen feudalen Hofhaltungen nicht nach. [38] Auch der Nachgründerzeit gilt der Künstler als gesellschaftliches Idol. Doch anders als die Gründergeneration sieht die Generation der Söhne im Künstler verwirklicht, was sie, und nicht nur ihre Literaten, sich wünschten: den Leistungszwängen im Zuge der kapitalistischen Entwicklung, denen zu folgen der Generation der Gründerjahre als Tugend gilt, in vermeintlich freier Tätigkeit und an frei zu wählenden Orten sich zu entziehen, ohne auf die Frage eingehen zu müssen, die die Zeit die »soziale Frage« nannte. Der gründerzeitliche Glaube an die Zukunft, dem die Bauwerke der Ringstraße einen monumentalen Ausdruck verliehen, wird von Schnitzlers Helden, die sich von der Ringstraße abwenden, von Alfred von Wilmers (*Die kleine Komödie*) wie auch von Georg von Wergenthin (*Der Weg ins Freie*) nicht mehr geteilt.

Der Verlust bürgerlichen Selbstbewußtseins und die Bedrohung vor allem durch die von kleinbürgerlichen Gewerbetreibenden und Handwerkern getragene christlich-soziale Partei hat Teile des liberalen Bürgertums zu Formen der politischen Resignation veranlaßt, als deren eine der ästhetizistische Gestus zu verstehen ist. [39] Das »Kopfweh« anstelle eines Rausches, das Schnitzlers Held bei sich beklagt, wird als Symptom für die »Nervenschwäche« gelesen werden können, die K. Kraus in der *Demolirten Literatur* den Literaten des Jungen Wien – Schnitzler gewiß zu Unrecht – angekreidet hat. [40] Kraus hat freilich übersehen, daß diese »Nervenschwäche« nur eine extreme Ausprägung jener Gefühlskultur des Wiener Bürgertums darstellte, mit der es auf seine allmähliche politisch-parlamentarische Entmachtung reagierte. [41]

Dort, wo die soziale Spannung zwischen Stadt und Vorstadt, und sei's auch die eingebildete, als Bedingung der Geschlechterspannung entfällt, findet die Beziehung zwischen Alfred und Josefine ihr Ende. Als wohlhabender Mann im »namenlos eleganten Sommeranzug« und als Kurtisane mit »Toiletten von fünfhundert bis tausend Gulden« vollziehen sie zwar gemeinsam noch einmal die Rituale seines Standes, eben die, von denen sich Alfred gelangweilt abgewandt hatte – so die Fahrt im Fiaker durch den Prater, das Souper auf dem Konstantinhügel, die Reise in den Badeort –, doch sie tun es in dem Bewußtsein, daß sie sich nichts mehr zu sagen haben.

Die Komödie, die dem sozialen Gefälle, wenn auch nicht diesem allein, ihren Reiz verdankte, droht, sobald man wieder unter seinesgleichen ist und den Verkehrsformen seines Standes unterliegt, zum Trauerspiel zu werden. Betrogen zu werden wäre mit dem Narzißmus, der dem Sozialcharakter des Helden wesentlich ist, unvereinbar. Darum will er zwar »lächelnd hinter den Kulissen verschwinden«, nicht aber von der Bühne, die die Welt des Ästheten ist. Da er, ziellos, nicht leben kann, wird er fortfahren, die Komödie zum Lebensersatz zu machen.

II ›Liebelei‹

1 Ständeklausel

In den zwei Jahren nach Abschluß des *Anatol*-Zyklus, 1893/94, ist *Liebelei* entstanden, ein Schauspiel in drei Akten, das Schnitzler unter dem Titel *Das arme Mädel* begonnen hat. War in *Anatol* die Konstellation junger Herr – Vorstadtmädchen eine unter andern, so ist sie in *Liebelei* in den Mittelpunkt gerückt. Die jungen Herren, Fritz Lobheimer und Theodor Kaiser, sind Söhne wohlhabender Eltern; sie leben, mit Diener und ohne Geldsorgen, fern von ihrer Familie in Wien, sie sind nicht mit ihrem Studium, sondern mit Affären beschäftigt. Ihrer sozialen Indetermination – es ist Bourdieu zufolge die des adolescent bourgeois[1] – entspricht eine Lebensweise, die wie die Anatols durch Handlungsunfähigkeit und Langeweile gekennzeichnet ist.

Mit Fritz und Theodor hat Schnitzler zwar Figuren eingeführt, die ähnlich wie Anatol disponiert sind, doch macht schon der Beginn des ersten Akts deutlich, worin sich die Stücke unterscheiden. In *Liebelei* werden jene Konflikte entfaltet, die in den Einaktern um Anatol wohl angelegt, aber stillgestellt waren. Handelt *Anatol* von den Beziehungen des jungen Herrn zum süßen Mädel wie auch zur verheirateten Frau als Beziehungen, die jeweils unproblematisch begonnen und ohne Mühe zugunsten anderer Frauen abgebrochen werden können, so führt *Liebelei* diese Liebesbeziehungen an ihr Ende. Während Anatol Gelegenheit gegeben ist, Beziehungen spielerisch zu erproben, wird Fritz in *Liebelei* einer Situation ausgesetzt, der er sich nicht zu entziehen vermag. Anatol bekommt die Lizenz zugestanden, die Wirklichkeit, soweit sie der jeweiligen Stimmung nicht förderlich ist, zu ignorieren; den Protagonisten in *Liebelei* konfrontiert Schnitzler dagegen einer widerständigen Realität. Als sein Verhältnis zu einer verheirateten Frau entdeckt ist, stellt sich Fritz, als Leutnant der Reserve dem militärischen Ehrenkodex folgend, dem Duell und wird erschossen.

Der erste Akt exponiert die prekäre Verfassung von Fritz, in die ihn Theodors Urteil zufolge die Beziehung zu einer verheirateten Frau gebracht hat. Nur außerhalb der Stadt sei er »bei Verstand«, in ihrem »gefährlichen Dunstkreis« breche er dagegen zusammen. Er bete diese Frau an als ein »dämonisches Weib«, und es sei zu befürchten, er gehe eines Tages mit ihr auf und davon. Theodor macht Fritz zum Vorwurf, in dieser Beziehung mehr als ein »gewöhnliches Abenteuer« zu sehen.[2] Offensichtlich hat er damit recht. Die Gefahr, vom Ehemann entdeckt zu werden, hat den letzten Rendezvous

einen melodramatischen Charakter gegeben. »Sie hat Schreckbilder, wahrhaftig, förmliche Halluzinationen«, berichtet Fritz. »Da traut sie sich nicht
fort, da bekommt sie alle möglichen Zustände, da hat sie Weinkrämpfe, da
möchte sie mit mir sterben –«. (S. 218) Sosehr Fritz von der Beziehung zu
einer verheirateten Frau seines Standes fasziniert ist und sosehr auch die
Tränen, die sie ihm opfert, sein Selbstgefühl befriedigen, so bereitwillig geht
er auf Theodors Plan ein, sich bei einem Vorstadtmädchen zu »erholen«. Das
hysterische Repertoire, das ihm geboten wird, genießt er zwar, doch fühlt er
sich der Gefahr, die jenes Verhältnis mit sich bringt, auf die Dauer nicht
gewachsen:

> *Fritz:* Und du hast ja gar keine Ahnung, wie ich mich nach so einer Zärtlichkeit ohne
> Pathos gesehnt habe, nach so was Süßem, Stillem, das mich umschmeichelt, an dem
> ich mich von den ewigen Aufregungen und Martern erholen kann.
> *Theodor:* Das ist es, ganz richtig! [...] Zum Erholen sind sie da. Drum bin ich auch
> immer gegen die sogenannten interessanten Weiber. Die Weiber haben nicht inter-
> essant zu sein, sondern angenehm. Du mußt dein Glück suchen, wo ich es bisher
> gesucht und gefunden habe, dort, wo es keine großen Szenen, keine Gefahren, keine
> tragischen Verwicklungen gibt, wo der Beginn keine besonderen Schwierigkeiten
> und das Ende keine Qualen hat, wo man lächelnd den ersten Kuß empfängt und mit
> sehr sanfter Rührung scheidet. (S. 219)

Theodor versteht Liebesverhältnisse als kalkulierbare Beziehungen mit begrenztem Risiko, sowohl was den eigenen emotionalen Aufwand wie die Bedrohung durch gesellschaftliche Sanktionen angeht. Darum enthält seine
erotische Dramaturgie, die er auch für Fritz verbindlich zu machen sucht,
eine Art Ständeklausel, wie sie bis zum bürgerlichen Trauerspiel für die Literatur Geltung besaß. »Tragische Verwicklungen«, »große Szenen« sind den
»interessanten Weibern« zuzuordnen, bleiben der Stadt, der Beziehung zwischen jungem Herrn und verheirateter Dame, vorbehalten; »Zärtlichkeit
ohne Pathos«, Angenehmes, »sanfte Rührung« halten die Vorstadtmädchen
bereit. Theodor und auch Fritz muß an dieser Ständeklausel, d.h. an ihrer
Nutzanwendung auf die Vorstadtmädchen um so mehr gelegen sein, als sie
die soziale Ungebundenheit in Herzensangelegenheiten garantiert; die Freiheit des jungen Herrn ist die Tabugrenze, die die Geliebte zu respektieren hat.

Die Neigung von Fritz, eine Liebesbeziehung ernst zu nehmen, widerspricht seiner Unentschiedenheit nur scheinbar. Zu erklären ist sie aus der
Langeweile; einen Ausweg verspricht die »interessante Frau«, die Frau mit
dämonischen Zügen. So geht Fritz zwar auf den Plan ein, sich bei Christine
zu »erholen«, aber keineswegs in der Absicht, auf ›Interessantes‹ zu verzichten.

Nichts ist dem für die Söhne der Oberschicht geltenden und von Theodor
perfekt ausgeführten Verhaltenskodex so wichtig wie die Unverbindlichkeit
menschlicher Beziehungen. Sie gilt für Liebesbeziehungen zu verheirateten
Frauen ebenso wie zu Mädchen in der Vorstadt. Wir »lieben nur die Frauen«,

belehrt er Fritz, »die uns gleichgültig sind«. (S. 227) Zu diesem Verhaltenskodex gehört, daß die verheiratete Frau zwar insgeheim untreu sein, die
Institution der Ehe aber nicht öffentlich erschüttert werden darf. Tritt dieser
Fall ein, gilt auch das Unverbindlichkeitsgebot als verletzt; der Geltung der
gesellschaftlichen Normen wird mit der Sanktion des Duells Nachdruck verliehen.

Offensichtlich werden die Konventionen seines Standes von Fritz nur zum
Teil eingehalten. Er nimmt das Verhältnis mit einer verheirateten Frau ernst
und verletzt dabei eine andre Regel, indem er Briefe an sie schreibt; so wird er
schließlich, als diese Briefe vom Ehemann gefunden werden, zum Opfer der
Sanktion, die die Gesellschaft für den Bruch ihrer Verkehrsformen bereithält.
Dagegen verhält sich Fritz gegenüber Christine so, wie die Konventionen es
verlangen. Dem Eingeständnis ihrer Liebe hält er entgegen, daß er dies Verhältnis als zeitlich begrenzt betrachtet. Fragen nach seiner Lebensgeschichte
werden von ihm für unzulässig erklärt. Getreu den Anweisungen Theodors
kommt Christine für Fritz lediglich als Sexualobjekt in Betracht, das die gewünschte Erholung bietet und die Unverbindlichkeit der Beziehung niemals
in Frage stellt. Stärker als in *Liebelei* ist im ersten Bild der früheren Volks-
stück-Fassung akzentuiert, daß die Beziehung der Vorstadtmädchen zu den
jungen Herren sie aus ihrem sozialen Milieu herauslöst. Während sich am
Beginn von *Liebelei* die jungen Herren und die süßen Mädel bereits kennen
und in Fritz' Wohnung treffen, zeigt das erste Bild der ursprünglichen Fassung eine Tanzschule in der Vorstadt, in der die dort wohnende Jugend zunächst unter sich ist. Ersichtlich fällt es den jungen Herren, die später kommen und die wissen, daß sie »ein bißchen zu elegant« ausschauen, nicht
schwer, sich bei den Vorstadtmädchen gegen die Konkurrenz von vielen
»Commis« und wenigen »Hausherrensöhnen« durchzusetzen. Indem Mizi
und Christine auf die Einladung Theodors eingehen und sich vor Schluß der
Veranstaltung, möglichst unbemerkt von den Tanzenden, mit den jungen
Herren an der nächsten Ecke treffen, verlassen sie mit der Tanzschule zugleich das ihnen vertraute soziale Terrain.[3]

Beschreibt die Exposition von *Liebelei* die Rolle des süßen Mädels, die die
jungen Herren Christine zugedacht haben, so macht schon die erste Begegnung mit Fritz deutlich, wie wenig sie dieser Rolle gerecht zu werden vermag.
Zwar hat Theodor bei ihrer Auswahl darauf gesehen, daß sie, wie auch Mizi,
die sozialen Voraussetzungen dieser Rolle erfüllt: sie kommt aus der Vorstadt, ist die Tochter eines Geigers am Theater in der Josefstadt, führt dem
Vater den Haushalt und verdient Geld durch Notenschreiben, doch widerspricht sie der Rollenerwartung, indem sie Fritz, unvermittelt und naiv, ihre
Liebe gesteht.

Christine: Du bist aber mein alles, Fritz, für dich könnt ich ... (sie unterbricht sich)
  Nein, ich kann mir nicht denken, daß je eine Stunde käm', wo ich dich nicht sehen
  wollte. So lang ich leb', Fritz – –

Fritz (unterbricht): Kind, ich bitt' dich ... so was sag' lieber nicht ... die großen Worte, die hab' ich nicht gern. Von der Ewigkeit reden wir nicht ... (S. 225)

Statt der erwarteten »Zärtlichkeit ohne Pathos« sieht sich Fritz »großen Worten« konfrontiert, die ihm unerträglich sind. So sicher sie ihrer Liebe ist, so nachdrücklich besteht er auf dem Recht, Launen zu haben. Der Realität ihrer Gefühle setzt er, Anatol ähnlich, eine Reihe von Möglichkeiten entgegen, über die er zu verfügen vermeint, so die, »einmal überhaupt nicht ohne einander leben [zu] können«. Ihrer Selbstgewißheit entzieht er sich, indem er seine Existenz virtualisiert. Nicht nur dient diese Virtualisierung dem Zweck, sich den Gefühlen der Geliebten zu entziehen, im gleichen Maße ist sie darauf angelegt, Christine weitere Liebesbeweise zu entlocken, die dem narzißtischen Liebhaber teuer sind.

Vollends wird in der Katastrophe des Dramas evident, daß Christine aus der vorgegebenen Rolle des süßen Mädels fällt. Christine, nicht die »Dame in Schwarz« (S. 226), wird zum Mittelpunkt »großer Szenen«, »tragischer Verwicklungen«, die Theodors Philosophie der Unverbindlichkeit vermieden sehen wollte. Nicht die Wohnung des jungen Herrn, sondern das Zimmer Christines, in der zwei der drei Akte des Dramas spielen, ist der Ort der Liebestragödie. Das vermeintlich süße Mädel sprengt den von der herrschenden Klasse für die Vorstadt vorgeschriebenen Rahmen moderierter Empfindungen; es stellt die vom jungen Herrn eingeführte Ständeklausel auf den Kopf, die das Erhabene der Stadt, das Angenehme, »Süße«, »Stille« der Vorstadt zuwies. Nicht die »Dame in Schwarz«, sondern Christine ist am Ende die »interessante« Frau. Ihr Pathos, ihre Verzweiflung, gegen die sich die Weinkrämpfe der Rivalin wie hysterische Inszenierungen ihrer selbst ausnehmen, entspringen einer Liebe, deren ein Mädchen aus der Vorstadt nach der Vorstellung der jungen Herrn nicht fähig ist. Zur tragischen Kollision kommt es nicht zuletzt, weil Theodor wie auch Fritz, beschäftigt mit der Verhaltensäquilibristik ihrer Schicht, außerstande sind, Christines Liebe ernstzunehmen.

2 Ästhetische Wahrnehmung und prosaische Wirklichkeit

»Die Weiber«, sagt Theodor, »sind ja so glücklich in ihrer gesunden Menschlichkeit – was zwingt uns denn, sie um jeden Preis zu Dämonen oder zu Engeln zu machen?« (S. 219) An der verheirateten Frau ist nichts Dämonisches, doch verleiht die Gefährlichkeit dieser Beziehungen ihr in Fritz' Phantasie dämonischen Glanz. Auf die von Theodor geforderte Domestizierung der Gefühle reagiert er nicht unvermittelt, sondern mit der extremen Stilisierung der Frau zum Dämon oder Engel. Im Unterschied zu Theodor kann er eine Frau wohl ernst nehmen, freilich auf seine Weise: indem er sie zum Gegenstand der Anbetung erhebt. Theodors Beobachtungen über das Verhältnis von Fritz und Christine, Fritz habe die »Absicht [...], auch *die* Sache wieder ernstzunehmen«, deutet ebenfalls an, daß Fritz sich zu einer Frau nicht anders als im Gestus ästhetizistischer Beherrschung verhalten kann. Was wie die ästhetische Erhöhung Christines erscheint, setzt sie zur »Sache« herab, über die der junge Herr verfügen kann. Bezeichnenderweise werden das Verhalten des jungen Herrn gegenüber den Damen der Gesellschaft wie auch die Vorkehrungen, die Theodor für Fritz und Christine trifft, in Kategorien wie Pathos, Interessantes, Angenehmes, große Szenen, tragische Verwicklung, Rührung, Liebestragödie beschrieben, die der Ästhetik entliehen sind. Theodor erweist sich daran als Ästhet, daß er die Liaison zwischen Fritz und Christine artistisch zu inszenieren sucht. Daher der rituelle Charakter des Soupers, das er in Fritz' Wohnung veranstaltet, das Nachspielen eines Clowns, das theatralische Herunterregnen der Rosen à la mode und die Illumination durch Kerzen, die im Gegensatz zur alltäglichen Beleuchtung durch Lampen die Exklusivität des Ereignisses hervorheben soll. Theodor wird als »Festarrangeur« bezeichnet, weil er die prosaische Realität in die ästhetische einer Theaterszene zu verwandeln sucht. Daß entgegen seinem Arrangement das Fest zur Trauerfeier werden muß, wird noch zu untersuchen sein. Ästhetizistisch ist auch Fritz' Verhalten gegenüber der verheirateten Frau und Christine. So wenig wie die eine ein Dämon ist die andere ein Engel. Er nimmt sie aber als solche wahr, um wie Anatol, der Bianca die Aura der Einzigartigkeit gab, der Monotonie seines Lebens entgehen zu können. Kaum etwas an den Vorstadtmädchen und ihren beschränkten Verhältnissen – ausgenommen vielleicht der Reiz des sozial anderen – vermöchte, für sich genommen, die Aufmerksamkeit der jungen Herrn zu erregen, gäbe es nicht die aus der Langeweile entspringende Sehnsucht nach Sensationen, die – der Weinkrämpfe der verheirateten Frau müde – nun auf etwas Angenehmes sich richtet. Es ist die ästhetische Wahrnehmung, die Christine in das »süße Mädel« verwandelt. Dem widerspricht nicht, daß Fritz andererseits die verheiratete Frau mit dämonischen Zügen ausstattet; mühelos nämlich vermag der Ästhet auch dem, was dem Schönen entgegensteht, Reize abzugewinnen, die sich genießen lassen.

An Fritz' Erwiderung auf Christines Fragen nach der anderen Frau zeigt sich, wie wenig die ästhetische Wahrnehmung noch auf die Realität bezogen ist: »Schau', das haben wir ja so ausdrücklich miteinander ausgemacht: Gefragt wird nichts. Das ist ja gerade das Schöne. Wenn ich mit dir zusammen bin, versinkt die Welt – punktum. Ich frag' dich auch um nichts.« (S. 227) Ebenso wie Theodors Festarrangement aus der Alltäglichkeit herausragt, wird der Liebesbeziehung ein exterritorialer Raum zugewiesen. Das Schöne am Verhältnis zu Christine ist, daß um es her die Welt versinkt. Christines Fragen sind Fritz deshalb so zuwider, weil sie an die häßliche Wirklichkeit erinnern; nur was außerhalb der Welt ist, ist Fritz zufolge schön zu nennen. Wie Alfred von Wilmers erscheint auch Fritz Lobheimer die Welt häßlich, nicht weil sie an sich häßlich wäre, sondern weil er sie als Ästhet, aus der Perspektive des Schönen betrachtet. Über Christines Wohnung heißt es:

Fritz: ... Du hast's eigentlich schöner als ich.
Christine: Oh!
Fritz: Ich möchte gern so hoch wohnen, über alle Dächer sehn, ich finde das sehr schön. Und auch still muß es in der Gasse sein?
Christine: Ach, bei Tag ist Lärm genug.
Fritz: Fährt denn da je ein Wagen vorbei?
Christine: Selten, aber gleich im Haus drüben ist eine Schlosserei.
Fritz: O, das ist sehr unangenehm. (S. 249)

Während Fritz die Wohnung als schön gilt, weil sie vermeintlich »hoch« und »still«, der Wirklichkeit entrückt ist, macht Christine deutlich, daß er das Opfer der eigenen Idyllisierung ist. Begründet sind solche Stilisierungen in der Bedrohung durchs unvermeidliche Duell. Hatte Fritz zunächst aus Langeweile die nicht widerständige Welt ästhetisch verklärt, die verheiratete Frau und Christine zum Dämon bzw. Engel stilisiert, so sind es seit der Duellforderung vermeintlich unausweichliche gesellschaftliche Zwänge, die ihn nötigen, die Welt zu ästhetisieren, um sich ihr entziehen zu können. Das, woran ein sozialer Makel haftet, »hoch« zu wohnen, den Theodors vorderhand ästhetisches Urteil: »Ein bißchen hoch für meinen Geschmack« (S. 253) sehr wohl mitbezeichnet, wird von Fritz als schön empfunden, weil der befreiende Blick »über alle Dächer« die bedrohliche Realität der Stadt vergessen läßt. Sucht Fritz' Ästhetizismus zunächst die Welt zu verwandeln, weil sie ihm banal oder häßlich erscheint, so betreibt er diese Verwandlung nach seinem Verstoß gegen gesellschaftliche Konventionen, weil er sich objektiv bedroht fühlt. Daß die Welt nicht versinkt, wenn Fritz mit Christine zusammen ist, dafür sorgt in erster Linie er selbst. Christine ist die Examination der Bilder und Bücher in ihrem Zimmer peinlich, weil sie dem Standard der upper class nicht entsprechen: »Ich weiß schon, daß die Bilder nicht schön sind. – Beim Vater drin hängt eins, das ist viel besser« (S. 250); der seinem Anspruch nach gebildete Bürgersohn kann jedoch selbst in der Intimität ihres Zimmers auf das gewohnte Sozialverhalten nicht verzichten.

Bildung, seit dem 18. Jahrhundert die vielleicht wichtigste Legitimationsgrundlage des Bürgertums gegenüber dem Adel, dem es dessen Legitimation, das »Recht des Blutes« absprach, hat auch gegen Ende des 19. Jahrhunderts noch nichts von ihrer Bedeutung eingebüßt. [4] Wenn das Wiener Bürgertum in den Gründerjahren mit den Bauten der Ringstraße – neben Parlamentsgebäude und Rathaus – Museum, Theater, Universität und Oper so auffällig ins Blickfeld rückte [5], so sicher auch aus Bildungsbeflissenheit, vor allem aber deshalb, weil ihm die Funktion von Kultur und Bildung, die ökonomisch begründete Herrschaft zu legitimieren und zu repräsentieren, schlechterdings unverzichtbar war. Ersichtlich ist nun Schnitzlers Held nicht bildungsbeflissen; im Unterschied zu Christine, die ihm Bildungsbeweise schuldig zu sein

glaubt (»Ich weiß schon, daß die Bilder nicht schön sind«), scheint Fritz vielmehr Bildung zur zweiten Natur geworden zu sein.

Mit beleidigender Freundlichkeit nennt der Bürgersohn die wenigen Bän-
de, die in der »kleinen Bücherstellage« stehen, ihre »Bibliothek« [6], und das
exklusive Recht seiner Schicht auf den Kunstverstand ist ihm so selbstverständlich, daß er sich unversehens eine Blöße gibt: »Wer ist denn der Herr da
auf dem Ofen?« In seinen sozialhistorischen Kontext gerückt, gibt auch das
für sich genommen unscheinbare Detail, daß Fritz die Schubert-Büste nicht
identifizieren kann, zu erkennen, wiewiel sich dieser Bürgersohn von den
Maximen der liberalen Ära entfernt hat.

Schubert ist der Künstler, dem das liberale Bürgertum das »erste und be-
deutendste« Denkmal im Stadtpark gewidmet hat. Die Geschichte der Ringstraßendenkmäler spiegelt, wie Gerhard Kapner gezeigt hat [7], aufs genaueste den Prozeß der Machtverschiebung vom Neoabsolutismus zum liberalen
Bürgertum während der Gründerzeit. Auf die vom Hof angeregten und finan-
zierten Denkmäler der Dynastie und ihrer Feldherrn antwortet das Großbürgertum mit Denkmälern, die geeignet sind, bürgerliches Selbstbewußtsein
zu manifestieren, mit Denkmälern von Erfindern, vor allem aber Künstlern
wie Schubert, Beethoven, Schiller, Goethe und Grillparzer. Waren Besitz und
Bildung die Imperative der Gründerzeit, so verbot sich nach liberalem Verständnis, wie schon an der Architektur der Ringstraße gezeigt wurde, deren
gleichgewichtige Zurschaustellung. Zwar zollen Denkmäler Adam Smith und
Columbus, als dem Entdecker neuer Handelsrouten, Tribut [8], doch waren
nach liberalem Urteil vor allem Künstler geeignet, bürgerliches Selbstbewußtsein zu bezeugen. Das Denkmal Schuberts, der sich »um Bildung und Kunst
unvergängliche Verdienste erworben« hat, ein Geschenk des Wiener Män-
nergesangvereins an die Stadt Wien, wird am 15. Mai 1872 vor den versam-
melten liberalen Gemeinderäten enthüllt. Sein Standort ist nach dem Willen
seiner Initiatoren der Stadtpark, eine »der Erholung gewidmete öffentliche
Anlage«. [9] Unmißverständlich haben auf diese Weise die Bürger deutlich
gemacht, daß sie Schubert, wie auch andere Künstler, als einen der ihren in
Anspruch nehmen.

Indem der Geiger am Josefstädter Theater eine Schubert-Büste auf den
Ofen stellt, ehrt er nicht nur sein musikalisches Vorbild, sondern folgt in
rührend-hilfloser Weise noch der Tradition des Bürgertums, das den Künstler auf seine Podeste hob. Wenn demgegenüber Fritz Lobheimer Schubert
nicht erkennt, wird ersichtlich, wiewiel das Selbstverständnis des liberalen
Bürgertums in den neunziger Jahren bereits verlorengegangen ist. Für das
Vorstadtmädchen Christine dagegen bezeichnet die Schubert-Büste weniger
die schmerzliche Erinnerung an die weder ihr noch ihrem Vater erreichbare
künstlerische Karriere auf den großen Konzertpodien als den Trost, wenigstens in der Intimität der kleinbürgerlichen Wohnung an der Kunst teilzuhaben.

Schuberts Büste nicht zu erkennen, trägt Fritz eine Belehrung durch die Geigerstochter ein, die für ihn allemal blamabel ist; auf dem Gebiet der Kultur, in der Unterlegenheit an Bildung, scheint die soziale Hierarchie für einen Moment verdeckt. Die ästhetische Kompetenz dieses Bürgersohns erweist sich als angemaßt. Umso dringlicher muß er darauf bedacht sein, in der Mißbilligung von künstlichen und der Hochschätzung von frischen Blumen seine kulturelle Überlegenheit wiederherzustellen. Da Kunstblumen zu haben nach dem Geschmack seiner Schicht einem sozialen Makel gleichkommt (es sei denn, es handelt sich um von des Meisters Hand geadelte »Makartbuketts«), ist, vermittelt über die kulturelle, auch die soziale Überlegenheit aufs neue zur Geltung gebracht.

In die Exposition von *Liebelei* ist auch Schnitzlers Auseinandersetzung mit dem herrschenden Publikumsgeschmack eingegangen, mit jenem Erwartungshorizont zumal des Wiener Bürgertums, der in den neunziger Jahren vor allem durch französische Salonkomödien vom Schlage Dumas-fils, Halévy und Sardou bestimmt war. [10] Oft genug ist an ihn die Aufforderung ergangen, dergleichen Stücke zu schreiben, um beim Wiener Theaterpublikum zu reüssieren. Wenn Theodor Fritz empfiehlt, wie er sein Glück dort zu suchen, »wo es keine großen Szenen, keine Gefahren, keine tragischen Verwicklungen gibt [...], wo man lächelnd den ersten Kuß empfängt und mit sehr sanfter Rührung scheidet«, so ist dies auch als eine Adresse Schnitzlers ans Publikum zu verstehen, die ihm zur Identifikation Angenehmes und Gefälliges, auch Rührendes einstweilen in Aussicht stellt, um in der Entfaltung des Konflikts diese Erwartung umso nachhaltiger der Verlogenheit überführen zu können. Kraft eigener Dialektik entwickelt das Schauspiel aus dem sozialen Abstand von Stadt und Vorstadt, dessen Komödientauglichkeit oder doch Boulevardtauglichkeit die problemlose Beziehung zwischen Theodor und Mizi zu garantieren schien, eine Liebestragödie, die den herrschenden Geschmack und die herrschende Moral des Wiener Bürgertums als die Moral und den Geschmack der Herrschenden qualifiziert.

3 Züge des bürgerlichen Trauerspiels

Zwar ist gelegentlich angemerkt, aber nicht untersucht worden, daß *Liebelei* augenscheinlich Schillers *Kabale und Liebe* zitiert. [11] Handelte es sich lediglich um eine gelegentliche Verwandtschaft von Motiven, so brauchte in diesem Diskussionszusammenhang nicht darauf eingegangen zu werden. Es gibt aber Gründe für die Annahme, daß konstitutive Momente des Schillerschen Dramas, Momente wie die soziale Konstellation der am Konflikt beteiligten Figuren, die Familie als Ort der Handlung, bürgerliche Moralität und Empfindsamkeit, die es zum Paradigma des bürgerlichen Trauerspiels haben werden lassen [12], auch in Schnitzlers *Liebelei* noch gegenwärtig sind. Damit wird freilich nicht unterstellt, es gebe eine Kontinuität dieser dramatischen Gattung seit der Entstehung des bürgerlichen Trauerspiels in Deutschland um die Mitte des 18. Jahrhunderts bis zum Fin de siècle; wohl aber ist zu prüfen, ob nicht Schnitzlers Schauspiel noch Züge des bürgerlichen Trauerspiels, wenngleich mit historisch bedingten Modifikationen aufweist. Wäre dies so, ergäben sich daraus weitreichende Konsequenzen für die Interpretation von *Liebelei*.

Karl S. Guthke beginnt sein Buch übers bürgerliche Trauerspiel mit der kategorischen Feststellung: »Das bürgerliche Trauerspiel ist heute eine tote Gattung; schon um die Mitte des vorigen Jahrhunderts ist es ausgestorben.« Die Bemerkungen, die sein Ende mit Hebbels *Maria Magdalena* begründen sollen, überzeugen schon deshalb nicht, weil sie vorrangig und dazu schematisch die Gattung über die soziale Zugehörigkeit der Figuren definieren, ohne den vom Autor formulierten Anspruch sozialgeschichtlicher Orientierung einzulösen: »Verdrängt werden die Probleme des Bürgertums durch die ›soziale Frage‹, die sich mit dem seit der Jahrhundertmitte aufkommenden Industrieproletariat stellt. Das bürgerliche Trauerspiel – nicht in dem selben Maße das bürgerliche Schauspiel und Lustspiel – weicht dem sozialen Drama.« [13] Die naheliegende Frage, ob nicht im sozialen Drama Züge des bürgerlichen Trauerspiels beibehalten sein können, bleibt bei Guthke unerörtert.

Demgegenüber gehen die folgenden Überlegungen im Anschluß an Szondis Darstellung der Theorie des bürgerlichen Trauerspiels davon aus, daß nicht schon der soziale Rang der Protagonisten, sondern vielmehr erst die spezifisch bürgerliche Thematik über die Zugehörigkeit zur Gattung entscheidet. In dem Maße, wie die soziale Konstellation der Figuren, die Familie, die Normen bürgerlicher Moral etc. auch gegen Ende des 19. Jahrhunderts noch das Drama zu konstituieren vermögen, wird man vom bürgerlichen Trauerspiel sprechen können, auch dann, wenn es von seinen Autoren nicht so genannt wurde. In diesem Sinne hat Peter Szondi über Hebbel hinaus auch Ibsen und Strindberg als Vertreter des bürgerlichen Trauerspiels im 19. Jahrhundert bezeichnet. [14]

Wie der soziale Gegensatz zwischen Bürgertum und Adel Schillers bürgerliches Trauerspiel beherrscht, so der zwischen Vorstadt und großbürgerlich-aristokratischer Stadt – die Wohnung von Fritz liegt im vornehmen III. Bezirk – Schnitzlers *Liebelei*. Sowenig der bei Schiller dargestellte soziale Konflikt auf den bei Schnitzler thematisierten, von dem ihn mehr als ein Jahrhundert trennt, abgebildet werden darf, sowenig ist zu übersehen, daß die jungen Herren Schnitzlers mit den Adligen bei Schiller zumindest darin übereinkommen, daß sie Repräsentanten der jeweils herrschenden Klasse sind; Miller und Weiring dagegen gehören zur beherrschten.

Nachdrücklich und nicht ohne Erfolg ist das liberale Wiener Bürgertum seit den sechziger Jahren auf eine Assimilation mit dem Adel bedacht ge-

wesen. Darauf verweist noch das aristokratische Gebaren, das die Bürger-
söhne in *Liebelei* mitunter an den Tag legen. Wie das Herunterregnen der
Rosen⌊15⌋ auf den festlich arrangierten Tisch, das Theodor vorschlägt, als
Geste des Überflusses erinnert auch das ostentative Nichtstun der jungen
Herrn an Distinktionen der Nobilität, wie sie beileibe nicht nur dem Frank-
reich des ancien régime teuer waren. Arbeit, etwa das Notenschreiben von
Christine, ist ihnen allenfalls ein Gegenstand der Neugierde. Sie erscheint
Theodor so unermeßlich fern und damit wertvoll, daß er sie auch für
»horrend bezahlt« hält.

Mit Musikus Miller hat der Geiger vom Theater an der Josefstadt neben
der Sorge um die Tochter den Beruf gemeinsam, doch besagt der, für sich
genommen, wenig über das soziale Konfliktpotential der beiden Werke.
Für den Charakter von *Kabale und Liebe* als bürgerliches Trauerspiel ist
nicht so sehr ausschlaggebend der gesellschaftliche Status von Miller, schon
deshalb nicht, weil Musiker zu sein schwerlich als repräsentativer bürgerlicher Beruf gelten kann. Vor allem beweist dies Lessings *Miss Sara Sampson*,
ein bürgerliches Trauerspiel, dessen Protagonisten der gentry angehören. Was
Kabale und Liebe zum bürgerlichen Trauerspiel macht, ist vielmehr seine
Thematik: die Moralität des Bürgers und die Anfechtungen, denen sie unter
feudalen Bedingungen ausgesetzt ist. Sie steht auch im Mittelpunkt von
Schnitzlers Drama, und dies vor allem rechtfertigt es, *Liebelei* ein zwar
impressionistisches, aber darum nicht weniger legitimes bürgerliches Trauerspiel zu nennen. Miller und Weiring sind derselben bürgerlichen Moralität
verpflichtet; es ist die Moralität der sozial Unterlegenen. Von ihr ist die
Amoral des Adels in *Kabale und Liebe* und des Großbürgertums in *Liebelei*
ersichtlich unterschieden. Christine ist mit all den bürgerlichen Tugenden
ausgestattet, die nach Max Weber die protestantische Ethik und was auf sie
folgte, von ihr verlangt: Fleiß, Anständigkeit, Liebe zur Familie und nicht zuletzt Bescheidenheit. Bescheiden sind vor allem ihre Glückserwartungen:
»Du hast mir nichts versprochen«, erklärt sie Fritz, »und ich hab' nichts von
dir verlangt ... Was dann aus mir wird – es ist ja ganz einerlei – ich bin
doch einmal glücklich gewesen, mehr will ich ja vom Leben nicht.« (S. 253)
»Ich beweine mein Schicksal nicht«, hatte Luise Millerin dem Vater beteuert,
»ich will ja nur wenig – – an ihn denken – das kostet ja nichts. Dies bißchen Leben – dürft ich es hinhauchen in ein leises schmeichelndes Lüftchen,
sein Gesicht abzukühlen! – Dies Blümchen Jugend – wär es ein Veilchen, und
Er träte drauf, und es dürfte bescheiden unter ihm sterben!« [16] Nicht
daß hier offenkundig Schnitzler Schiller wörtlich zitiert, verdient bemerkt
zu werden, sondern daß Christine ihrem Vorbild an bürgerlicher Selbstbescheidung, die – deutlich genug – vom Opfer der Unschuld bis zur Hingabe
des Lebens an den sozial überlegenen Geliebten reicht, Schnitzler zufolge in
nichts nachstehen soll: »Daß ich ihm alles gegeben hab'«, fragt sie Theodor,
»was ich ihm hab' geben können, daß ich für ihn gestorben wär' [...] hat

er das gar nicht bemerkt?« (S. 262) Christines Tugenden, die ihr die Familie vermittelte, werden – das ist nun entscheidend – von ihrem Vater nicht mehr eingefordert. Weiring fühlt sich schuldig, das Leben seiner Schwester verpfuscht zu haben; aus Sorge um die bürgerliche Anständigkeit hat er sie um ihr Glück gebracht. Hinzu kommen seine eigenen Enttäuschungen. Aus dem ambitionierten Komponisten in der Nachfolge Schuberts ist ein schlechtbezahlter Orchestermusiker geworden. Besorgt, daß der Tochter das eigene Schicksal und das der Schwester droht – »das ganze Leben nur so vorbeigegangen [...] ein Tag wie der andere, ohne Glück und ohne Liebe« (S. 244) – begrüßt er Christines Liaison mit dem jungen Herrn. Unmißverständlich die Geste bei seinem ersten Auftreten: »Ich bin jetzt durch den Garten bei der Linie gegangen – da blüht der Flieder – es ist eine Pracht! Ich hab' mich auch einer Übertretung schuldig gemacht! (Gibt den Fliederzweig der Christine).« Daß er Bravheit, bürgerliche Wohlanständigkeit verwirft, den Neffen des Bandwirkers für Christine nicht akzeptabel findet, hat wenig mit sozialem Dünkel zu tun, sondern entspringt der Einsicht, daß Glück und Liebe der Tochter nicht einer Versorgungsehe zu opfern seien: »Ja, sagen sie mir, Frau Binder, ist denn so ein blühendes Geschöpf wirklich zu nichts anderem da, als für so einen anständigen Menschen, der zufällig eine fixe Anstellung hat?« (S. 243) Nicht Weiring, sondern Frau Binder proklamiert die Tugenden, die gemeinhin als bürgerlich gelten, Bescheidenheit, Liebe zum »Häuslichen«, Fleiß, vor allem aber »Anständigkeit«, unmißverständlich: die Triebunterdrückung der noch nicht verheirateten Frau. Setzt man ihre kupplerischen Absichten beiseite, so fällt auf, daß Schnitzler bürgerliche Moral in ihrer philiströsen Gestalt einer Figur zuordnet, die als Bandwirkersfrau im Stück den geringsten sozialen Rang einnimmt. Allerdings läßt er sie dabei auf Lebenserfahrungen rekurrieren, die solange daran hindern, ihre Moral umstandslos als spießig zu erledigen, wie nicht der Verdacht geklärt ist, ob jenes Urteil gleichsam stillschweigend von ›oben‹ nach ›unten‹ ergeht. Was als philiströse Moral erscheint, bringt vor allem die realiter geringe Lebenserwartung derer zum Ausdruck, für die eine »fixe Anstellung« ein unverhofftes Glück bedeutet, dessen man sich durch Anständigkeit würdig zu erweisen hat.

Gemessen an den Räsonnements von Frau Binder ist Weirings Verzicht auf die väterliche Überwachung der Tugend, ja die Ermunterung Christines zu sexueller Freiheit, dezidiert unbürgerlich. Ist die Moralität das hervorragende sujet des bürgerlichen Trauerspiels nicht nur in Deutschland, so läßt sich vor allem an diesem Punkt zeigen, in welcher Weise sich *Liebelei* noch auf die Gattung bezieht. Neben anderen Tugenden ist vor allem die Unberührtheit der Tochter, die Miller als das höchste Gut gilt, das gegen die Anfechtungen des aristokratischen Liebhabers zu verteidigen ist, Weiring längst problematisch geworden. Miller kann in Ferdinand nie etwas anderes als den Verführer der Tochter sehen, der alles Elend über sein Haus gebracht hat.

Weiring dagegen verspricht sich vom jungen Herrn etwas Liebe für die Tochter, in der Einsicht freilich, daß dem »armen Mädel« in ihrem Leben sonst wenig Glück beschieden sein wird. Ein klassischer Konflikt des bürgerlichen Trauerspiels, wie er etwa in *Kabale und Liebe* ausgebildet ist, zwischen Tugend und Liebe, zwischen den »Tränen« des Vaters und den »Küssen« des Majors [17], der bei Schiller emphatisch zugunsten des Vaters entschieden wird, ist in *Liebelei* als historisch überholt außer Kraft gesetzt. Ausdrücklich allerdings hat Schnitzler zwei typische Situationen des bürgerlichen Trauerspiels herbeigeführt. Wie Luise Millerin bekennt sich Christine als »schwere Sünderin«, die dem Vater die verbotene Liebe eingesteht: »Vater ... wenn du jetzt darüber nachgedacht hast und einsiehst, daß du mir nicht verzeihen kannst, so jag' mich davon – aber sprich nicht so ...«. Daran freilich denkt Weiring am allerwenigsten. Schließlich stellt er die Tochter vor die Wahl – das ist die zweite Trauerspiel-Situation –, wie Luise zwischen Vater und Liebhaber zu entscheiden. Er empfiehlt ihr, Fritz zu vergessen: »Wie du und ich zusammen sein werden – wie wir uns das Leben einrichten wollen – du und ich ... wie du wieder – jetzt, wenn die schöne Zeit kommt, anfangen wirst zu singen, und wie wir dann, wenn die Ferien da sind, aufs Land hinausgehen werden ins Grüne, gleich auf den ganzen Tag – ja – oh, so viele schöne Sachen gibt's ... so viel.« (S. 258 f.) Und später fragt er sie: »Hältst du's denn bei deinem Vater gar nimmer aus?« Offenkundig zitiert Schnitzler diese beiden Trauerspiel-Situationen vor allem, um sie zu verabschieden. Sowenig wie Weiring daran denkt, die Tochter ihrer Liebe, eines ›Fehltritts‹ wegen davonzujagen, sowenig glaubt er daran, daß er und die familiäre Häuslichkeit den Liebhaber ersetzen können – im Unterschied zu Musikus Miller. Während im Trauerspiel gegen Ende des 18. Jahrhunderts Schillers Held, wie vor ihm schon die Helden Diderots, die Familie als Ort des Glücks eigensinnig behaupten kann, ohne daß indessen deren Probleme ganz verschwiegen würden, wird in *Liebelei* erkennbar, in welchem Maße über hundert Jahre später die Familie, die nicht zufällig bei Schnitzler nur noch eine Rumpffamilie darstellt, fragwürdig geworden ist. Sie ist nicht mehr, wie Miller behauptet, Ort des Glücks, auch nicht der Hölle oder doch der Vorhölle, wie Hebbels *Maria Magdalena*, Ibsens und Strindbergs Dramen, auch Hauptmanns *Fuhrmann Henschel* zeigen, sondern nurmehr gleichgültig. Angelegt noch in der Tradition des Familiendramas, bezeugt *Liebelei* die Skepsis des Autors, ob die Familie noch etwas beitragen kann zur Lösung von Konflikten wie denen, vor die sich Christine gestellt sieht.

Zwar ist im Unterschied zu *Kabale und Liebe* der Konflikt zwischen Vater und Tochter, der Konflikt um die rigide Moral, die gegen die Liebe durchzusetzen ist, in *Liebelei* irrelevant geworden, doch ist der andere Trauerspielkonflikt, der zwischen Tochter und Liebhaber, wenn auch erst am Ende des Stücks, mit aller Schärfe ausgebildet. Angelegt ist dieser Konflikt in der unbedingten, »käthchenhaften« Liebe des »armen Mädels«

zum jungen Herrn, der ihr die Bedingung der Unverbindlichkeit stellt. Bürgerliche Selbstbescheidung vor allem hindert sie daran, ihn auszutragen. Die Signatur des stillgestellten Konflikts ist Christines Trauer; mit ihrer Empfindsamkeit hat die Sentimentalität von Fritz nicht das geringste zu tun. Bezeichnen Christines Tränen, bis sie von Fritz' Tod erfährt, den Konflikt mit dem Geliebten, den sie nicht austragen kann, so ist bemerkenswerterweise danach von Tränen nicht mehr die Rede. Christine weint nicht mehr, Schreie, das Entsetzen der wie Wahnsinnigen bringen zum Ausdruck, daß der bis dahin stillgelegte Konflikt mit dem Geliebten posthum aufgebrochen ist. Ihr tragischer Irrtum besteht darin, nicht zu erkennen, daß Fritz nicht um einer anderen Frau willen gestorben ist, die er geliebt hat; daß er vielmehr unfähig war, jemanden zu lieben. Gehindert hat ihn daran der Habitus sozialer Unentschiedenheit, dem eine Philosophie des Augenblicks die Legitimation verschaffen sollte. Was er für Christine empfindet, Rührung zumal angesichts der Geborgenheit, die sie dem vom Duell Bedrohten bei sich zu bieten scheint, läßt sich am ehesten wohl als Sentimentalität im Sinne Benjamins bezeichnen, als »der erlahmende Flügel des Fühlens, das sich irgendwo niederläßt, weil es nicht weiterkann.« [19]

Diese Definition scheint verwandt mit jener, die Schnitzler Leo Golowski in *Der Weg ins Freie* versuchen läßt: »Sentimentalität ist nämlich etwas, was in einem direkten Gegensatz zum Gefühl steht, etwas, womit man sich über seine Gefühlslosigkeit, seine innere Kälte beruhigt. Sentimentalität ist Gefühl, das man sozusagen unter dem Einkaufspreis erstanden hat.« [20]

Nicht Christines tragischer Irrtum, Fritz habe eine andere Frau geliebt, sondern die soziale Deklassierung, der sie sich nach der Todesnachricht ausgesetzt sieht, führt zur Katastrophe des Stücks. [21] *Liebelei* endet nicht mit Christines Erschütterung über den Tod des Geliebten, der, wie sie meint, für eine andere starb, sondern mit ihrer Erfahrung, nicht gesellschaftsfähig zu sein. Theodor teilt mit, die Beerdigung habe »in aller Stille stattgefunden«. »Nur die allernächsten Verwandten und Freunde« seien gekommen.

Christine: Nur die nächsten –! Und ich –? … Was bin denn ich? …
Mizi: Das hätten die dort auch gefragt.
Christine: Was bin denn ich –? Weniger als alle andern –? Weniger als seine Verwandten, weniger als … Sie? (S. 263)

Dem »armen Mädel«, das seine Liebesbeziehung mit einem jungen Herrn eingegangen ist, die es zeitweilig die soziale Distanz vergessen ließ, stellt sich nun mit der Frage nach der psychischen auch die nach der sozialen Identität. Nicht nur ist sie von Fritz nicht geliebt worden; sie hat auch für die Gesellschaftsschicht, der Fritz angehört, nicht existiert. So gilt Christines Anklage denn auch nicht allein dem Geliebten, der ihre Liebe verriet, sondern Theodor, der ihre soziale Diskriminierung zu Ende führt. Sie trifft Theodor so, daß ihm zum ersten und einzigen Mal die zynisch gewahrte Gleichgültigkeit verloren geht – eine Wirkung, von der zu vermuten steht, daß sie Schnitzler an das Publikum adressiert wissen wollte, sofern es sich mit Theodor identifizierte. Daß das Schicksal der Heldin aus der Vorstadt eine Figur wie Theodor zu Tränen zu rühren vermag, bezeichnet das Ausmaß ihrer Erschütterung, ebenso aber die psychische Konstitution einer Oberschicht, der die Empfindungsfähigkeit so gut wie abhanden gekommen ist, und die solch extremer Situationen bedarf, um sich ihrer zu erinnern. Am Ende richten sich freilich Christines Aggressionen dank der gewohnten Verinnerlichung sozialethischer Normen gegen sie selbst.

Alle Tugenden, über die Christine verfügt, vermögen offensichtlich nichts gegen ihre psychische und soziale Zerstörung. Lehrt das bürgerliche Trauerspiel des 18. Jahrhunderts, etwa *Kabale und Liebe*, daß das Bürgertum trotz überlegener Moral das Opfer feudaler Willkür wird, aber so, daß seine Selbstvergewisserung vermittels der Ethik außer Frage steht, läßt Schnitzler wie in einem Trauerspiel bürgerliche Tugenden wie Anständigkeit und Güte, als deren Träger nunmehr das Kleinbürgertum fungiert, an großbürgerlich-aristokratischen Konventionen und Verhaltensnormen scheitern, ohne den Zeitgenossen noch ausdrücklich Tugenden empfehlen oder Amoral zur Verdammung anheimgeben zu können. Daß Schnitzler Christine an den gesellschaftlichen Verhältnissen der Inneren Stadt zugrunde gehen läßt, zeiht die Heldin wohl der Naivität, diskreditiert aber nicht ihre Tugenden, sondern wirft aufs Sozialverhalten des Wiener Bürgertums ein Licht, ohne daß seine dramatischen Vertreter explizit verklagt würden. Objektiv aber ist noch in der Liebesbeziehung zwischen Fritz und Christine das Verhältnis der Ausbeutung zwischen Stadt und Vorstadt kenntlich gemacht; Christine hat ihm alles gegeben, er ihr nichts oder nur wenig. Wenn die Bürger Liebe in der Vorstadt finden, nicht in der Innenstadt mit ihren Verfallserscheinungen, wenn die Vorstadt darüber hinaus zur Zufluchtsstätte wird, die Geborgenheit angesichts der gesellschaftlichen Zwänge verheißt, denen sie sich unter ihresgleichen ausgesetzt sehen, so scheint auch im sentimentalen Gestus noch die Ahnung sich zu artikulieren, daß der Vorstadt die Zukunft gehört.

1   Wunschbild der jungen Herren

Von der Figur des süßen Mädels ist im folgenden ausführlicher die Rede, nicht um seine literarische Genealogie nachzuzeichnen – sie kann von der Comédie-Vaudeville *La Jolie Fille du Faubourg* von Paul de Kock und Varin über Nestroys *Das Mädl aus der Vorstadt* zu Henri Murgers *Scènes de la vie de bohème* als gesichert gelten[1] –, sondern um sie in ihrem sozialen Kontext zu deuten. Dabei ist freilich der Hinweis in Schnitzlers Autobiographie auf einen »bösen Prüfungstraum«, in dem er verpflichtet wäre, »einem pedantischen Literaturprofessor« unter den ihm bekannten Mädchen »eines als das eigentliche Urbild des süßen Mädels zu bezeichnen«[2], als Warnung zu verstehen, als Warnung nicht nur vor einem biographischen Positivismus. Denn offensichtlich sind weder die blonde Anni aus den Drei-Engel-Sälen, die Schnitzlers Autobiographie denn doch als »Urbild« gelten lassen will, noch Jeanette Heger oder Marie Glümer mit den literarischen Figuren identisch, die in Schnitzlers Werk »süße Mädel« genannt werden. Bezeichnenderweise hat Schnitzler das süße Mädel nur zweimal als dramatis persona präsentiert, in einer ›Süßes Mädel‹ betitelten *Anatol*-Szene und in zwei Szenen des *Reigen*; im übrigen sind es die jungen oder verheirateten Herren, die Schnitzler einen Typus des Vorstadtmädchens als »süßes Mädel« qualifizieren läßt. An den *Weihnachtseinkäufen* des *Anatol*-Zyklus und an *Liebelei* war gezeigt worden, daß das süße Mädel nicht so sehr den Typus des Vorstadtmädchens im Wien der Jahrhundertwende darstellt als vielmehr das Wunschbild der jungen Herren, das ihren sozialen und erotischen Erwartungen entspricht.[3] Wenn die Vorstadtmädchen zu »süßen Mädeln« werden, so deshalb, weil ihr Bild nach der Moral und dem Geschmack der Herrschenden entworfen ist.

Die Rolle des süßen Mädels als Entwurf des jungen Herrn – auf die es seinerseits aus Gründen eingeht, die noch zu erörtern sind – ist auch in der *Kleinen Komödie* ersichtlich. Trotz des Ehrgeizes, die bestangezogene Geliebte in Wien zu besitzen, erinnert sich Alfred von Wilmers wehmütig an die »erste vernünftige Liebe, die zu irgendeinem kleinen Mäderl aus der Vorstadt, die bei Tag im Geschäft ist, die man abends an der Straßenecke erwartet und die man dann nach Mariahilf oder Fünfhaus begleitet – und die nichts anderes will als einen Ausflug am Sonntag oder einen Abend beim Volkssänger oder einen Sitz auf die dritte Galerie zu der neuen Operette

oder ein Brasselett um einen Gulden und sehr, sehr, sehr viel Liebe. [...] Wer
weiß, an wie viel köstlichen Wesen ich achtlos vorbeigegangen bin. Und wer
weiß, ob ich noch was für sie bedeuten würde, für sie, die viel, viel, sehr viel
Liebe brauchen und die mit dem feinen Instinkt natürlicher Weiblichkeit
meinen Augen und meiner Stirn die Müdigkeit und die Überreiztheit ansehen könnten. [...] Oh, das sehen sie einem an, die süßen Mädeln, die den
Frühling und die Liebe wollen, und plötzlich hängt einem so ein herziges
Ding am Arm, und man hat eine Geliebte statt einer Maitresse. [...] Und
jetzt – jetzt, in Fünfhaus oder in der Alservorstadt, steckt vielleicht eben
vor einem einfachen Holzrahmen-Spiegel ein sechzehnjähriges Jungfräulein
eine Blume an die Brust, ohne zu ahnen, daß sie für mich bestimmt ist!« [4]

Das Bild, das Schnitzler den Helden hier vom süßen Mädel entwerfen
läßt, entspricht nicht so sehr dessen Erinnerungen als den Bedürfnissen,
derer er sich gegenwärtig bewußt ist: das süße Mädel lebt in der Vorstadt,
ist jung, unverheiratet, arbeitet in einem Geschäft; sie versteht es, den jungen
Herrn zu lieben, und stellt keine Ansprüche. Lassen sich so vielleicht auch
die wichtigsten Züge vorläufig zusammenfassen, die die Figur des süßen
Mädels charakterisieren, so ist andererseits zu Recht bemerkt worden, daß
der Typus nicht einheitlich ist. Urbach etwa hat »naive« (Cora in *Anatol*),
»kluge, flatterhafte und verderbte Varianten« (letztere im *Reigen*) unterscheiden wollen. [5] Es fragt sich aber, ob es – wie die Annahme von
»Varianten« nahelegt – ein Grundmuster gibt, das sich aus ihnen erschließen
läßt. Ein solches Verfahren sieht einmal davon ab, daß die Figur aus der Perspektive des jungen Herrn entworfen ist und darum auch, ausgenommen den
Reigen, von ihm mit diesem Prädikat versehen wird; zum anderen davon,
daß das »süße Mädel« dank dieser Perspektive jeweils als Gegentypus zu
einer anderen Frau beschrieben ist. Haben die süßen Mädchen bei Schnitzler
unterschiedliche Züge, so deshalb, weil sie ihre Individualität jeweils im
Kontrast zu andern weiblichen Protagonisten gewinnen. Alfred von Wilmers
etwa stellt sich mit dem süßen Mädel eine Geliebte vor, die das Gegenteil
einer Maitresse sein soll. Ähnlich verhält es sich in *Anatol*. In den *Weihnachtseinkäufen* ist das süße Mädel der bösen Mondänen, einer verheirateten
Frau kontrastiert, im Fragment ›Süßes Mädel‹ den unverheirateten jungen
Damen, die »sehr schön sind und noch dazu aus guter Familie, und sehr gut
erzogen, und reich« [6], in *Abschiedssouper* der Geliebten aus der Bohème
(Annie); in *Liebelei* schließlich der verheirateten Frau mit dämonischen
Zügen. »Für so ein süßes Mäderl« erklärt Theodor, »geb' ich zehn dämo-
nische Weiber her.« [7]

Was die süßen Mädel zunächst miteinander verbindet, ist, daß sie in den
Vorstädten leben, in Mariahilf oder Fünfhaus, auf der Wieden – »Ketten-
brücken- oder Schleifmühlgasse« – oder, wie die Mädchen Gusti und Minna,
denen Christine Weiring und Mizi Schlager nachgebildet sind, in Neubau
und in der Josefstadt oder auch, wie Schnitzlers Geliebte Jeanette Heger,

in Alsergrund, nahe an Hernals. [8] Sie leben bei ihren Familien wie Mizi
Schlager und Christine oder aber allein wie das Mädchen, von dem Anatol
Gabriele erzählt; sie sind Modistinnen wie Mizi, Statistinnen an einer Bühne
bzw. Schauspielerinnen wie Marie Glümer oder versorgen den elterlichen
Haushalt wie das süße Mädel im *Reigen*.

Von Jeanette Heger, die deshalb von besonderer Bedeutung ist, weil
Schnitzler für sie zum erstenmal die Bezeichnung »süßes Mädel« verwendet
hat, [9] berichtet die Autobiographie, daß sie mit drei Schwestern und
einem Bruder in einer »sehr bescheidenen Wohnung« in der Zimmermanns-
gasse lebt; eine der Schwestern ist Näherin, eine andere arbeitet als Kinder-
mädchen und Ladenmamsell, Jeanette selbst ist Kunststickerin, arbeitet zu
Hause für größere Geschäfte, zeitweilig auch in einem Sticksalon. Sie
verdient wenig, wenn sie nicht um das ausgemachte Honorar überhaupt betrogen wird, nimmt darum auch geringe Summen von Schnitzler an, um
ihren finanziellen Verlegenheiten zu entgehen. So sicher die Existenz des
süßen Mädels Jeanette als proletarisch zu bezeichnen ist, so offensichtlich
ist Anni, die die Autobiographie, wenngleich auch nur auf Anfrage eines
pedantischen Literaturprofessors, als das »eigentliche Urbild des süßen
Mädels« bezeichnet, kleinbürgerlicher Provenienz. [11] Wenn sich der Typus
nun weder nach den Angaben der Autobiographie oder der Tagebücher noch
nach der Charakteristik der literarischen Figuren, die Schnitzler süße Mädel
nennt bzw. von anderen Gestalten nennen läßt, eindeutig über den sozialen
Status oder den Beruf definieren läßt, so ist gleichwohl nicht zu verkennen,
daß er am selben sozialen Ort angesiedelt ist, in der Vorstadt. Daß sich die
Figuren in Schnitzlers Darstellung nicht auf denselben sozialen Rang festlegen lassen, entspricht aufs genaueste den soziographischen Gegebenheiten
in den Wiener Vorstädten um 1900. Von Ausnahmen abgesehen, waren sie
mit jeweils unterschiedlichen Anteilen von kleinbürgerlichen wie von proletarischen Schichten bewohnt. Überdies ist daran zu erinnern, daß das süße
Mädel aus der Perspektive des jungen Herrn dargestellt ist; auch Schnitzlers
Autobiographie und die Tagebücher sind von dieser perspektivischen Verzerrung keineswegs frei. Das süße Mädel aus der Vorstadt ist als Wunschbild
konzipiert gemäß der Funktion, die es nach den Vorstellungen der jungen
Herren, sei's in *Anatol, Liebelei*, in der *Kleinen Komödie* oder im *Reigen*
haben soll: als eine Geliebte, die »Süßes«, »Stilles« gewährt, Angenehmes
ohne Schwierigkeiten, also als ideale Alternative zu möglichen anderen
Liebesbeziehungen. Soll das süße Mädel diese Funktion erfüllen, so erweisen
sich innerhalb des vorstädtischen Milieus Unterschiede wie die angegebenen
im sozialen Rang oder auch im Beruf der süßen Mädel als relativ unerheblich.

Genau genommen ist die Liebesbeziehung zwischen den jungen Herrn und
den süßen Mädeln als gesellschaftliche Institution charakterisiert. »Was
sind denn das nur für Geschöpfe«, läßt Schnitzler Fritzi in der Rolle der jungen Dame fragen, »die uns unsere Männer nehmen, bevor wir sie krie-

gen?«[12] Für den jungen Herrn der Stadt, dem die Maitresse zu kostspielig oder auch zu langweilig ist, der durch eine Prostituierte seine Gesundheit gefährdet sieht, dem die Beziehung zur verheirateten Frau zu riskant ist, der aber seinerseits die standesgemäße junge Dame (noch) nicht heiraten kann oder will, empfiehlt sich das süße Mädel als Geliebte. Das Prädikat »süß« wird ihm verliehen, weil es – anders als die Maitresse, die »böse Mondäne« oder die »dämonischen Weiber« – selbstlos Zärtlichkeiten und sexuelle Befriedigung gewährt oder gewähren soll, ohne dafür finanzielle oder gesellschaftliche Ansprüche geltend zu machen. Daß die Liebesbeziehung zum süßen Mädel den Charakter einer gesellschaftlichen Institution hat, kommt vor allem darin zum Ausdruck, daß sie bestimmten Verkehrsformen unterworfen ist. So genau wie die gesellschaftlichen Bahnen, die beschritten werden dürfen, sind die vorgeschrieben, die zu meiden sind. Die süßen Mädchen werden auf der Straße oder beim Tanz in der Vorstadt angesprochen, die Rendezvous mit ihnen finden in ihrer Wohnung, häufiger in der des jungen Herrn statt; zugänglich ist dem süßen Mädel die Varietébühne in der Vorstadt oder die dritte Galerie bei der neuen Operette (*Kleine Komödie*), schließlich auch das chambre séparée, wenn nicht im noblen Sacher, so doch im Riedhof in der Josefstadt; auch Schnitzler hat ihn mit Jeanette Heger besucht. Ausgeschlossen dagegen bleibt das süße Mädel, folgt man der Autobiographie, von den Treffpunkten der Oberschicht, den großen Theatern der Stadt oder vielmehr deren Logen wie auch den »Gesellschaften«, ganz zu schweigen vom ›Kreis der Familie‹. Schnitzler selbst berichtet darüber, daß ihn einmal die nicht verabredete Anwesenheit seiner Eltern auf dem Bahnhof vor einer Reise gezwungen habe, Jeanette nach Hause zu schicken.[13] Der auf Reputation bedachte Professor der Laryngologie Johann Schnitzler hat die Liaison seines Sohnes nachdrücklich mißbilligt.

2   Protest gegen die Rollenerwartung

Warum aber lassen sich die süßen Mädel unter diesen Bedingungen auf eine solche Liaison ein? Gewiß sind sie zum einen durch die große Welt, die nicht die ihre ist, verführbar. Nicht ohne Ironie hat Schnitzler von den Erfolgen, zumal in der Uniform des Einjährig-Freiwilligen, berichtet, derer er unter den Töchtern auch noch des »mittleren, wohlhäbigen Bürgerstandes« in den Drei-Engel-Sälen auf der Wieden gewiß sein konnte: »Fehlte es auch unter den Tänzern keineswegs an Hausherrnsöhnen vom Grund und anderen Vorstadtelegants, so traten wir zwei Einjährig-Freiwilligen in offiziersmäßiger Uniform, denen hier das Odium des Mosesdragonertums kaum anhaftete, in diese Gesellschaft – ich will nicht gerade behaupten wie Prinzen aus dem Märchenland – aber doch meinem Gefühl nach wie Erscheinungen aus einer anderen, etwas höheren Welt«.[14]

Uneingeschränkt ist beispielsweise die Bewunderung, die Mizi Schlager der eleganten Wohnung von Fritz entgegenbringt. Die bescheidene und zeitlich begrenzte Teilnahme an der Lebensweise der Oberschicht scheint ihnen die Risiken wert zu sein, die sie mit der Liaison zu einem jungen Herrn eingehen. Dabei bereitet den süßen Mädeln der gute Ruf erstaunlich geringe Sorge. Erstaunlicher noch, daß kaum eine von ihnen, im Unterschied zu den Protagonistinnen naturalistischer Dramen, eine ungewollte Schwangerschaft zu fürchten hat. [15] Wo, wie in *Der Weg ins Freie*, von einer ungewollten Schwangerschaft die Rede ist, sind zwar die psychischen Belastungen thematisch, denen Anna Rosner ausgesetzt ist, nicht aber, daß sie den Weg Klaras in Hebbels *Maria Magdalena* zu gehen hätte. Steht die Verführbarkeit der süßen Mädel durch die große Welt außer Frage, so wäre es philiströs zu behaupten, sie seien dank ihres Leichtsinns korrumpiert. Denn unstreitig steckt in ihrem Leichtsinn ein emanzipatorisches Moment. Die süßen Mädel warten nicht darauf, geheiratet zu werden, am Ende gar von dem, den die Eltern vorschlagen. Das Interesse an einer Liaison zum jungen Herrn ist von dem Versuch, sich selbst zu verwirklichen, so fern nicht. An seiner Seite suchen sie ihren beschränkten Lebensverhältnissen zeitweilig zu entgehen, Verhältnissen, die sie auch hindern, »ausgelassen« zu sein.

Schnitzler hat darauf verzichtet, das süße Mädel als verführte Unschuld darzustellen, ausdrücklich wird ihm vielmehr Leichtsinn, das Recht auf sexuelle Wünsche und ihre Befriedigung attestiert. Freilich hat es für sein Verlangen auch einen hohen Preis zu zahlen. An Mizi Schlager wird deutlich, in welchem Maße sie die Emanzipation aus den beschränkten Verhältnissen ihrer Schicht mit der Unterwerfung unter die Verhaltensnormen der Bourgeoisie erkauft. Sie weiß, daß Theodor sie nicht heiraten wird, obwohl sie nicht ausschließt, daß dergleichen vorkommen mag; sie weiß auch, daß sie der Süffisanz, mit der er ihre häuslichen Verhältnisse oder ihre vermeintliche Unaufrichtigkeit kommentiert, kaum etwas entgegenzusetzen vermag. Ihre Ansprüche an ihn sind begrenzt, aber sie ist nicht anspruchslos. Das Versprechen, mit ihr ins Orpheum, ein Varietétheater, zu gehen, klagt sie beim Liebhaber wie selbstverständlich ein, nicht weil sie die Darbietungen sehr interessierten, sondern um mit den jungen Herren ein gesellschaftliches Ereignis zu erleben, bei dem sie und Christine, einmal wenigstens, mit den Damen der Gesellschaft um die Gunst der Liebhaber in Konkurrenz treten können: »Da sind aber dann *wir* die Bekannten der Loge...« (S. 226) Was Christine mit Fritz widerfährt, würde der Schlager-Mizi, die Schnitzler zufolge »ja ein wohlakkreditiertes Recht auf diesen Kose- oder Spottnahmen [des süßen Mädels, P. J.] beanspruchen mag« [16], nicht oder nicht mehr passieren: »Er kommt zu spät zu den Rendezvous, er begleit' dich nicht nach Haus, er setzt sich zu fremden Leuten in die Log' hinein, er läßt dich einfach aufsitzen – das läßt du dir alles ruhig gefallen

und schaust ihn noch dazu (sie parodierend) mit so verliebten Augen an. –«
(S. 247) Zwar hat sich Mizi den Spielregeln der Bourgeoisie unterworfen, sie
hat sie sich aber auch zu eigen gemacht – und handhabt sie nicht ohne Virtuosität. Bestimmte Verhaltensformen, die dem süßen Mädel ein Minimum
an gesellschaftlichem Respekt sichern sollen, muß der junge Herr einhalten,
will er nicht Gefahr laufen, das süße Mädel zu verlieren. Die ständige Erinnerung des jungen Herrn, daß die Liebschaft nicht für die Ewigkeit verab-
redet sei, mit der er sich die Gefügigkeit des Mädchens sowie neue Liebesbeweise zu sichern sucht, die ihm die Verlängerung des Verhältnisses vor-
teilhaft erscheinen lassen, zahlt es ihm mit gleicher Münze zurück:

Theodor: Im August hab' ich sowieso Waffenübung.
Mizi: Gott, bis zum August –
Theodor: Ja, richtig – so lange währt die ewige Liebe nicht.
Mizi: Wer wird denn im Mai an den August denken. (S. 222)

So zynisch sich die Ratschläge des erfahrenen süßen Mädels an die Debütan-
tin auch auf den ersten Blick ausnehmen, Mizi hat auf ihre Weise recht:
»Gern – freilich hat' ich ihn gern. Aber das erlebt der Dori nicht, und das erlebt überhaupt kein Mann mehr, daß ich mich um ihn kränken tät' – das
sind sie alle zusamm' nicht wert, die Männer.« (S. 247) Nicht Schlechtig-
keit, sondern schlechte Erfahrungen sind es, die das süße Mädel illusionslos
Beziehungen zu Bürgern oder Bürgersöhnen eingehen lassen. Das süße Mädel
ist kein Luder, sondern realitätstüchtig; mit begrenztem emotionalem Aufwand – er darf nicht größer sein als der der Liebhaber – sucht es für einige
Jahre die soziale Attraktion einer Liaison mit dem jungen Herrn zu nutzen.
Deren Vorteile sind für es immer noch größer als die Risiken, die es eingeht.

Wenn Mizi die Rolle des süßen Mädels gleichwohl erfüllt und ihre Ansprüche nur im Rahmen der vom Liebhaber und seiner Schicht gesetzten Bedingungen geltend macht, so ist an Christine Weiring wie auch an Fritzi in
der *Anatol*-Szene ›Süßes Mädel‹ ersichtlich, daß jene Begrenzung auf die
Rollenerwartung des Bürgers nicht ohne weiteres für den Typus des süßen
Mädels konstitutiv ist.

Die Szene handelt von einem süßen Mädel, das fürchtet, Anatol, der im
Begriff ist, auf einen Ball zu gehen, dort an eine der jungen Damen zu verlieren, die gut erzogen, reich, vor allem aber anständig sind. Wenn Fritzi
vorschlägt, in Anatols Wohnung die Situation des Balls, zu dem ihr der Zugang verwehrt ist, so zu simulieren, als wäre sie eine der jungen Damen, dann
tut sie das nicht nur, weil sie diese um ihren sozialen Status beneidet, sondern auch, weil sie Anatol zu Komplimenten über sich als süßes Mädel zu
veranlassen wünscht. Das geschieht in der Weise, daß sie aus der Perspektive
der jungen Dame spielerisch das süße Mädel in dem Maße zur ›Sünderin‹ er-
niedrigt, wie es der Rollenerwartung Anatols entspricht. Was Anatol an
das süße Mädel fesselt, ist die Aussicht auf die Verwirklichung des »alten

schönen Traums« von einer Liebe, die an die Bedingung des Verzeihens gebunden ist. Anatol kann nur eine von denen lieben, »die wir wirklich ge-
rettet haben.«

Die Liebe des jungen Herrn zum süßen Mädel – dies vor allem macht die
Szene bemerkenswert – ist durch zwei der Züge definiert, die nach Freud
zu den Bedingungen eines bestimmten Typus der männlichen Objektwahl
gehören: die mehr oder minder stark ausgeprägte »Dirnenhaftigkeit« der
Geliebten und die Absicht, sie zu »retten« [17] Würde die Sorge der süßen
Mädel allein ihrer sexuellen Attraktivität für den jungen Herrn gelten, sie
wäre gegenstandslos. Denn Anatol ist wie auch der Gatte im *Reigen* in seiner
Objektwahl auf die »Dirnenhaftigkeit« und auf die ›Rettung‹ angewiesen.
Offensichtlich aber ist Fritzi nicht um ihre sexuelle Attraktivität besorgt,
sondern um den Mann, den sie liebt. Sie beklagt, »weiter keine Rechte« zu
haben, allenfalls könne sie den Mann quälen. In Wahrheit quält das süße
Mädel vor allem sich selbst. Gerade in der Rolle der jungen Dame wird
Fritzi bewußt, daß ihr einziger Wert ihre Liebesbereitschaft ist. Die Quali-
täten der jungen Damen: gute Familie, Reichtum, vor allem Anständigkeit,
kann sie mitnichten ausgleichen. Daher denn auch ihr Versuch, ihre ›Sündhaftigkeit‹, die Notwendigkeit ihrer Rettung zu dementieren; sie möchte den
jungen Damen wenigstens an Anständigkeit nicht nachstehen:

Anatol: Aber wovor hast du denn Angst?
Fritzi: Vor denen, die du nicht zu retten brauchst, aber mich – micht brauchst du
auch nicht zu retten! Ich bin's schon. So lieb hab' ich dich, so unendlich lieb! Aber
du darfst mich nur nicht verlassen.«

Schließlich kommen die von Fritzi in der Rolle der jungen Dame vorge-
tragenen Demütigungen ihrer selbst als süßes Mädel der Wahrheit so nahe,
daß sie aus der Rolle fällt [18]:

Fritzi: Und diese Mädeln haben gar kein Recht! Und ich lasse mir das nicht gefallen,
daß Sie an eine Andere denken, während Sie da mit mir herumgehn, – an eine,
die Ihrer nicht wert ist! (weint)
Anatol: Aber mein Fräulein! aber Katzl! Aber was hast du denn? was weinst du
denn? ... [19]

Daß Fritzi weint , besagt, daß sie aus der Rolle der jungen Dame fällt, zugleich aber aus der des süßen Mädels. Denn, abgesehen vom Terminus
»Mädeln«, könnten diese Sätze ebenso gut wie von der jungen Damen vom
süßen Mädel gesprochen sein. Weder das süße Mädel noch die junge Dame
ist bereit, sich gefallen zu lassen, daß Anatol an die andre denkt. Und aus
allerdings vrschiedenen Gründen sind beide überzeugt, daß die jeweils andre
Anatols nicht wert ist. Kennzeichnet der Umstand, daß Fritzi der Rolle der
jungen Dame nicht gewachsen ist, den sozialen Abstand zwischen süßem Mädel und junger Dame, einen Abstand, der sich nicht einmal spielerisch über-
brücken läßt, so ist daran, daß Fritzi auch aus der Rolle des süßen Mädels

fällt, erkennbar, daß sie die gesellschaftlichen Bedingungen, die ihr gestellt werden, zu erfüllen nicht willens und nicht imstande ist. »Aber ich bin deiner wert, Anatol – ganz sicher! Ich weiß es: so lieb wird dich keine mehr haben – keine, keine! [...] Ist das ein Leben! Warum kann ich nicht bei dir bleiben?« Mit dieser Frage, nach der das Manuskript abbricht, ist noch einmal der Protest gegen die Rollenerwartung artikuliert, der diesem süßen Mädel so wesentlich ist wie Christine in *Liebelei*.

3   Wiener Grisetten

Eher beiläufig, scheint es, hat Schnitzler auf die Verwandtschaft der süßen Mädel und der Grisetten aufmerksam gemacht. Die Autobiographie berichtet von jener »Choristin an einer Bühne«, die es verdiente, das erste süße Mädel genannt zu werden; auf sie gehen einige Züge der Christine Weiring in *Liebelei* zurück. Der neunzehnjährige Schnitzler hat sie 1881 in einer der »Vorstadtstraßen in der Neubau- und Josefstädtergegend« kennengelernt und am gleichen Abend über sie in seinem Tagebuch notiert:

»Prototyp einer Wienerin, reizende Gestalt, geschaffen zum Tanzen, ein Mündchen, das mich in seinen Bewegungen an das Fännchens erinnert [...], geschaffen zum Küssen – ein Paar glänzende lebhafte Augen. Kleidung von einfachem Geschmack und dem gewissen Grisettentypus – der Gang hin und her wiegend – behend und unbefangen – die Stimme hell – die Sprache in natürlichem Dialekt vibrierend; wie sie spricht – nur so, wie sie eben sprechen kann – ja muß, das heißt lebenslustig, mit einem leisen Anklang von Übereiligkeit. ›Man ist nur einmal jung‹, meint sie mit einem halb gleichgültigen Achselzucken. – Da gibts nichts zu versäumen, denkt sie sich... Das ist Vernunft in die lichten Farben des Südens getaucht. Leichtsinnig mit einem abwehrenden Anflug von Sprödigkeit. Sie erzählt mit Ruhe von ihrem Liebhaber, mit dem sie vor wenigen Wochen gebrochen hat, erzählt lächelnd mit übermütigem Tone, wie sie nun so viele, die leicht mit ihr anzubinden gedenken, zum Narrn halte, was aber durchaus nichts Französisches, Leidenschaftlich-Dämonisches an sich hat, sondern ganz heimlich humoristisch berührt, solange man nicht selber der Narr ist. Dabei dieses merkwürdig Häusliche – wie sie zum Beispiel von ihrem Liebhaber (›besaß er sie?‹ setzte ich naiv-zweifelnd hinzu) tadelnd bemerkt, er hätte zuviel Karten gespielt – und man müsse sparsam sein usw. Die obligaten Geschwister mit den Eltern zu Hause, die tratschenden Nachbarn in den Nebengassen, jeden Moment der erste Ton – und auch eine ganz volkstümliche Melodie. –« [20]

Kaum ist anzunehmen, daß der »gewisse Grisettentypus«, den Schnitzler an ihr oder vielmehr ihrer Kleidung wahrgenommen hat, noch viel mit den Grisetten in Paris gemein hat, jenem Typus der »jeune fille de petite condition, coquette et galante, ainsi nommée parce qu'autrefois les filles de petite condition portaient de la grisette« [21], deren Kleidung aus grobem grauen Stoff zugleich über ihren Beruf Auskunft gab, den der Wäscherin, Näherin, Putzmacherin. Zwar haben die süßen Mädel mitunter den Beruf der Modistin, Kunststickerin, Näherin etc., doch hat Schnitzler den Terminus

Grisette augenscheinlich nicht in erster Linie als Berufsbezeichnung gewählt, denn das süße Mädel, von dem das Tagebuch berichtet, ist Choristin, d. h. Statistin an einer Bühne. Und wo in der Erzählung *Komödiantinnen* von einem »reizenden Grisettenköpferl« [22] die Rede ist, handelt es sich um das einer kleinen Gesangsschülerin, aus der eine große Sängerin wird. Was in Wien, und nicht nur dort, unter der Bezeichnung Grisette verstanden wurde, darüber scheint Meyers Konversations-Lexikon von 1869 (2. Aufl.) Auskunft geben zu können. Eine Grisette, heißt es dort u. a., sei »in Frankreich, besonders in Paris, ein junges Mädchen niederen Standes«, das ohne elterliche Aufsicht allein wohnt, auch nicht im Dienst einer Herrschaft steht, sondern unabhängig lebt und sich als »Wäscherin, Näherin, Putzmacherin, Blumistin etc.« zu ernähren sucht. »Meist leben dergleichen Mädchen mit einem Freunde, Studenten, Künstler etc. in ephemerem Konkubinat.« Die »Grisettenwirtschaft« gebe es auch in Berlin und anderen großen Städten. Beim Theater heiße Grisette »eine weibliche jugendliche Intriguantin, meist Zofe, Soubrette und dergleichen«, zu deren Eigenschaften ein »einschmeichelndes gefälliges Betragen« ebenso wie »rücksichtsloser Eigennutz« gehöre. Zwar hat die Lexikon-Redaktion einige Jahre später keineswegs ihre sauertöpfische Mißbilligung der Grisetten aufgegeben, wohl aber auch hier ersichtlich einen Beitrag geleistet, den sie in nationaler Tüchtigkeit dem Sieg von 1871 schuldig zu sein glaubte: in der 3. Auflage von 1876 nämlich ist der Hinweis auf die Grisettenwirtschaft in Berlin und in anderen Großstädten wie auch an den Theatern getilgt, die Grisetten in ihrer Verworfenheit sind wieder, comme il faut, eine ausschließlich französische Angelegenheit.

Soviel ist allerdings hieraus und aus Schnitzlers Darstellungen ersichtlich: die süßen Mädel sind mit den Grisetten insofern verwandt, als sie leichtsinnig sind und niederen Standes, gleich ob sie Modistinnen, Näherinnen bzw. Choristinnen sind oder im elterlichen Haushalt arbeiten. Leichtfertigkeit und petite condition hatte wohl auch Karl Kraus im Blick, als er Schnitzlers Welt eine »Welt von Lebemännern und Grisetten« nannte. Ebenso haben Schnitzlers Protagonistinnen Hermann Bahr an Grisetten erinnert. »Der Mensch des Schnitzler«, schreibt er 1893 in der *Deutschen Zeitung*, »ist der österreichische Lebemann. Nicht der große Viveur, der international ist und dem Pariser Muster folgt, sondern die wienerisch bürgerliche Ausgabe zu fünfhundert Gulden monatlich, mit dem Gefolge jener gemütlichen und lieben Weiblichkeit, die auf dem Wege von der Grisette zur Cocotte ist, nicht mehr das Erste und das Zweite noch nicht.« [23]

Gegen Bahr ist allerdings einzuwenden, daß Schnitzlers süße Mädel den Grisetten sehr viel näher stehen als den Cocotten; denn weder die süßen Mädel noch die Grisetten lieben für Geld. Nachdrücklich hat auf diese ›Selbstlosigkeit‹ der Grisetten, die sie von der erotischen Professionalität der später aufkommenden Loretten unterscheidet, Siegfried Kracauer hingewiesen. Die Grisette ist die »von Murger und Paul de Kock gefeierte kleine Näherin oder Wäscherin, die unverdrossen für irgendeinen Studenten oder Maler kochte und flickte und sich durch seine Liebe reichlich belohnt fühlte. Während sie ihm zulächelte, sorgte sie sich im Herzen. Sie war in der idyllischen Bohème des Quartier latin zu Hause, unter den Sprößlingen der Kleinbourgeoisie, bei deren Exzessen die Regierung ein Auge zudrückte, weil sie genau wußte, daß sich die übermütigen Söhne später in brave Bürger verwandelten, die wie ihre Väter ein Interesse an der Erhaltung des Bestehenden hätten. Aber die Zeiten änderten sich, die Entwicklung der Industrie setzte den Vätern immer härter zu, und so geriet allmählich die ganze Oase mit ihren Studenten, Malern und Grisetten in Verfall. Nicht wenige Grisetten gewöhnten sich daran, Geld zu nehmen, wechselten das Milieu und wurden zu Loretten.« [24]

4   Leichtsinn und Tugend

Mit dem Leichtsinn der süßen Mädel scheint sich ihre Betulichkeit, der Hang zum »Häuslichen«, zu bürgerlichen Tugenden wie der der Sparsamkeit nur schlecht zu vertragen. Daraus läßt sich jedoch nicht, wie Urbach meint, folgern, daß bei den süßen Mädeln verderbte und weniger verderbte Varianten zu unterscheiden seien. [25] Denn für das süße Mädel des *Reigen*, die Urbach als die »verderbte Variante« gilt, ist die Verschränkung von Leichtsinn und Tugendhaftigkeit genauso charakteristisch wie für Mizi Schlager oder Fräulein Gusti oder auch für die blonde Anni aus den Drei-Engel-Sälen, von der die Autobiographie spricht und sicher auch schwärmt: Sie war »verdorben [...] ohne Sündhaftigkeit, unschuldsvoll ohne Jungfräulichkeit, ziemlich aufrichtig und ein bißchen verlogen, meistens sehr gut gelaunt und doch manchmal mit flüchtigen Sorgenschatten über der hellen Stirn, als Bürgertöchterchen immerhin nicht ganz wohl geraten, aber als Liebchen das bürgerlichste und uneigennützigste Geschöpf, das sich denken läßt. Und war sie eben noch in dem behaglichen, wohlgeheizten Kämmerchen, in das sie mir immer erst nach einigem Zögern folgte, im Zauber der Stunde selig verloren, die ausgelassen-zärtliche Geliebte gewesen, so mußte sie nur über die schwach beleuchtete Treppe, durch den halbdunklen Hausflur, aus der verschwiegen-dämmerigen Nebengasse in den nüchtern-grellen Laternenschein der Hauptstraße treten, um sich, ein unauffälliges, kleines Bürgerfräulein unter vielen anderen, mit unbefangen hellem Aug, in das Gewimmel der abendlichen Geschäfts-, Spazier- und Heimwärtsgänger zu schicken; und eine Viertelstunde darauf erschien sie gewiß, zwar etwas verspätet, aber harmlos lustig und Lustigkeit um sich verbreitend, als das brave, schlimme Töchterchen am Familientisch und brachte, ob man's nun glauben wollte oder nicht, eine schöne Empfehlung von dem Kaufmann, wo sie irgend etwas besorgt, oder einen Gruß von der Freundin, mit der sie sich wie gewöhnlich ein bißchen verplaudert hatte.«[26] Vorstädtische Herkunft und die Gleichzeitigkeit von Frivolität und Biederkeit charakterisieren auch jene Frau, die Schnitzler in den Tagebüchern das »Urbild des süßen Mädels« genannt hat[27], die Schauspielerin Marie Glümer, mit der ihn mehrere Jahre eine leidenschaftliche Liebesbeziehung verband. Einige ihrer Züge hat Schnitzler der literarischen Gestalt des süßen Mädels geliehen, ohne daß sich darum in einem der Werke Marie Glümer erkennen ließe; auch nicht im *Märchen*, in dem sich Schnitzler über seine Beziehung zu Marie Glümer Rechenschaft gibt [28]. Fedor Denner empfindet für die ›gefallene‹ Schauspielerin Fanny Theren gleichzeitig jene Faszination und Geringschätzung, die der Bürger dem Vorstadtmädchen entgegenbringt. Das Tagebuch verzeichnet einen Vers »Du lagst mein süßes Mädl hier/Und bist nun eine Dirne«, über den Marie Glümer, die gemeint ist, in Tränen ausbricht, und gleich darauf Schnitzlers Geständnis: »Du bist mein heiliger einziger Engel«.[29]

Zwar liegen im Bild des süßen Mädels, das die Tagebücher von Marie Glümer entwerfen, Verworfenheit und ›Seelengüte‹ schwer unterscheidbar beieinander; doch ist auffällig nur der Leichtsinn der Geliebten, nicht ihre Tugend, aufs Milieu der Vorstadt zurückgeführt. Gelegentlich beklagt Schnitzler ihren »Flitscherlton«,[30] beschimpft sie als »Vorstadtflitscherl«, »Vorstadtmensch«[31]. Dabei ist im Schimpfwort »Vorstadtflitscherl« die moralische mit der sozialen Verachtung ineins gesetzt: das Flittchen gibt es nur in der Vorstadt. Genau genommen genügt schon die Zuordnung einer Person zur Vorstadt (»Vorstadtmensch«) als Ausdruck der Geringschätzung. Über Schnitzlers Beziehung zu Marie Reinhard erzählen sich Freunde, er sei »mit einem Vorstadtmädel« wegen eines Kindes nach Paris gereist.[32] Auch in Schnitzlers Tagebüchern dokumentiert sich die Herablassung, welche die Bürger Wiens und die, die sich ihnen sozial ebenbürtig fühlen, für alles bereithalten, was vorstädtisch ist. [33]

Schnitzler nennt Marie Glümers Bruder »ein Stück des Milieus, das ihren Fall verschuldet«. [34] Seine und der Mutter Dummheit sind ihm schwer erträglich. Am 13.10.1891 notiert er: »Bei Mizi [Marie Glümer, P.J.] Die Mutter. Bild, das sie vorstellte, in der Küche, mit dem persischen Umhängtuch und dem Kupplerinnenprofil. – Dort genachtmahlt. –«

Das vorstädtische Milieu Marie Glümers hat Schnitzler eher gemieden; es blieb ihm fremd. Allerdings konnte es ihm erklären, daß sie, um der Vorstadt zu entkommen, auf eine Karriere als Schauspielerin setzen mußte, freilich im Bewußtsein der Risiken, denen junge Frauen in diesem Beruf um die Jahrhundertwende ausgesetzt waren: sie mußten entweder für Rollen bezahlen oder bereit sein, sich hinzugeben.[35]

Wenn die literarische Gestalt des süßen Mädels in Schnitzlers Œuvre besorgt sein muß, nicht als Dirne zu gelten, so belehren die Tagebücher wie auch *Jugend in Wien* darüber, wieweit der »Leichtsinn« der süßen Mädel, etwa der Jeanette Hegers oder Marie Glümers, in den sozialen und beruflichen Lebensumständen der Vorstadtmädchen begründet ist. Folgt man der Tagebuchnotiz vom 20. 4. 1891, hat Schnitzler in Marie Glümer mit der Dirne zugleich den Engel gesehen. Er nennt sie ein »süßes Mädel«, weil in seinem Bild von ihr selbstlose Liebenswürdigkeit ihren »Leichtsinn« gerade überwiegt: »Das Mädl ist seelengut und süß – wirklich das war wieder eine Wonne, von dieser Zärtlichkeit umschmeichelt zu werden.« [36] Freilich ist damit eingestanden, daß das süße Mädel für eine Heirat ernsthaft nicht in Betracht kommt.

Statt ein Nebeneinander widersprüchlicher oder doch unverträglicher Züge zu konstatieren und auf Varianten einer Typologie des süßen Mädels zu verteilen, hat die Interpretation vielmehr bei ihrer ersichtlichen Verschränktheit einzusetzen. Wie die übrigen Züge des süßen Mädels lassen sich auch die von Leichtsinn und Bravheit in ihrem Zusammenhang und ihrer vermeintlichen Widersprüchlichkeit entfalten nur aus dem Charakter der Figur als Wunschbild des jungen Herrn der Stadt; als solches ist es am eindrucksvollsten wohl dort ausgewiesen, wo der Autor die süßen Mädel aus der Rolle fallen läßt. Aus der Perspektive der jungen Herrn ist das süße Mädel als die ideale Alternative zu den möglichen anderen Geliebten entworfen, zu den jungen Damen und verheirateten Frauen der Stadt, zu den Prostituierten und Maitressen; es muß, als Arbeiter- oder Kleinbürgerkind, aus der Vorstadt sein, um den Reiz des sozial Anderen zu bieten, es muß unverheiratet sein, um dem Liebhaber den rachsüchtigen Ehemann, anspruchslos, um ihm den finanziellen oder emotionalen Aufwand zu ersparen. Es muß leichtfertig, ja verschwenderisch in ihrer Liebe sein, weil diese andernorts, etwa bei den verheirateten Frauen oder den jungen Damen, nur unter Schwierigkeiten oder um den Preis einer Heirat zu haben ist. [37]

Gleich unerläßlich wie der Leichtsinn und die sexuelle Erfahrung des süßen Mädels ist dem jungen Herrn dessen Tugend. Wenn es ums Häusliche und die Anständigkeit glaubhaft besorgt ist, so gewiß einmal, weil ihm – wie groß auch immer die soziale Attraktivität des Bürgers für es sein mag – die Zukunft etwa an der Seite eines Tischlers nicht aus dem Blick geraten darf; zum andern aber, weil der feine Herr auf ihren Ruf wiederholt zu sprechen kommt. Auch wenn es ihm ersichtlich ums sexuelle Abenteuer zu tun ist –, von der Moral kann er auch im chambre séparée nicht lassen. Das süße Mädel im ›Reigen‹ hat sie umso nachdrücklicher zu beteuern, je mehr sie vom Bürger in Zweifel gezogen wird. Immer wieder muß die Frau ihm versichern, daß er keinen Grund hat, sie moralisch zu verdächtigen. Offenbar ist das vergeblich. Denn gleich nach dem Liebesakt kommt ihm der Gedanke, sie könnte geschlechtskrank sein. Zu Recht ist das als verschobener Ausdruck seines Schuldgefühls auf Grund der sexuellen Berührung gedeutet worden. [38] Während sie, scheinbar privat, um die eigene Integrität bemüht ist, folgt sie objektiv nur dem Legitimationszwang, den die bürgerliche

Moral ihr auferlegt. Was sich wie Widerspruch gegen die Sottisen des Bürgers ausnimmt, verschafft ihm umso sicherer gleich doppelten Genuß: den ihrer Verderbtheit und den ihrer Tugend, den Genuß also, die öffentliche Moral auch durch sie bestätigt zu sehen. Die Wiener Gesellschaft konnte die angebliche Amoral der chambres séparées als gesellschaftliche Institution umso leichter dulden, als sie auch in deren Intimität noch der prinzipiellen Geltung ihrer Moral sicher sein durfte.

Schnitzler ist sich bewußt gewesen, daß das süße Mädel, aus kleinen Verhältnissen und großzügig in der Liebe, unbeschadet aller kulturellen und soziologischen Eigentümlichkeiten nicht nur in Wien anzutreffen war. Folgerichtig nennt denn auch die Autobiographie Fräulein Lizzi, eine der Bekanntschaften während des Berliner Aufenthaltes – »ein ganz junges Geschöpf, das eben erst am Anfang seiner Liebescarriere stand« – das »Berliner süße Mädel«. [39] Die Liaison des jungen Herrn zum süßen Mädel, die soziologisch als die Beziehung zwischen dem wohlhabenden Bürger oder Aristokraten und dem Mädchen aus kleinen Verhältnissen ausgewiesen ist, von der beide wissen, daß sie durch seine standesgemäße Partie abgelöst wird, war nicht das alleinige sujet Schnitzlers, sondern gehörte zu den wichtigsten Themen der Literatur am Ende des Jahrhunderts. So müssen Botho von Rienäcker die Beziehung zu Lene Nimptsch (Fontane, *Irrungen Wirrungen*) und Thomas Buddenbrook die Beziehung zur Blumenverkäuferin Anna nach einer gewissen Zeit aus Gründen der gesellschaftlichen Raison, die zugleich eine ökonomische ist, auflösen zugunsten einer standesgemäßen Partie.

Schnitzler hat später die Figur des süßen Mädels aufgegeben, nicht weil sich etwa in den Jahren bis zum 1. Weltkrieg die Verfassung der Wiener Gesellschaft, der Abstand zwischen Stadt und Vorstadt, ohne den das süße Mädel nicht denkbar wäre, grundlegend geändert hätte, sondern vor allem, weil er gegen die Reduktion dieses Charakters aufs Klischee, die Kritik und Publikum mit gleichem Eifer betrieben haben, nichts ausrichten konnte. Sie haben von diesem Sozialcharakter, wie Schnitzer die Puppe Liesl in der Burleske *Zum großen Wurstel* bekennen läßt, nichts als das Etikett: ledig und wienerisch, übriggelassen:

> Ich bin halt no ledig,
> Und in Wien spielt die G'schicht',
> So heißen s'mich süßes Mädel,
> Ob i süaß bin oder nicht. [40]

Verlorengegangen ist in dieser Reduktion, daß Schnitzlers Darstellung des süßen Mädels als Wunschbild des Bürgers einer genauen Diagnose der Wiener Gesellschaft ihre historische Authentizität verdankt.

Wenn die Kritik, wie Schnitzler festhält, seit den *Weihnachtseinkäufen* in beinah jedem seiner Werke »mit einer Art von Freudengeheul« das süße Mädel wiederentdecken wollte, so gewiß auch, um ihn aus »Denkfaulheit und

Böswilligkeit« [41] auf eine Figur seines Frühwerks festzulegen, vor allem
aber wohl deshalb, um der zumal beim männlichen Publikum vorherrschenden Wunschvorstellung von der unverheirateten verschwenderischen Geliebten aus der Vorstadt Rechnung zu tragen. Damit bestätigt die zeitgenössische Rezeption, was die Werke, allerdings in kritischer Absicht, thematisieren: das süße Mädel verdankt sein Prädikat den Erwartungen, die der
Bürger mit der idealen Geliebten verknüpft. Daß später ein Nachtlokal auf
der Kärntner Straße »Zum süßen Mädel« heißt und als touristische Attraktion empfohlen wird, [42] gibt der voyeuristischen Inanspruchnahme der
Schnitzlerschen Figur durchs Wiener Bürgertum den sichtbarsten Ausdruck.

Max Burckhard, dem Intendanten des Burgtheaters, war prophezeit worden, daß sein Plan, *Liebelei* herauszubringen, ihm »das Genick brechen«
könnte. Schnitzler gegenüber hat er das Risiko selbst bezeichnet: »Gefährlich ist es schon! Wenn die Comtessen drin sitzen, und es sehen, wie so ein
Mädel, das einen Liebhaber hat, so sympathisch geschildert wird, so denken
sie sich: Ja, warum lassen wir uns denn eigentlich nicht v...? Oder warum
tun wir so, als wenn wir uns nicht ... ließen? ...« [43]

Auch Adolf von Sonnenthal, einer der bedeutendsten Burgschauspieler,
war überzeugt, daß »ein Theaterskandal losbrechen würde in dem Moment,
da Christine und Mizi ›unbegleitet‹ Fritzens Junggesellenwohnung betre-
ten.« [44] Burckhards und Sonnenthals Sorgen waren nicht unbegründet.
Daß das »K.K. Hof-Burgtheater«, neben der Oper die wichtigste Bühne
der gesellschaftlichen und künstlerischen Selbstdarstellung des kaiserlichen
Wien, vor feudalem und großbürgerlichem Stammpublikum ein »Volks-
stück« spielte, das Drama Schnitzlers, das dem Naturalismus am nächsten
steht und dessen Moral den geltenden Normen aristokratischer Förm-
lichkeit und bürgerlicher Verhaltensformen so eklatant zuwiderlief, mußte
als Skandal empfunden werden. Das Risiko, die *Liebelei* an der Burg
zu spielen, läßt sich am besten daran ermessen, daß in Berlin und Paris
gegen die bestehenden neue Theater erst durchgesetzt werden mußten, das
Théâtre libre und das Deutsche Theater, um naturalistische Stücke auf-
führen zu können. [45]

Wenn der Skandal überraschend ausblieb, so vor allem deshalb, weil die
Umdeutung und Einvernahme des süßen Mädels als der idealen Geliebten
des Wiener Bürgers die Brisanz des Stückes zugleich bestätigte und neutrali-
sierte.

IV ›Reigen‹

1   Das Skandalon des ›Reigen‹

Dem heutigen Leser will nicht recht einleuchten, daß der *Reigen*, eine Folge von zehn Dialogen, geschrieben 1896/97, bei der Aufführung in Wien und Berlin in den Jahren 1920/21 einen der größten Literatur- und Theaterskandale ausgelöst hat. Es empfiehlt sich daher, zunächst an jene Momente zu erinnern, die nach Schnitzlers eigenem Urteil von den Zeitgenossen als skandalös empfunden worden sind. In einer Aufzeichnung vom Januar 1922, die unveröffentlicht blieb, hat Schnitzler die Vorwürfe resümiert:

»1. Daß im Reigen der Geschlechtsverkehr auf die Bühne gestellt wird, 2. daß dies zehnmal hintereinander der Fall sei, 3. auch, daß dies ohne sichtliche Entrüstung von Seiten des Autors geschieht, 4. daß es sich nicht um die wahre Liebe handelt, d.h. offenbar um diejenige, die die eheliche Erzeugung von Kindern zum Zweck hat, endlich daß die miteinander in Verkehr tretenden Personen sich nur flüchtig, gar nicht, ja wie sogar behauptet wurde, nicht einmal beim Namen kennen (was kaum die Absicht war), und tatsächlich nur eine rein sexuelle Beziehung zwischen ihnen bestehe. Vor allem also: Wie steht es mit der Behauptung, daß der Geschlechtsverkehr im ›Reigen‹ auf die Bühne gebracht werde? Diese Behauptung ist einfach unwahr, da in den betreffenden Momenten entweder die Bühne verdunkelt wird oder der Vorhang fällt, was aber bekanntlich schon in unzähligen Stücken vorher gleichermaßen der Fall war. Meistens allerdings fällt der Vorhang auf längere Zeit und erhebt sich nicht sofort wieder wie im ›Reigen‹, sobald der Akt vollzogen ist, und das ist es ja wohl, was den meisten Anstoß erregt haben wird.« [1]

So gewiß Schnitzlers eigene Erklärung des Skandals nicht ausreicht, da sie die historische Situation unberücksichtigt läßt, die ersten Monate der Weimarer Republik, in denen das Stück nationalistischen, antisemitischen und kirchlichen Organisationen zur Bestätigung des Feindbildes vom sittenverderbenden Literaten jüdischer Herkunft gerade recht war, so genau bezeichnet sie doch – in diesem Horizont – das Moment des größten Ärgernisses: die vermeintliche Darstellung des sexuellen Aktes auf der Bühne. Schnitzler selbst ist bewußt gewesen, daß unverhüllte Sexualität im Drama der unmittelbaren Anschaulichkeit wegen, die das Theater vor der Öffentlichkeit zu präsentieren vermag, nicht direkt darstellbar ist. Das unterscheidet das Theaterstück vom Roman, der um 1900 längst zum Gegenstand privater Lektüre geworden ist und darum, prinzipiell jedenfalls, größere Chancen hatte, die Zensur zu passieren.

Sowenig der sexuelle Akt auf der Bühne darstellbar war und wohl auch ist, so deutlich wird er im Buch durch die berühmte gestrichelte Linie, in der Aufführung durch den fallenden Vorhang als dramatischer Höhepunkt jeder Szene hervorgehoben. Entscheidend ist nun, daß das Vorher und Nachher des Koitus dramaturgisch so ausgebildet ist, daß die Präsentation dieses Höhepunkts selbst entbehrlich erscheint. Weniger der Not der Undarstellbarkeit als der Tugend, den Akt zu antizipieren und später so gegenwärtig zu halten, daß er selbst von der Darstellung ausgespart werden kann, verdankt sich das dramatische Konzept des *Reigen*. Es läßt darauf schließen, daß Schnitzlers Interesse nicht so sehr dem Liebesakt selbst, sondern dem Verhalten gilt, das zu ihm führt und auf ihn folgt, dem Verhalten von zehn Figuren, deren sozialer Rang jeweils über die Strategien der Triebbefriedigung entscheidet. – Der sexuelle Akt ist aber nicht nur nicht darstellbar, es darf von ihm auch nicht gesprochen werden. Die gesellschaftlich konditionierte Unaussprechlichkeit von Sexualität hat, wie der *Reigen* vorführt, eine Reihe von sprachlichen und mimetischen Ersatzhandlungen zur Folge, die es erlauben, Sexualität gleichwohl unmißverständlich zur Anschauung zu bringen. Bevor wir darauf eingehen können, ist zunächst ein weiteres von Schnitzler angeführtes Skandalon zu diskutieren, das der Promiskuität.

Schnitzlers dramatis personae bewegen sich nicht im von der bürgerlichen Moral gesetzten Rahmen ehelicher oder käuflicher Liebe [2]; vielmehr gehen zehn Personen vielfach unterschiedene Beziehungen mit je zwei Partnern ein. Daß ihnen allen ein sexuelles Interesse gemeinsam ist, hat in der Schnitzler-Philologie zu der Deutung geführt, im *Reigen* würden angesichts der Triebstruktur des Menschen die nicht zu übersehenden sozialen Qualifikationen der Figuren schließlich für unerheblich erklärt: der ›Reigen‹ gleiche darin dem Totentanz, in dem der Rangunterschied von Kaiser und Bettler angesichts des Todes hinfällig wird. [3] »Die Struktur dieses Liebesreigens«, schreibt Politzer, »ist der des mittelalterlichen Totentanzes frappant nachgebildet. Wie dort Freund Hein Bild nach Bild seine Opfer ohne Ansehen ihres Ranges, Standes oder Verdienstes umwirbt, so unterwirft im *Reigen* das Geschlecht mit einer ebenso stereotypen wie herrscherlichen Gebärde sein Gefolge«. [4]

Die Analogie zum Totentanz setzt sich darüber hinweg, daß Schnitzlers Stück historisch wie theologisch von mittelalterlicher Literatur durch Jahrhunderte getrennt ist. Zwar ist in der ersten und letzten Szene des *Reigen* vom Tod die Rede, doch auf unterschiedliche Weise. Daß der Soldat und die Dirne von ihm sprechen, erklärt sich aus ihrer gegenwärtigen düsteren Situation; für den Soldaten sind die Gründe, an ihn zu denken, in der zweiten, für die Dirne in der letzten Szene entfallen. Der Graf, der sich als »Philosoph« versteht, weiß zwar den Schlaf den Bruder des Todes zu nennen, doch werden seine Räsonnements in der Konfrontation mit der Schauspielerin und der Dirne unüberhörbar der Lächerlichkeit preisgegeben. Das Todesmotiv verweist auf ein zentrales Thema des Impressionismus, das der Vergänglichkeit [5]; vom mittelalterlichen Totentanz ist der Liebesreigen Schnitzlers allerdings weit entfernt. Sieht man hier einmal davon ab, daß diese Analogiebildung noch derselben Moral verhaftet ist, die der *Reigen* der Kritik unterzog, jener Moral, derzufolge Eros nicht ohne Thanatos vorstellbar ist [6], so fällt die Schwierigkeit auf, vor die Schnitzlers Stück seine Interpreten stellt: die ersichtlichen Rangunterschiede der Figuren und ihre einhelligen Triebwünsche zusammenzudenken. Auch wo die Tatsache, daß nacheinander Dirne und Soldat, Soldat und Stubenmädchen, Stubenmädchen und junger Herr etc. miteinander Beziehungen eingehen und diese Beziehungen sexueller Natur sind, nicht zur Bemühung des Vergleichs mit dem mittelalterlichen Totentanz führt, ist die Neigung offenkundig, den sozialen Status der Personen, die einen Querschnitt der Wiener Gesellschaft um 1900 bieten, hinter ihrer Triebhaftigkeit verschwinden zu lassen. Der *Reigen* zeige, heißt es noch in einem 1972 geschriebenen Aufsatz, »wie zehn Menschen unter der physischen Einwirkung des Geschlechtstriebes alle individuell menschlichen Züge verlieren und rein animalisch und uniform ihre Handlungen auf das eine Ziel, die Befriedigung des Triebes, ausrichten.« [7] Für die Schnitzler-Forschung jedenfalls ließe sich leicht belegen, daß die Strenge des moralischen Verdikts stets mit der Schwäche der sozialen Wahrnehmung korreliert.

Überzeugender ist ein andrer, von H. A. Glaser unternommener Versuch, die Vielfalt der Beziehungen im *Reigen* und ihren sexuellen Charakter nach dem Muster des liberalen Marktmodells zu deuten. Doch will auch dieser Versuch in manchem nicht recht befriedigen:

»Was der ›freie Liebesmarkt‹ meinen könnte, den Wedekinds Marquis Casti Piani als Gegenutopie zur bürgerlichen Ehe preist, bildet nachgerade den Idealtypus für den ›Reigen‹. [...] Ähnlich dem ökonomischen kennt der Liebesmarkt des liberalen Modells keine institutionalisierten oder privilegierten Abnehmerbeziehungen des homo sexualis. Die Zirkulationssphäre reguliert sich durch den Mechanismus von Angebot und Nachfrage. Was ihn vom ökonomischen wieder trennt, ist die Abwesenheit des universellen Tauschmittels Geld.« [8]

Zunächst legt die Interpretation des *Reigen* als »Liebesmarkt« ein Mißverständnis nahe, das hier lediglich benannt zu werden braucht. Zwar handelt das Stück von verschiedenen sozialen und sexuellen Beziehungen, doch schwerlich wird man es so fortgesetzt sich denken dürfen, als könne jeder prinzipiell mit jedem in Beziehung treten – eine Gleichheit, die das liberale Modell freilich vorsieht. Der *Reigen* konfrontiert den Grafen mit der Dirne und der Schauspielerin, nicht aber die junge Frau etwa mit dem Soldaten. In der Tat gilt für die Begegnung das Prinzip von Angebot und Nachfrage, jedenfalls insoweit, als sich Partner gegenübertreten, die an sexuellem Austausch interessiert sind, doch zeigt sich bei näherem Hinsehen, daß Männer Frauen konfrontiert werden, denen sie sozial überlegen, mindestens aber gleichrangig sind. Wollte man das skizzierte Marktmodell für die Interpretation ausführen, müßte man überdies darauf verweisen, daß – von der Schauspielerin abgesehen – sexuelle Liebe von den männlichen Figuren weit stärker nachgefragt wird, als die Frauen sie anbieten –, eine Beobachtung, die sich mit der Analogie zum Liebes»markt« leicht verträgt, durch sie allerdings noch nicht expliziert ist. Obwohl, soviel ist richtig, im *Reigen* die sexuellen Beziehungen über Angebot und Nachfrage geregelt werden, teilt das Stück keineswegs auch die liberale Illusion von der prinzipiellen Gleichheit der am Tausch Beteiligten. Denn es funktioniert im *Reigen* zwar der Mechanismus von Angebot und Nachfrage, doch sind es sehr wohl »privilegierte Abnehmerbeziehungen«, in denen er zur Geltung kommt. Gewiß bleibt das Liebesverlangen der Eheleute nicht auf die Institution der Ehe beschränkt; die junge Frau aber geht sowenig wie die Schauspielerin unter ihr soziales Niveau. Für die erstere kommt neben dem Gatten nur der junge Herr in Betracht, für den Soldaten die Dirne und das Stubenmädchen, niemand sonst.

Kommt mit diesen Einschränkungen der Analogie zum Markt das Verdienst zu, den Blick für die Regelhaftigkeit des Liebesreigens und die Anonymität der an ihm Beteiligten zu schärfen, so trennt den *Reigen* doch mehr vom ökonomischen Markt als die Abwesenheit des universellen Tauschmittels Geld. Vor allem nämlich läßt sich mit der These vom Liebesmarkt nicht vereinbaren, daß zwar alle an der Realisierung sexueller Wünsche interessiert sind, die Frauen aber, und nur sie, diese Beziehungen als abstrakt und anonym in der Weise erfahren, daß sie explizit über die sexuelle Befriedigung hinaus emotionale Bindungen suchen.

2 Sexualität und Moral

Ausdrücklich ist nur in drei Szenen des *Reigen* das Thema Sexualität mit dem der Moral verknüpft, in den Szenen 4, 5 und 6, in deren Mittelpunkt das Ehepaar steht. In den übrigen Szenen wird über Moral so gut wie nicht geredet. Sie erscheint nicht als eine Angelegenheit der Unterschichten (Dirne, Soldat, Stubenmädchen), auch nicht der Bohème, sondern des Bürgertums. Getreu der protestantischen Ethik, die Max Weber zufolge Arbeit nicht anders denn als Triebunterdrückung begreifen kann,[9] unterwirft der Gatte das Eheleben dem planmäßigen Wechsel von Perioden der Askese und domestizierter Sinnlichkeit. Das Gebot rationaler Lebensführung, dem das Schiller-Zitat »hinaus ins feindliche Leben« [10] Autorität verleihen soll, läßt ihn, wie es scheint, haushälterisch mit der eigenen Potenz umgehen: hätte er sich, erklärt er seiner Frau, von Anfang an seiner Leidenschaft für sie »willenlos hingegeben«, wären sie schon längst »fertig miteinander«. (S. 348) In langen Perioden der Enthaltsamkeit streckt er seine Lust, solange der Vorrat reicht. Die Frau soll durch die Verklärung zur Heiligen (»Man liebt nur, wo Reinheit und Wahrheit ist« (S. 352)) und die Verdammung der weniger »Anständigen« für die Austreibung der Sexualität aus der Ehe entschädigt werden.[11] In Wahrheit hat die Moralpredigt des Mannes die doppelte Funktion, die Ehefrau durch Idolatrie wie auch durch Abschreckung auf dem Pfad der Tugend zu halten. Er suggeriert ihr, daß Frauen, die nicht anständig sind, früh sterben. Zugleich aber liefert sie dem Gatten den gewünschten Vorwand, sexuelle Lust, die er selbst aus der Ehe verbannte, woanders, bei Mädchen aus der Vorstadt, zu suchen.

Die Trennung von himmlicher und irdischer Liebe, wie sie Freud in dem Aufsatz *Über die allgemeinste Erniedrigung des Liebeslebens* als verbreitete Form des männlichen Sexualverhaltens seiner Zeit beschrieben hat[12], kommt ihm nicht schlecht zustatten. Je emphatischer er die Ehefrau auf die Rolle der Mutter festlegt, der Respekt und Anbetung gebühre, umso zwingender ist für ihn nach dem Muster einer self-fulfilling prophecy das Abenteuer im chambre séparée. Nicht also die Sorge um den erschöpflichen Liebesvorrat und die Geschäfte führen zur Askese, sondern die Ehrfurcht vor der Frau, die er selbst zur Heiligen verklärte. Während er die himmlische Liebe der Ehefrau vorbehält, gilt seine irdische einer andern. Sie muß die Bedingung moralischer und psychischer Erniedrigung erfüllen, an die seine sexuelle Befriedigung geknüpft ist. Dies tut das süße Mädel, mit dem der Gatte in der nächsten Szene den Akt vollzieht und mit dem er weitere Verabredungen trifft. Doch nicht erst das nachfolgende Abenteuer überführt die Moralpredigt des Gatten der Lüge, schon in ihr selbst ist ihre Scheinheiligkeit kenntlich gemacht. Hintersinnig nämlich tritt an der gegenüber der Gattin geäußerten Empörung über die »Geschöpfe, auf die wir angewiesen sind«, zugleich auch die Faszination durch sie zutage. Denn »angewiesen« auf das Mädchen mit zweifelhaftem Ruf ist der junge Herr nicht nur, solange er unverheiratet ist, sondern erst recht, wenn er die anständige, d.h. jungfräuliche junge Dame geheiratet und verklärt hat. Unter den Bedingungen viktorianischer Sexualmoral folgt dem ehelichen Akt das Abenteuer nicht zufällig, sondern zwangsläufig. Schon in der Eheszene ist angelegt, daß der Gatte in der nächsten Szene mit dem süßen Mädel schläft. Und aus derselben Szene ist auch ersichtlich, warum die junge Frau in der Szene zuvor ihren Liebhaber getroffen hat.

Hier wird bereits deutlich, daß das dramatische Prinzip, das die Dialoge des *Reigen* verbindet, nicht eine ›lockere Szenenfolge‹, sondern ein »Meisterstück des strengen Satzes« begründet.[13] Zwar sind die einzelnen Dialoge nicht wie im klassischen Drama durch eine fortschreitende Handlung verknüpft, genausowenig aber ist ihre Reihenfolge beliebig. In einem Brief an Otto Brahm vom 1. Oktober 1905 schreibt Schnitzler, daß viele seiner Akte »so vorzüglich in sich geschlossene Stücke [seien], wie es keinem meiner mehraktigen Stücke im Ganzen zu sein gelingt. Statt festaneinandergefügte Ringe einer Kette stellen meine einzelnen Akte mehr oder minder echte, an einer Schnur aufgereihte Steine vor – nicht durch verhakende Notwendigkeit aneinandergeschlossen, sondern am gleichen Bande nachbarlich aneinandergereiht. –«[14] So groß auch Schnitzlers Vorbehalt gegen die »verhakende Notwendigkeit« als dramatisches Prinzip gewesen sein mag[15], so unübersehbar sind doch die Szenen des *Reigen* miteinander verknüpft. Eine Szene treibt die nachfolgende hervor; es gibt anstelle einer »Notwendigkeit«, einer finalen Progression der Handlung ein Movens, das den *Reigen* in Gang hält: das Ungenügen an den sexuellen Beziehungen, deren Intimität die Fremdheit der Partner umso schärfer hervortreten läßt – ein Ungenügen, das dazu zwingt, sein Glück bei einem andern zu versuchen in der Hoffnung auf eine Beziehung, die nicht kalt und herzlos endet wie die zuletzt erfahrene.

Ihre komischen Züge gewinnt die Szene zwischen der jungen Frau und dem Ehemann vor allem daraus, daß seine Verdammung der gefallenen Sünderinnen die eigene Frau trifft, ohne sie im mindesten zu beeindrucken:

Der Gatte: [...] Du darfst nicht vergessen, daß solche Wesen von Natur aus bestimmt sind, immer tiefer und tiefer zu fallen. Da gibt es kein Aufhalten.
Die junge Frau (sich an ihn schmiegend): Offenbar fällt es sich ganz angenehm. (S. 350)

Statt sich culpabilisieren zu lassen, hat die junge Frau das Niedersinken aufs Bett des Liebhabers Stunden zuvor in angenehmer Erinnerung. Nicht nur verbal – indem sie darauf besteht, vom Ehemann als Geliebte, nicht allein als Mutter, behandelt zu werden –, sondern auch praktisch hat sich die junge Frau von der über sie verhängten Sexualmoral emanzipiert. Unschwer läßt sich die Entrüstung vorstellen, mit der Schnitzler rechnen mußte, weil er die Gattin der Affäre des Mannes, die im bürgerlichen Vorurteil eher tolerabel ist, mit einer eigenen Affäre zuvorkommen läßt; mehr noch, weil er sie die außereheliche Beziehung sichtlich genießen läßt und sie obendrein durch die Scheinheiligkeit der Moralpredigt des Mannes nachträglich ins Recht setzt. Die bigotten Vorhaltungen des Gatten, die sie doch abschrecken sollten, sind für sie bestenfalls amüsant.

Bemerkenswert an der Szene zwischen dem jungen Herrn und der jungen Frau sowie skandalös fürs zeitgenössische Publikum ist nicht sowohl, daß sie die außereheliche Sexualität genießt, sondern ebenso, daß er sexuell versagt. Nicht eben häufig ist die Impotenz des Mannes vor Schnitzler auf die Bühne gebracht worden. Ihre Explikation führt wiederum in den Zusammenhang von Sexualität und Moral. Die junge Frau geht beim Abenteuer eher routiniert zu Werke – den Schuhknöpfler hat sie gleich mitgebracht –; von Bravheit oder der eigenen Schande redet sie keineswegs, weil ihr die Moral hinderlich wäre, sondern weils sie vielmehr integraler Bestandteil ihrer Verführungskunst ist. So beteuert sie die Unmöglichkeit, dem Liebhaber am nächsten Tag in der Öffentlichkeit zu begegnen, in einer Weise, daß ihr Kommen gewiß ist: »Oh, ich werde nicht hinkommen. Was glaubst du denn? – Ich würde ja... (sie tritt völlig angekleidet in den Salon, nimmt eine

Schokoladenbäckerei) ... in die Erde sinken.« (S. 346) Wesentlich ist ihrer Verführungsstrategie die Allianz von Koketterie und Schamhaftigkeit. Nur scheinbar werden die Manöver, die sie unternimmt, um zur Sache zu kommen, von Bemerkungen über ihre Schande aufgehalten. Sie verführt ihn nicht sowohl mit der virtuosen Handhabung des erotischen Repertoires. »Es ist hier so heiß«, sagt sie einladend, und später: »Man erstickt in diesem Zimmer«. Schließlich nimmt sie, so die Regieanweisung, eine kandierte Birne in den Mund und »reicht sie ihm mit den Lippen.« Überdies betont sie, daß sie nie ein Mieder trägt (S. 342). Zu ihrer Verführungskunst gehört zugleich, alternierend mit solchen Ermunterungen, die Beteuerung ihrer Tugendhaftigkeit. Denn an letzterer ist ihm vor allem gelegen. »Also jetzt hab ich«, so resümiert er am Ende der Szene, »ein Verhältnis mit einer anständigen Frau.«

Daß die junge Frau kein Mieder trägt, gehört zu den Indizien, die darauf verweisen, daß Schnitzler von Hogarths Kupferstichfolge *Before and After* aus dem Jahre 1736 inspiriert wurde. [16] Hogarths Darstellung *Before* verleiht dem Sträuben des Mädchens Züge von Koketterie, indem sie neben der Attacke des Liebhabers ihr lange zuvor abgelegtes Mieder ins Blickfeld rückt. Haben die Szenen des *Reigen* mit *Before* vor allem die Verschränkung von Tugendhaftigkeit und Koketterie gemeinsam – Ronald Paulson spricht von der »ambiguous reluctance« des Mädchens –, so teilen sie mit *After* vor allem die Ernüchterung und Hast des Liebhabers nach dem Akt wie das Bitten der Frau zu bleiben. Zwar geht Hogarths Darstellung des erotischen sujets im Grunde nicht über den Horizont der emblematischen Verschlüsselung hinaus, wie sie in *Before* der eine Rakete startende Cupido präsentiert, doch war ihre Frivolität dem viktorianischen 19. Jahrhundert immerhin so anstößig, daß die Hogarth-Editionen die beiden Kupferstiche zu unterdrücken begannen. [17]

Die Anständigkeit der verheirateten Frau, die den jungen Herrn fasziniert, raubt ihm freilich zugleich die Potenz. Hatte er sich in der Szene zuvor, zu Hause im Liebesakt mit dem Stubenmädchen, also auf vertrautem geographischem und sozialem Terrain, als Herr der Lage gezeigt, so scheitert er als Novize: Er versagt, als er das erste Mal in einer gemieteten Wohnung einer verheirateten Frau seiner Schicht gegenübertritt. Sie erscheint ihm als »anständige Frau«, weil für ihn mit der sozialen Distinktion auch über die moralische entschieden ist. Die Eroberung einer anständigen Frau, die er seinem sozialen Status schuldig zu sein glaubt, läßt ihn ihre außereheliche Routine geflissentlich übersehen. Gerade die fixe Idee ihrer Anständigkeit aber führt zum sexuellen Versagen. Anders als das Stubenmädchen, dessen durch soziale und moralische Erniedrigung eigens hergestellte ›Dirnenhaftigkeit‹ ihm die Potenz sichert, betet er die anständige Frau wider bessere Einsicht an. Erst nach einer Pause, beim zweiten Versuch hat ihre Erfahrenheit dafür gesorgt, daß ihm die Anbetung gleichsam im Halse steckenbleibt. »Emma ... meine ange ...«. Sein erster Gedanke nach dem

Akt, »Ah, bei dir ist der Himmel« (S. 343), läßt freilich nur auf eine vorübergehende Besserung schließen.

Noch größeres Gewicht aber haben in dieser Szene die Überlegungen, die
der junge Herr nach dem sexuellen Versagen anstellt. Waren ihm schon
vorher die sexuellen Wünsche nur im Mantel einer Anbetung der Frau zulässig erschienen, so muß er nach dem Mißgeschick umso nachdrücklicher
um die Spiritualisierung der Sexualsphäre bemüht sein. Die virile Schwäche
soll durch rhetorische Stärke wettgemacht werden; wo der Liebesbeweis
nicht zu erbringen ist, muß der Bildungsbeweis aushelfen. So redet der junge
Herr von Stendhals Schrift *De l'amour*, in ihr werde von Kavallerieoffizieren
berichtet, die gerade im sexuellen Versagen den untrüglichen Beweis leiden-
schaftlicher Liebe erfahren haben; einer von ihnen habe gar, statt mit einer
Frau zu schlafen, drei oder sechs Nächte hindurch mit ihr zusammen vor
Glück geweint. Der jungen Frau sind derlei Sublimationsformen sexueller
Liebe, die sein Unvermögen vergessen machen sollen, mit Recht verdächtig.
Besorgt erkundigt sie sich beim Liebhaber, ob etwa alle Kavallerieoffiziere
bei dieser Gelegenheit weinen. Mit der Ermahnung: »Aber du brauchst nicht
auch noch zu weinen«, die ironisch den literarisch gewirkten Tränenvorhang
zerreißt und den Liebhaber dort trifft, wo er am empfindlichsten ist, macht
sie deutlich, daß für sie der Austausch von Tränen den von Lust beileibe
nicht ersetzen kann. Ihrer Feststellung: »Es ist doch besser, daß wir nicht
geweint haben«, kann er erst zustimmen, nachdem sein Mißgeschick be-
hoben ist.

Dem jungen Herrn, den die bürgerliche Sexualmoral in die größte Ver-
legenheit bringt, wird in dieser Szene eine verheiratete Frau gegenüberge-
stellt, die ihm darum überlegen ist, weil sie sich weitgehend von jener
Sexualmoral emanzipiert hat. Wie selbstverständlich gesteht der *Reigen* ihr
wie auch den übrigen weiblichen Figuren sexuelle Wünsche und deren Befriedigung zu, die die viktorianische, die bürgerliche Moral der Jahrhundertwende ihr mit Entschiedenheit absprach.

Kennzeichnet die verheiratete Frau aus der Stadt eine zum Bestandteil von
Koketterie verwandelte Moral, so das süße Mädel aus der Vorstadt – soziologisch ausgewiesen als Arbeiter- oder Kleinbürgerkind – eine Tugend, die
zu seinem Leichtsinn durchaus im Widerspruch steht. Dieser erklärt sich
nur zum Teil daraus, daß das süße Mädel auf eine spätere Heirat in der Vorstadt bedacht sein muß, daneben aber auf eine Liaison nicht verzichten mag.
In erster Linie ist er in der Erwartungshaltung des Gatten begründet, dem,
wie gezeigt wurde, die Tugendhaftigkeit des süßen Mädels so unerläßlich wie
dessen sexuelle Erfahrung ist. Am Repertoire von Koketterie und Scham,
über das es verfügt, ist der Bürger weit stärker interessiert, als es dem süßen
Mädel lieb sein kann.

3   Der Charme des Literaten

Traktiert der Bürger das süße Mädel mit Moral, so bedrängt es der Dichter mit Schöngeistigem:

Der Dichter: [...] Diese Dämmerung tut ja so wohl. Wir waren heute den ganzen Tag wie in Sonnenstrahlen gebadet. Jetzt sind wir sozusagen aus dem Bad gestiegen und schlagen... die Dämmerung wie einen Bademantel – (lacht) – ah nein – das muß anders gesagt werden ... Findest du nicht?
Das süße Mädel: Weiß nicht.
Der Dichter: (sich leicht von ihr entfernend): Göttlich, diese Dummheit! (Nimmt ein Notizbuch und schreibt ein paar Worte hinein.) (S. 365)

An ihrer Dummheit, für die er sich gleich mehrfach Beweise zu verschaffen sucht, ist er darum so interessiert, weil sie die prätentiöse Esoterik bestätigt, die von seiner Aura als Dichter nicht wegzudenken ist. In erster Linie, scheint es, ist ihm an dem Rendezvous mit dem Mädchen gelegen, nicht weil er mit ihm schlafen möchte, sondern um sich als Dichter zu feiern und feiern zu lassen. Er behauptet die Belanglosigkeit des Mädchens, um sich seiner Einzigartigkeit zu vergewissern. Die aber besteht gerade im Wechsel von Namen, in der verwirrenden Wahl und Preisgabe eines Pseudonyms. An nichts ist der Dichter so interessiert wie an der Demonstration seiner literarischen Existenz; zu ihr gehört, sich als Schriftsteller mit diesem oder jenem Namen oder auch als Kommis zu bezeichnen, der abends bei den Volkssängern Klavier spielt. Wie wenig es ihm indessen mit dem Kommis ernst ist, zeigt sich daran, daß die Rührung, die die sozialromantische Vorstellung bei ihm bewirkt, ohne Dazutun des Mädchens sogleich den willkommenen Anlaß für schöngeistige Phrasen bietet: »Es ist sehr sonderbar – was mir beinah noch nie passiert ist, mein Schatz, mir sind die Tränen nah. Du ergreifst micht tief.« (S. 369) Auch der Gedanke an den »einfachen Schnittwarenkommis« kann, wie die erhabene Rede zeigt, den Habitus des Dichters keinen Augenblick vergessen machen. Wo nicht er selbst sich die Existenz des Literaten bescheinigt, hat dies das süße Mädel zu tun. Sie bietet ihm den Anlaß, sich stimmungsmächtige Stichworte zu notieren wie »Sonne, Bad, Dämmerung, Mantel«, Anlaß auch zu Exklamationen: »Wie blöd! Göttlich«, deren Bedeutung gleichgültig, deren Zusammenstellung auf alle Fälle aber apart ist. Sie bietet ihm die Gelegenheit, sein erhabenes Vokabular vorzuführen, das gleiche, mit dem er in der nächsten Szene die Schauspielerin traktiert: »Du bist schön, du bist die Schönheit, du bist vielleicht sogar die Natur, du bist die heilige Einfalt.« Wie im Tausch mit den Namen erweist sich die Entrücktheit der literarischen Existenz auch in den Phantasien vom »indischen Schloß« und von der Waldeinsamkeit. Auf die Frage, ob sie glücklich sei, erwidert das süße Mädel nur, daß es ihr schon besser gehen könnte:

Der Dichter: Du mißverstehst mich. Von deinen häuslichen Verhältnissen hast du
mir ja schon genug erzählt. Ich weiß, daß du keine Prinzessin bist. Ich mein, wenn du
von alledem absiehst, wenn du dich einfach leben spürst. Spürst du dich überhaupt
leben?
Das süße Mädel: Geh, hast kein Kamm? (S. 370)

»Von alledem« abzusehen, ist zwar dem Literaten möglich, wie es scheint,
nicht aber dem Mädchen aus der Vorstadt. Seinen Phrasen von Glück und
Leben hält sie Praktisches entgegen. Immer wieder werden seine pseudopoe-
tischen Räsonnements vom süßen Mädel prosaisch konterkariert – doch
kann er gerade vor und nach dem Koitus von der Schwärmerei am wenigsten
lassen. Unbeirrt behauptet er gleich nach dem höchst irdischen Ereignis
seine »überirdische Seligkeit«, um danach die Erörterung seines Namens fort-
zusetzen, als sei nichts gewesen. Während das süße Mädel vor dem sexuellen
Akt den Dichter mit seinem Namen anspricht, sucht er seine Identität gerade
zu verbergen. Bis zum Ende des Dialogs soll sie nicht erfahren, wer er ist.
Nur so nämlich kann der Dichter die Enttäuschung, daß das Mädchen seinen
Namen nicht weiß und den Schriftsteller nicht erkennt, als die Genugtuung ausgeben, um seiner selbst willen geliebt zu werden: »[...] du würdest
mich auch lieben, wenn ich Schnittwarenkommis wäre.« (S. 369)
  Wenn dem Dichter nichts so wichtig ist wie die Attitüde des Literaten,
scheint freilich schwer erklärbar, daß es auch in dieser Szene zum sexuellen
Akt kommt. So unablässig er auch schöngeistig auf das süße Mädel ein-
redet, sowenig verliert er seine Triebwünsche aus den Augen. Die Dummheit, die er ihr nachweisen möchte, soll ihm keineswegs nur die Aura des
Dichters herstellen, der unverständlich ist, sondern zugleich die Erniedrigung
der Frau zum Sexualobjekt bewerkstelligen, ohne die keiner der Männer aus-
kommt, die der *Reigen* vorführt. Die Äußerungen, die ihre Dummheit unter
Beweis stellen sollen, doch nur die seine bezeugen, lenken nicht von seinem
sexuellen Interesse ab, sondern gehören zur Strategie der Verführung. Die
Bemerkung: »Freilich bist du so dumm. Aber gerade darum hab ich dich
lieb«, ist wörtlich zu nehmen. (S. 365)
  Seine Reden, die sie nicht versteht und nicht verstehen soll, sind für ihn
die Vorbedingung der weiteren sexuellen Annäherung:

Der Dichter (ernst): Du, das ist beinah unheimlich, ich kann mir dich nicht vorstellen. – In einem gewissen Sinne hab ich dich schon vergessen – Wenn ich mich
auch nicht mehr an den Klang deiner Stimme erinnern könnte... was wärst du da
eigentlich? – Nah und fern zugleich... unheimlich.
Das süße Mädel: Geh, was redst denn –?
Der Dichter: Nichts, mein Engel, nichts. Wo sind deine Lippen... (er küßt sie). (S. 367)

In dieser Passage wird deutlich, in welch striktem Sinne Schnitzler zufolge
die Diskriminierung, die psychische Erniedrigung der Frau zu den Voraussetzungen der sexuellen Triebbefriedigung des Mannes gehören kann.
Darüber hinaus zeigt sie exemplarisch, daß das pathetische Repertoire des

Dichters nichts als das Vehikel sexueller Interessen ist. Je beflissener der Dichter, augenscheinlich *Faust II* vor Augen, über das philosophiert, was »nah und fern« zugleich ist,[18] umso brennender ist das Verlangen nach ihren Lippen. Werden einerseits die Phrasen des Dichters als Präliminarien des sexuellen Aktes kenntlich gemacht, so gilt umgekehrt, daß dem Dichter Sexualität nur unter der Bedingung ihrer Literarisierung erträglich und zugänglich ist. Sowenig wie der Ehemann auf die moralischen kann der Dichter beim sexuellen Akt mit dem süßen Mädel auf die schöngeistigen Sprüche verzichten. An die Stelle der Moral tritt bei ihm, was er für das Schöne hält. Es ist, sieht man auf die »heilige Einfalt«, die er dem Mädchen andichtet und mit »Schönheit« in einem Atemzug nennt, von der Moralpredigt des Gatten nicht so fern.

4 Der Preis der Emanzipation

Augenscheinlich in satirischer Absicht sind in dieser Szene das sexuelle Interesse und die Selbststilisierung des Dichters aufeinander bezogen. Je offener zutage tritt, daß es ihm um das eine geht, desto größer die Anstrengungen, die er unternimmt, um gegenüber dem Mädchen im Verwirrspiel mit den Namen die soziale Indetermination des Künstlers zu behaupten. Hat auch der sexuelle Akt zur Stärkung seines Selbstbewußtseins nicht wenig beigetragen – entscheidend ist, daß es das Selbstbewußtsein des Dichters ist.

Die Indetermination verweist den von Schnitzler porträtierten Dichter in die Typologie des modernen Künstlers, wie sie Bourdieu am Helden der Flaubertschen *Education sentimentale* entwickelt hat und wie sie bereits in Goethes *Wilhelm Meisters Lehrjahre* thematisiert ist.[19] Während in dieser Szene nun die Unentschiedenheit des Künstlers durch die Zielgerichtetheit seines sexuellen Interesses satirisch dementiert wird, wird sie in der nächsten Szene auf andere Weise durch die Schauspielerin ins Wanken gebracht. Gegenüber dem süßen Mädel, das ihn Robert nennt, besteht der Dichter eigensinnig auf dem Pseudonym als dem Inbegriff literarischer Dignität; die Schauspielerin bittet er dagegen fast flehentlich, ihn beim Vornamen zu rufen:

Schauspielerin: Nun, wie soll ich dich nennen?
Dichter: Ich hab doch einen Namen: Robert.
Schauspielerin: Ach, das ist zu dumm.
Dichter: Ich bitte dich aber, mich einfach so zu nennen, wie ich heiße.
Schauspielerin: Also, Robert, gib mir einen Kuß... Ah! (Sie küßt ihn) Bist du jetzt zufrieden, Frosch? (S. 376 f.)

»Frosch« ist nicht die einzige Kränkung, die sich der Dichter gefallen lassen muß. Mit einer Serie von Herabsetzungen – »Grille«, »Kind«, »Frosch«, »Idiot«, »arroganter Hund« – wird ihm vielmehr die Lust an der

Pose des Literaten so gründlich ausgetrieben, daß er zur profanen Identität seine Zuflucht nimmt. Die Schauspielerin treibt mit der Beliebigkeit höhnischer Bezeichnungen die vom Dichter gerade im Wechsel der Namen behauptete Unbestimmtheit des Künstlers so auf die Spitze, daß er sich gezwungen sieht, zum Vornamen zurückzukehren, den auszusprechen er dem süßen Mädel verwehrt hatte. Zur profanen Identität muß er sich darüber hinaus auch deshalb zurücksehnen, weil die Schauspielerin selbst ihm als Inkarnation künstlerischer Indetermination gegenübertritt. Denn für den Dichter jedenfalls bleibt ununterscheidbar, ob er einer emanzipierten Frau oder der Schauspielerin, die diese Rolle spielt, konfrontiert ist. Gerade das hätte er freilich gern gewußt.

Nicht nur spricht sie ihm das dichterische Talent schlankweg ab, auch seine Bemühungen, erlesene Metaphern in den Dienst der Verführung zu stellen, finden vor ihr keine Gnade:

> *Dichter:* Ich werde vor dem Fenster auf und ab gehen. Ich liebe es sehr, nachts im Freien herumzuspazieren. Meine besten Gedanken kommen mir so. Und gar in deiner Nähe, von deiner Sehnsucht sozusagen umhaucht... in deiner Kunst wehend.
> *Schauspielerin:* Du redest wie ein Idiot...
> *Dichter* (schmerzlich): Es gibt Frauen, welche vielleicht sagen würden... wie ein Dichter. (S. 373)

Nicht besser ergeht es seiner Begeisterung fürs fromme Landvolk:

> *Dichter:* Was für ein hübsches Zimmer... und fromm sind die Leute hier. Lauter Heiligenbilder... Es wäre interessant, eine Zeit unter diesen Menschen zu verbringen... doch eine andre Welt. Wir wissen eigentlich so wenig von den andern.
> *Schauspielerin:* Rede keinen Stiefel [...] (S. 373)

Auch seine neoromantische Natur- und Sozialschwärmerei überführt die Schauspielerin der Phrasenhaftigkeit. Ihre Demütigungen gelten dem Dichter allerdings nicht weniger als dem Liebhaber. Nicht einen Moment gibt sie die Dramaturgie der Verführung aus der Hand. Sie erteilt ihm Befehle, lockt ihn an, stößt ihn zurück. Augenscheinlich spielt sie gegenüber dem Dichter wie auch dem Grafen die Rolle des Mannes. Dafür sprechen zwei Züge, mit denen sonst nur die männlichen Figuren des *Reigen* ausgestattet sind: das Angewiesensein auf die psychische Erniedrigung des andern als Bedingung der eigenen sexuellen Befriedigung und der Verzicht auf emotionale Beziehungen über die sexuellen hinaus. Ein weiteres Indiz dafür, daß Schnitzler die Schauspielerin den Part des Mannes spielen läßt, bietet aber auch die Frage des gequälten Dichters: »Was hab ich dir denn getan?« (S. 375) Es ist dieselbe, die – ebenfalls nach dem sexuellen Akt – das süße Mädel dem Gatten stellt. Wie der Gatte mit dem Mädchen, so springt die Schauspielerin mit dem Dichter um, der in der Szene zuvor das Mädchen gedemütigt hatte. Die Blödheit, an der er sich beim süßen Mädel ergötzen wollte, wird ihm, ein Akt ausgleichender Gerechtigkeit, nun selber vorge-

worfen. Die Schauspielerin in der Rolle des Mannes rächt gleichsam das
süße Mädel für das, was der Dichter ihm antat.

So sicher die Schauspielerin den männlichen Part beherrscht und soweit sie
sich aus dem Status der unterlegenen Frau emanzipiert hat, so hoch ist
indessen der Preis, den sie dafür zu entrichten hat: die Unterwerfung unter
männliche Normen. Nicht nur ist sie unausgesetzt dem berufsspezifischen
Tremolo verhaftet; vor allem bleibt sie in die Rolle des überlegenen Mannes
gebannt, auch wenn ihr erster Satz nach dem Koitus das Gegenteil zu behaupten scheint: »Das ist doch schöner als in blödsinnigen Stücken spielen...
was meinst du?« Denn sie sagt das nicht, um ihrer Befriedigung Ausdruck zu
verleihen, sondern um den Liebhaber zu verhöhnen: »Ja, du bist ein großes
Genie, Robert!« (S. 375) Wie unter Zwang setzt sie die Erniedrigung des andern als Bedingung eigener sexueller Befriedigung auch nach dem Koitus
fort, so als hätte er nicht stattgefunden, und emotionale Bedürfnisse kommen
ihr erst gar nicht in den Sinn.

In der zwanghaften Fortsetzung der männlichen Rolle über den sexuellen
Genuß hinaus, der wie eine Unterbrechung anmutet, gleicht sie unfreiwillig
dem Dichter, der, vom sexuellen Akt mit dem süßen Mädel ganz ungerührt,
mit der Stilisierung seiner selbst beschäftigt bleibt. Der Preis dieser Emanzipation ist die ungewollte Ähnlichkeit mit dem männlichen Widerpart.

Am Dichter entlarvt die Schauspielerin die Pose des Literaten, am nächsten
Liebhaber die des Mannes von Welt. Hier wie dort kommt sie keinen Augenblick ohne den Habitus der professionellen Schauspielerin aus, inszeniert sie
die Verführung als Theatercoup. Sowenig sie ihre Spielregeln außer acht läßt,
sowenig ist sie an der Person des Liebhabers interessiert; sie setzt ihn einem
Wechselbad hämischer Bezeichnungen aus – kleiner Philosoph, Verführer,
süßes Kind, Seelenverkäufer, Iltis –, redet ihn auch mit dem Titel, doch niemals mit dem Namen an. Auf dem Höhepunkt der Verführung ist auch die
Demaskierung des in den Konventionen seines Standes erstarrten und sich an
sie klammernden Grafen gelungen. Ziel der Verführung ist nicht so sehr ihre
eigene Lust als die Bloßstellung des Mannes als »jugendlicher Greis«. Hinter
der Pose müder Gleichgültigkeit kommt zum Vorschein, was sie ihm auf den
Kopf zusagt: daß er Angst vor ihr habe. Die vermeintliche Sehnsucht nach
ihrer problematischen Natur läßt vor allem sein Problem erkennen; er ist an
einem Abenteuer mit ihr interessiert, ohne die ihm gewohnten und unver-
zichtbaren Bedingungen vorzufinden. Die Bedenken, die er gegenüber ihrem
Angebot zur Geltung bringt, verdeutlichen nur, was ihn bedrängt. Es geht
ihm nicht um die Einzigartigkeit der Liebesbeziehung, wenn er das auch behauptet – »man soll sich nicht leichtsinnig von vornherein was verderben,
was möglicherweise sehr schön sein könnte« –, vielmehr um die Alltäglichkeit der Bedingungen, ohne die ihm kein Abenteuer möglich ist. Es sind die
gleichen, die auch bei seiner anderen Geliebten erfüllt sein müssen: Stimmung, Souper, Fahrt nach Hause; erst dann »liegt das in der Entwicklung der

Dinge«. Die Schauspielerin, die ihn »Poseur« nennt, durchschaut die Redensarten des Kavaliers als Versuche, aus Angst vor ihrer aggressiven Sexualität
zur Vornehmheit seines Standes Zuflucht zu nehmen. Während er sich seiner
Lebensart zu versichern sucht, diktiert die Schauspielerin ihm unbarmherzig
ihre Bedingungen, nach denen der Akt denn auch erfolgt. Auch der Anweisung zum nächsten Rendezvous kann er sich nicht widersetzen. Die Verführung wird von ihr als Kampf bestritten, den der Graf nicht gewinnen kann.

»Graf« (wehrt sich nicht mehr)«, lautet die Regieanweisung, bevor der
Vorhang fällt. Und auch der Abschied »Adieu, Steinamanger!« bezeugt ihren
Triumph. Er verweist den Tiefsinn des Grafen über das Glück, die Liebe und
die Seele in die tiefste ungarische Provinz[20], und zwar so, als wäre die
Schauspielerin sein Vorgesetzter. Zwar setzt der *Reigen* die Schauspielerin
gegenüber dem Dichter und dem Grafen ins Recht, doch ist sie ersichtlich
männlichen Normen unterworfen. Obwohl sie als emanzipierte Frau triumphiert, kann sie ihres Sieges nicht recht froh sein;»nachdem sie ihn ein paarmal heftig geküßt, stößt sie ihn heftig von sich«, heißt es vor dem Abschied.
Die Aggressivität, die nötig war, um aus der Rolle der unterlegenen Frau die
Schauspielerin zu machen, die den Grafen als jugendlichen Greis bloßstellt,
setzt sich im Zwang fort, die Rolle des Mannes zu spielen. Heftigkeit und
nicht Leidenschaft ist das Signum ihres Rollenverhaltens. Die Emanzipation
bezahlt sie mit dem Zwang zur Aggressivität, der ihr nicht ein Abenteuer,
aber dauerhafte Liebesbeziehungen verwehrt. Insofern ist nicht der Graf,
sondern sie das Opfer. In der Schauspielerin nehmen die Anstrengungen Gestalt an, die Frauen aufzubieten hatten und immer noch aufbieten müssen,
um ihrer psychischen wie sozialen Unterlegenheit in der patriarchalisch verfaßten Gesellschaft zu entgehen. Die Spuren dieser Anstrengung bleiben dem
Sozialverhalten der Schauspielerin auch dort eingezeichnet, wo sie scheinbar
nichts zu befürchten hat. Der Preis der Emanzipation, die im Falle der Schauspielerin nicht zufällig in der Bohème gelingt, ist ihre partielle Aufhebung.
Will sie den Rückfall in die traditionelle Rolle der Frau vermeiden, die sie von
allen weiblichen Figuren des Stücks (neben der jungen Frau, deren Vorbild
charakteristischerweise eine Schauspielerin ist) am weitesten hinter sich gelassen hat, bleibt es ihr nicht erspart, die Frau, die lieben möchte, zugunsten des
männermordenden Vamp zu verdrängen. In der Heftigkeit, mit der sie den
Grafen küßt und im gleichen Moment zurückstößt, findet diese Ambivalenz
den sichtbarsten Ausdruck. Der Zusammenhang von sexueller Liebe und
psychischer Bindung, den Schnitzler den Aristokraten in wie immer auch
sentimentaler Verkehrung einmal zumindest ahnen läßt – es ist des Grafen
hellster Moment –, erweist sich als Luxus, den sich die Schauspielerin in ihrer
Lage nicht leisten kann.

5 Graf und Dirne

Ans Ende des *Reigen* hat Schnitzler die Begegnung des Grafen mit der Dirne gesetzt, die ihrerseits mit dem Soldaten das Stück eröffnet. Gerade dieser Umstand, daß die Klientel der Dirne vom Soldaten bis zum Grafen reicht, ist für die These in Anspruch genommen worden, im *Reigen* werde angesichts der sexuellen Ambitionen aller die Irrelevanz der sozialen Hierarchie vorgeführt, die sexuellen Beziehungen setzten die sozialen außer Kraft. Dagegen gibt bereits zu denken, daß der Graf sich auch im Bordell immer wie ein Kavalier oder vielmehr gemäß den Konventionen bürgerlicher Moral verhält. Unausgesetzt ist er bemüht zu verdrängen, daß sie eine Dirne ist. Er findet sie tugendhaft, sie erinnert ihn an eine andre und veranlaßt ihn zum keuschen Kuß auf ihre Augen. »Wenn man nur das Kopferl sieht, wie jetzt ... beim Aufwachen sieht doch eine jede unschuldig aus ... meiner Seel, alles mögliche könnt man sich einbilden, wenns nicht so nach Petroleum stinken möcht ...« (S. 387) Die Arbeit der Phantasie, die nicht beim sündigen Leib, sondern beim unschuldigen Kopf einsetzen möchte, würde gelingen, gäbe es nicht Dinge, die an den tristen Zustand des Dirnenquartiers erinnerten. Sexualangst wie auch Angst vor Ansteckung lassen ihn fürchten, mit der Dirne geschlafen zu haben. Der keusche Kuß auf die Augen meint gewiß auch den Überdruß an der Monotonie des sexuellen Verkehrs – »Es wär doch schön gewesen, wenn ich sie nur auf die Augen geküßt hätt. Das wäre beinahe ein Abenteuer gewesen« –, vor allem aber die Wiedergewinnung der Unschuld, der der Dirne wie der eigenen. In diesem Zusammenhang gehört auch die Verklärung der Dirne zur Prinzessin:

Graf: Ja, grüß dich Gott. Na, willst nicht das Handerl geben?
Dirne: (gibt die Hand aus der Decke hervor.)
Graf: (nimmt die Hand und küßt sie mechanisch, bemerkt es, lacht) Wie einer Prinzessin.

Der Handkuß, einst Inbegriff feudaler Etikette, der die Dirne zu nobilieren scheint, erweist sich dank der Verselbständigung der Verhaltensnormen, die sich beim Grafen vollzogen hat, als Mittel der Diskriminierung. Die Mechanik der Begrüßung stellt nicht die Erhebung der Dirne zur Prinzessin, sondern ihre Gleichgültigkeit unter Beweis. Der Schlaf, räsoniert der Graf, »macht auch schon gleich, kommt mir vor; – wie der Herr Bruder, also der Tod. [...] Es ist unglaublich, wie sich manchmal alle Weiber ähnlich schauen.« Auch hieraus ist nicht der Schluß zu ziehen, daß die sexuellen die sozialen Beziehungen durchbrechen oder nivellieren würden. Der Weg vom Sacher zum Hurenkaffeehaus, den der Graf gegangen ist, mag geographisch nicht weit gewesen sein, psychisch aber durchmißt er eine Entfernung, die sich nur im Rausch bewältigen ließ. Wenn er die Gleichheit der Frauen behauptet, so vor allem, um seinem Gemüt die Profession der Dirne erträglich zu machen.

Mit sozialer Gleichheit oder nur Nivellierung, die in den sexuellen Beziehungen, und sei's auch nur tendenziell, hergestellt würde, hat dies nichts zu tun.

Die Erhebung der Dirne, ihre »Rettung«, auf deren Bedeutung für die Objektwahl des Mannes Freud aufmerksam gemacht hat, scheint Züge des Mitleids zu tragen. Teilnahmsvoll erkundigt sich der Graf nach ihrer Karriere, rät ihr, das »schauderhafte Leben« aufzugeben und zu heiraten. Doch ist er an ihr selbst nicht im mindesten interessiert.« [...] jetzt bitt ich dich aber sehr, red gar nichts, eine Minute wenigstens ... (Schaut sie an) Ganz dasselbe G'sicht, ganz dasselbe G'sicht. (Er küßt sie plötzlich auf die Augen.)« (S. 388) Der Kuß auf die Augen ist an die Bedingung ihrer Stummheit, ihrer Gesichtslosigkeit geknüpft, die sie auswechselbar machen. Die Geste der Zuneigung erfordert gerade die Annullierung ihrer Individualität, denn sie gilt einer andern. Was darüber hinaus wie Mitleid mit der Dirne aussieht und was dazu veranlaßt hat, den Grafen als die »menschlichste« unter den männlichen Figuren des *Reigen* zu bezeichnen, [21] dient nur der Beruhigung seines schlechten Gewissens. Sein Mitleid ist eine subtile Form der Entrüstung. Daß diese Beschwichtigung mißlingt, ist das Verdienst der Dirne. Schnitzler läßt die Figur mit dem schlechtesten Ruf und dem geringsten sozialen Rang die Demontage bürgerlicher Heuchelei betreiben. Die mitleidvolle Anmahnung bürgerlicher Ehrbarkeit, die für sein schlechtes Gewissen gut ist, ist für sie nicht von Belang. Sie hat kein Bewußtsein ihres Elends und läßt sich vom Grafen auch keines einreden. Sie fürchtet nicht den tieferen Fall, sondern setzt auf den sozialen Aufstieg, den Umzug des Bordells aus der Vorstadt in die Stadt, in den I. Bezirk. Auf dem Hintergrund des Avancements der Dirne zeichnet sich mit besonderer Schärfe der soziale Abstieg des Grafen ab, den sein Titel zwar nach den Normen der k. u. k. Monarchie in die Innenstadt verweist, ohne ihn doch vor dem Scheitern auch einer militärischen Karriere in entlegenen ungarischen Garnisonsstädten bewahren zu können. Die Verführung des Grafen durch die Schauspielerin wie durch die Dirne geschieht wider seinen Willen. In beiden Fällen akzeptiert er die Bedingungen, die ihm gestellt werden. Selten wohl ist auf so lakonische Weise dem ersten Stand der Donaumonarchie der endgültige Abschied vorausgesagt worden.

Die Dirne spricht den Grafen im Kaffeehaus an, den Soldaten auf der Straße. Die erste Begegnung findet an der Donau, die letzte in ihrem schäbigen Zimmer statt. Schon daraus wird ersichtlich, daß der *Reigen* zwar zur Dirne zurückkehrt, mit der er begonnen hat, sich aber nicht schließt. Denn Leocadia ist in der letzten Szene eine andere. Nicht nur der andre Schauplatz und der Unterschied der Kunden fallen ins Auge, sie hat auch einen Geliebten gefunden, den sie in der ersten Szene noch suchte. Gegenüber dem Soldaten verhält sie sich unprofessionell, gegenüber dem Grafen, wie das Metier es vorschreibt. Zwar wirbt sie um den Soldaten, doch schließlich mit Mitteln, die sich mit dem Beruf nicht vertragen. Sie will kein Geld und verzichtet auch auf den bescheidenen Komfort ihres Zimmers, weil sie nicht allein sein möchte, weil sie sich ihn nicht als Kunden, sondern als Geliebten wünscht. Indessen kommt ihr die Doppelrolle als Dirne und als Frau, die ihre eigenen sexuellen und psychischen Wünsche zu erfüllen sucht, schlecht zustatten. Denn keinen Moment hört der Soldat auf, sie als Dirne zu behandeln. Ihr kostenloses Angebot vergilt er mit der Erhöhung seines Preises. Da ihm der Weg zu ihr zu weit ist, muß sie sich auf die Donauwiesen einlassen, um ihn nicht zu verlieren. Gerade indem sie aufhört, sich wie eine Dirne zu verhalten, wird sie das Opfer einer Serie von Demütigungen. Davor hätte sie die Rolle einer Dirne besser bewahrt. Sie nimmt sie mit der Beschimpfung des Soldaten (»Strizzi! Fallott!«) erst am Schluß wieder auf. Vergleicht man die erste mit der letzten Szene, so hat die Dirne augenscheinlich gelernt. Der Verzicht auf persönliche Beziehungen zum Kunden, die Trennung der Profession von eigenen Wünschen, die der Geliebte ihr erfüllt, ist das Geheimnis ihres sozialen Erfolgs.

6   Zur Darstellung von Sexualität

Während das Verhältnis von Sexualität und Moral nur in den Szenen explizit verhandelt wird, in denen Repräsentanten des gehobenen Bürgertums auftreten, kommen alle Szenen des *Reigen* in der vermittelten Darstellung von Sexualität überein. Kaum eine Bemerkung in den Dialogen, die nicht auf dies gemeinsame Interesse bezogen wäre. So betrifft die Frage des Bürgers nicht die häuslichen Verhältnisse des süßen Mädels, sondern die Verruchtheit, die er an ihm wahrzunehmen hofft. Und die Neugierde auf die amouröse Vergangenheit des jeweiligen Partners gilt nicht früheren Liebhabern, sondern erhöht die erotische Spannung zum gegenwärtigen.

Die von moralischen Konventionen verlangte Unaussprechlichkeit des Sexuellen führt, wie schon erwähnt, zu sprachlichen und mimetischen Ersatzhandlungen, die unausgesetzt sexuelle Handlungen bezeichnen, ohne die Konventionen direkt zu verletzen. Zwar hat Schnitzler den Akt nicht auf die Bühne gebracht, doch wird er im ›Reigen‹ in einer Weise antizipiert, daß auch dem einfältigsten Zuschauer die Freiheit, sich einen unschuldsvollen Kuß zu denken, genommen ist; schon deshalb, weil die Umarmung in die Mitte der Szenen versetzt ist, nicht wie in anderen Dramen an ihr Ende. Ein Wechsel des Themas oder des Schauplatzes wird damit ausgeschlossen. Das Nachspiel im *Reigen* setzt unmittelbar dort ein, wo der Vorhang gefallen war. Vollends macht das zehnmalige Hintereinander schließlich der Hoffnung ein Ende, daß es mit einer einzigen Anspielung auf die Sexualsphäre sein Bewenden hätte. Und endlich wird, wie zu vermuten steht, die Häufigkeit des sexuellen Aktes ihre Wirkung auf die nicht verfehlt haben, denen schon die bekannte Lutherische Anweisung ein Greuel, vielleicht auch eine Plage war.

Daß sprachliche und mimetische Ersatzhandlungen den sexuellen Akt in einer Weise vorwegnehmen, daß sich seine Darstellung erübrigen kann, braucht nur an einigen Beispielen illustriert zu werden. Es sind Beispiele, an denen zugleich deutlich wird, daß die ästhetische Darstellung der Sexualität diese nicht apriorisch auch zum Verschwinden bringen muß.

In der Erklärung der jungen Frau, sie trage nie ein Mieder, er könne ihr aber die Schuhe aufknöpfen, und in der Regieanweisung »knöpfelt die Schuhe auf, küßt ihre Füße« (S. 342), ist ihre Hingabe, aber um den Preis seiner Unterwerfung antizipiert, und wenn die Schauspielerin den Grafen auffordert, »So schnallen Sie doch wenigstens Ihren Säbel ab!«, und er dieser Aufforderung nachkommt: »Wenn es erlaubt ist. (Schnallt ihn ab, lehnt ihn ans Bett)«, so ist unmißverständlich, daß dies nicht ihre letzte Maßnahme ist, seiner Senilität auf die Sprünge zu helfen. (S. 382)

»Du bist schön«, sagt der Dichter nach dem Koitus zum süßen Mädel, indem er ihre Nacktheit im Schein einer Kerze betrachtet, »du bist die Schönheit, du bist vielleicht sogar die Natur, du bist die heilige Einfalt.« Das süße Mädel erwidert: »O weh, du tropfst mich ja an! Schau, was gibst denn nicht acht!« (S. 369) Nicht oft ist das literarische Geschwätz von Schönheit, insofern es Triebwünsche ohne Rücksicht auf die Befürchtungen der Frau verbergen soll, so gründlich entlarvt worden. Was er im Sinn hat, gibt nicht der Schwall von Phrasen, sondern die tropfende Kerze zu erkennen.

Kaum des Kommentars bedarf auch die Sexualsymbolik zu Beginn der Szene zwischen dem Gatten und dem süßen Mädel:

Gatte: (raucht eine Havannazigarre, er lehnt in der Ecke des Diwans.)
Das süße Mädel: (sitzt neben ihm auf dem Sessel und löffelt aus einem Baiser den Obersschaum heraus, den sie mit Behagen schlürft.)

Man muß sich nicht eigens in der Wiener Konditorkunst auskennen, um zu sehen, daß das Backwerk und was sie mit ihm anstellt, mit jenem französischen Verb assoziiert sind, das nicht erst heute mehr als Küssen bedeutet. Und schließlich ist an die kandierte Birne zu erinnern, die die junge Frau vor dem Liebesakt »in den Mund [nimmt]« und »ihm mit den Lippen [reicht]« – es ist die Parodie auf sein larmoyantes Gerede, daß das Leben »so leer, so nichtig« sei. Unschwer ist in der Darreichung der kandierten Birne auch für den, der die berühmte Szene aus Tony Richardsons *Tom Jones*-Verfilmung nicht gesehen hat, die Antizipation sexueller Genüsse zu erkennen, die mit Koitus zu umschreiben sichtlich phantasielos wäre.

Augenscheinlich steht nun solche ästhetisch gelungene und wohl auch lustvermittelnde Darstellung von Sexualität im Widerspruch zu der Tatsache, daß alle am *Reigen* Beteiligten die Beziehungen als unbefriedigend erfahren, daß gerade diese Erfahrung den Stillstand des Reigens verhindert und die Figuren zur nächsten Runde fortschreiten läßt. Vieles spricht dafür, daß die Darstellung eben dieses Widerspruchs als Widerspruch zu den wichtigsten Intentionen Schnitzlers gehörte. So selbstverständlich alle Figuren sexuelle

Beziehungen wünschen und gewähren, so unaufhaltsam geht der Reigen fort, suchen sie Glück bei einem andern. Die Intimität der sexuellen Akte beseitigt nicht die Anonymität der Partner, sondern läßt ihre Fremdheit noch schärfer hervortreten. Wenn dies alle Figuren erfahren, einzig aber die Frauen zum Ausdruck bringen, so deshalb, weil sie in der Gesellschaft, die der *Reigen* darstellt, die sozial wie psychisch Unterlegenen sind. Sieht man von der Schauspielerin und der jungen Frau in ihrer ersten Szene ab – beide spielen dort weitgehend die Rolle des Mannes –, so werden die Frauen spätestens mit der Ernüchterung nach dem Akt von den Männern als Sexualobjekte behandelt, mit denen man nichts mehr zu schaffen haben möchte. Für die Unterlegenheit der Frauen in diesen Beziehungen bietet das Motiv der Eile [22] die eindrucksvollste Bestätigung. Die Männer eilen nach dem Akt davon, die Frauen suchen sie zum Bleiben zu bewegen, so das süße Mädel den Gatten: »Willst mich wirklich schon z'haus schicken?« »Geh, du bist aber wie ausgewechselt. Was hab ich dir denn getan?« (S. 361) Sie fragen nach dem Namen, erkundigen sich nach den persönlichen Verhältnissen. Während den Männern die Abstraktheit der sexuellen Beziehungen unbefriedigend, aber bequem erscheint, suchen die Frauen über die sexuelle Erfahrung hinaus, auf die auch sie nicht verzichten wollen und können, persönlichere und dauerhaftere Bindungen.

Zwar ist Sexualität in Schnitzlers Darstellung von der herrschenden Moral emanzipiert, zwar ist die Liebe frei, doch so frei nicht, daß die Beteiligten nicht darauf verwiesen wären, unbefriedigt beim nächsten ihr Glück zu suchen. So kommt Schnitzlers *Reigen* nicht zum Stillstand. Was einzig ihn zum Stillstand bringen könnte, befriedigende menschliche Beziehungen, hält ihn, da sie unerreichbar scheinen, in Gang. Die Provokation, die der *Reigen* zumindest für die Zeitgenossen bedeutet hat, besteht vor allem in der Regelhaftigkeit, in der der Wechsel von Liebesbeziehungen vonstatten geht. Ihr liegt das von Illusionen freie Urteil zugrunde, daß es wohl individuelle Glückserwartungen gibt, aber keine Aussicht, sie unter den gegebenen Verhältnissen einzulösen. Nachhaltig sperrt sich das Drama im übrigen gegen Deutungsversuche, die ihm mit der Behauptung vom Verdikt der Triebsphäre einen Teil seines provokativen Charakters nehmen wollen. Nicht sexuelle Obsessionen, das so genannte Ausgeliefertsein des Menschen an seine animalische Natur, führt zum Reigen, der mit dem späteren die Herabsetzung des früheren Partners betreibt. Vielmehr können *auch* die sexuellen Beziehungen, die der herrschenden Moral zum Trotz allen unverzichtbar sind, an der Fremdheit, in der die Figuren einander begegnen, nichts ändern. Symptomatisch dafür ist der Wechsel der Anrede von »Sie« zu »Du« während der Präliminarien und die Rückkehr zum »Sie« nach dem Akt oder das Verschweigen der Identität, gleich ob durch Nennung eines Namens, durch Namenlosigkeit oder die Wahl eines Pseudonyms.

Ebenso wie in der zyklischen Gestalt des Dramas findet die Regelhaftigkeit des Liebesreigens ihren Ausdruck in der Verwendung sprachlicher Klischees durch die, die an ihm beteiligt sind. So oft die Frage, ob man denn geliebt werde, oder jene nach der Vergangenheit des andern auch gestellt wird, jedesmal ist sicher, daß die Antworten nicht ernsthaft geglaubt werden. Gleichwohl kann kaum einer darauf verzichten, sie zu stellen. Das unvermeidliche Reden in Klischees bezeugt, daß alle Figuren demselben Verhaltenskodex unterworfen sind auch dann, wenn sie ihm auf unterschiedliche Weise folgen und sich im jeweiligen sozialen Idiom artikulieren. [23] Dem Stubenmädchen ist die Frage an den Soldaten:»Sag, Franz, hast mich gern?« so unverzichtbar wie der jungen Frau die an den jungen Herrn:»Haben Sie mich denn lieb, Alfred?«

7   Die Wiederkehr des Gleichen?

Zwar unterliegt der Liebesreigen einer strengen Regelhaftigkeit, doch besagt die mitnichten, daß die Szenenfolge austauschbar wäre. Das Schema female a meets male b, male b meets female c etc. taugt zur Beschreibung der Figurenkonstellation darum nicht recht, weil es die sozialen Bedingungen außer acht läßt, unter denen die dramatis personae einander begegnen. [24] Die Reihenfolge der Szenen folgt strikt den sozialen Möglichkeiten, über welche die Figuren im einzelnen verfügen. So tritt der Soldat mit der Dirne und dem Stubenmädchen, nicht aber mit der jungen Frau in Beziehung. Wenn das Schauspiel zur Dirne zurückkehrt, von der es seinen Ausgang genommen hat, so spricht auch das für die Regelhaftigkeit, in der nach Schnitzlers Wahrnehmung im Wien der Jahrhundertwende Liebesbeziehungen zustande gekommen sind, nicht ohne weiteres aber auch für die Kreisstruktur als dramatische Form. Die geläufige Beschreibung des Stücks als Kreis oder Karussell, die Schnitzlers Titel »Reigen« nahezulegen scheint, geht wie selbstverständlich von seiner Geschlossenheit aus. [25] Indessen wird dabei zum einen übersehen, daß die letzte Szene zwar zur Dirne zurückkehrt, sie aber im Vergleich zur ersten als eine andere präsentiert; zum andern, daß am Ende nicht wieder die Konstellation Dirne – Soldat steht. Und ob man sich diese Konstellation als die nächste, die elfte, wird denken dürfen, ist keineswegs ausgemacht. Mag auch die Frage nach der Struktur des Reigen auf den ersten Blick eher peripher scheinen – mit Rücksicht auf die ästhetischen Innovationen des Impressionismus wird von ihr noch zu sprechen sein –; im Kontext einer auf Nietzsche zurückgehenden Interpretation hat sie eine kaum zu unterschätzende Bedeutung gewonnen. Auch die jüngste Monographie über Schnitzler ist ihr noch verpflichtet: »Obwohl vordergründig bunt und wechselvoll«, schreibt Offermanns, »vermittelt das Handlungskarussell dieses Stücks mit den gleichsam aufmontierten Typen eine zwar im einzelnen reizvolle, jedoch im ganzen monoton-trostlose Trivialisierung von Nietzsches ›Ewiger Wiederkehr des Gleichen‹.« [26] Wenn aber der *Reigen* Schnitzlers nicht geschlossen ist, wird sich schwerlich seine Struktur als ästhetisches Äquivalent oder auch als Trivialisierung der Philosophie Nietzsches in Anspruch nehmen lassen. [27] Die Metapher vom »Handlungskarussell« »mit den gleichsam aufmontierten Typen« verdeckt eher als daß sie einsichtig macht, daß im *Reigen* selbst die Energie freigesetzt wird, die ihn zum Stillstand bringen könnte. Auch wenn er fortschreitet, ohne daß wie beim Totentanz Gebeine klapperten, annulliert er nicht die Einsicht der Figuren in die Abstraktheit der intersubjektiven Beziehungen. Die Figuren unterliegen gerade nicht einer wie immer auch zu bestimmenden »uneingeschränkten Determiniertheit«. [28] Daß sie dies nicht tun, ist für das Drama allererst die Bedingung der Möglichkeit seines Fortgangs. Unter oder über dem Liebesreigen rotiert nicht das Rad der Wiederkehr des Gleichen, das diesen mit sich fortreißt, sondern aus dem Mangel an Glück, den seine Gestalten erfahren, entfaltet er die Kraft, die ihn antreibt.

V Konturenlosigkeit des Ich und ästhetische Gestalt

1 Gegen das Prinzip »verhakender Notwendigkeit«

In Schnitzlers dramatischem Werk überwiegen die Einakter und Einakter-Zyklen bei weitem die drei- oder fünfaktigen Stücke. Daß Autoren wie Zola, Strindberg, Maeterlinck, Hofmannsthal, Wedekind, Wilde, Yeats und auch Schnitzler Einakter schreiben, läßt erkennen, in welchem Maße die traditionellen Dramenformen am Ende des 19. Jahrhunderts problematisch geworden sind. Der Versuch, für diese Entwicklung eine Erklärung zu finden, hat sich, so gewiß auch die These vom Verlust des Dialogs und der Unmöglichkeit der dramatischen Handlung zur Erhellung des Problems beizutragen vermochte, als schwierig erwiesen.[1] Vor allem stehen die nicht zu unterschätzende Vielfalt der Einakter in den verschiedenen Richtungen der europäischen Literatur und die jeweils spezifischen Bedingungen, unter denen sie zustande kamen, einer allgemeinen Formel im Wege. In unserem Zusammenhang ist für Schnitzler wie auch für Hofmannsthal zu untersuchen, inwieweit die Wahl ihrer Gegenstände die Adaption des Einakters und des Einakter-Zyklus erforderlich machte. In einer umfangreichen Studie über Schnitzlers Einakter hat zuletzt Bayerdörfer zwar auf den Zusammenhang zwischen der »Krise des Konversationsdramas« und »gesellschaftlicher Krise« hingewiesen.[2] Doch führt ihn die Beschränkung auf eine differenzierte Typologie vom Konversationsstück zur Wurstelkomödie, die er ausdrücklich als Beitrag zu »formalen und gattungsgeschichtlichen Fragen« im Unterschied zur an »gehaltlichen Fragen orientierten« Forschung verstanden wissen will – als wären »formale« und »gehaltliche« Fragen voneinander zu trennen –, zu spontansoziologischen Verkürzungen wie der, »daß die innere Brüchigkeit der gesellschaftlichen Ordnung im Stück selbst [›Zwischenspiel‹, P. J.] zum Bruch der folgerichtig-finalen Handlungsgestalt führen muß – vorausgesetzt, daß es die Antinomien der Realität nicht kaschieren will.«[3] Gerade die naheliegende Äquivokation von Brüchigkeit und Bruch darf auf die Vermittlungsschritte nicht verzichten lassen, die allererst einsichtig zu machen vermögen, inwiefern das traditionelle Drama bestimmte Züge der sozialen Realität im Wien der Jahrhundertwende nicht mehr darstellen kann.

Schnitzler selbst hat in dem bereits erwähnten Brief an Otto Brahm vom 1. Oktober 1905 eine Erklärung für seine Affinität zum Einakter zu geben versucht, die zunächst ganz im Zeichen der Schwierigkeiten steht, die ihm der dritte Akt des Schauspiels *Der Ruf des Lebens* macht. Er sei mit ihm unzufrieden, schreibt er an Brahm, sehe aber nicht, daß er sich verbessern ließe. Vielleicht sei der »Fehler des Stückes« im zweiten Akt zu suchen, »der – an sich gewiß ein glücklicher Wurf – doch eigentlich einen Einakter vorstellt, ein in sich geschlossenes Drama, das auch durch ein anderes zu ersetzen wäre. [...] Der Einakterzyklus sitzt tief in meinem Wesen (was ich gar nicht so scherzhaft meine). Sehen Sie sich nur einmal meine Stücke daraufhin an: viele meiner Akte sind so vorzüglich in sich geschlossene Stücke, wie es keinem meiner mehraktigen Stücke im Ganzen zu sein gelingt. Statt festaneinandergefügte Ringe einer Kette stellen meine einzelnen Akte mehr oder minder echte, an einer Schnur aufgereihte Steine vor – nicht durch verhakende Notwendigkeit aneinandergeschlossen, sondern am gleichen Bande nachbarlich aneinandergereiht. –« [4] Zwar ist der Brief von der Unzufriedenheit mit dem *Ruf des Lebens* beherrscht, doch gibt die Metaphorik, in der die Gegenüberstellung formuliert ist: »festaneinandergefügte Ringe einer Kette« – »Steine [...], am gleichen Bande nachbarlich aneinandergereiht«, deutlich zu erkennen, welcher Seite Schnitzlers Sympathie gehört. Überdies weist die Wahl der Metaphern über das Feld poetologischer Prinzipien hinaus. In der Bevorzugung des Einakters und des Einakter-Zyklus kommt ein Vorbehalt zur Geltung, den Schnitzler wiederholt geäußert und in seinem literarischen Œuvre thematisiert hat, der Vorbehalt gegen die Kategorie des Notwendigen. Sie beansprucht im Zuge der Leistungen von Naturwissenschaft und Technik in der zweiten Hälfte des 19. Jahrhunderts Geltung in allen Lebensbereichen. Im Namen des Kausalitätsprinzips, das im Mittelpunkt der vorherrschenden szientifischen Einstellungen steht, lassen sich in philosophischen Lehren oder auch poetologischen Regeln Zwänge und Subordinationen ebenso verfügen bzw. rechtfertigen, wie die Aufrechterhaltung des gesellschaftlichen Status quo mit seinen Repressionen wissenschaftlich erklärt und sanktioniert werden kann. Auf diesen Zusammenhang sind Schnitzlers poetologische Bemerkungen gegenüber Brahm kritisch bezogen.

Dem Bild von den festaneinandergefügten Ringen einer Kette – ästhetisches Äquivalent des Kausalitätsprinzips – setzt er jenes von Akten »am gleichen Bande« »nachbarlich aneinandergereiht« entgegen, das die Vorstellung von Gleichrangigkeit und Freiheit evoziert. Das in ihm formulierte poetologische Prinzip bezeichnet nicht nur die Abkehr von einer spätidealistischen Ästhetik, wie sie etwa Hebbel entworfen hat, sondern auch von der des Naturalismus, soweit sie auf die Determination durch Vererbung und Milieu programmatisch verpflichtet war. Wenn Schnitzler dem Einakter-Zyklus den Vorzug gab vor dem überkommenen Dramenaufbau, wie ihn auch der Naturalismus weitgehend noch beibehielt, so nicht aus Unvermögen, sondern aus Mißtrauen gegen das im konventionellen Drama präsente Prinzip »verhakender Notwendigkeit«. Er hatte Vorbehalte gegen eine ästhetische Formulierung des Kausalitätsprinzips, das vor allem durch den

zeitgenössischen Positivismus oder auch den Darwinismus suspekt geworden
war, und das nach seinem Urteil ungeeignet war, die psychische Verfassung
des Individuums und deren soziale Bedingungen darzustellen, denen sein
Hauptinteresse galt.

Vorbehalte gegen bestimmte Formen der Determination, die die Brief-
stelle metaphorisch zwar, aber darum nicht mißverständlich artikuliert,
hat Schnitzler dem Helden seines ersten Einakter-Zyklus mitgegeben, ohne
daß er darum mit ihm identifiziert werden dürfte. An Anatol war gezeigt
worden, in welchem Maße Prinzipien wie Rationalität und die Verbindlichkeit von Gesetzen, denen sich die Gründergeneration Österreichs noch verpflichtet wußte, in den neunziger Jahren der Generation der Söhne, und nicht
nun den literarisch ambitionierten unter ihnen, problematisch geworden
waren. Die Gründe für den weitgehenden Verlust ihrer persönlichen und
historischen Orientierungen sind in der drohenden politischen Entmachtung
des liberalen Wiener Bürgertums gelegen.

Wie die Thesen Machs, die die Erkennbarkeit der Wirklichkeit in Abrede
stellten, war die von Dilthey entwickelte Lebensphilosophie, die die ver-
stehende Einfühlung unter Preisgabe des Handelns und der Wahrnehmung
von Interessen lehrte [5], geeignet, die auch in *Anatol* porträtierte Resignation
der adolescents bourgeois philosophisch zu legitimieren.

Daß Anatol geltende Normen fragwürdig geworden sind, daß er nur einen
höchst privaten Begriff der Treue oder der Wahrheit für sich gelten läßt,
erlaubt es zwar, den Wiener Impressionismus als eine der Formen bürgerlicher Kulturkritik zu charakterisieren, die im Fin de siècle an Bedeutung gewinnen, doch ist nicht zu sehen, mit welchem Recht diese Figur im Anschluß
an Blumes Schnitzler-Buch [6] dem Nihilismus subsumiert werden konnte.
»Anatol ist in seiner aristokratischen, metaphysischen und sozialen Ver-
einzelung, mit seinem Ennui, seiner kultivierten Morbidezza, der Selbst-
inszenierung und -stilisierung eines nervösen Ästhetizismus die wienerische
Spielart des Dandys, genauer, seiner nihilistischen Verfalls- und Endform, des
décadents, völlig unheroisch freilich, bürgerlicher, gemütlicher als die westeuropäischen Muster«, schreibt noch Offermanns. »In diesem Typus kulminiert einstweilen der Nihilismus, denn die impressionistische Lebensform des
›Anatol‹ ist Folge und Ausdruck des allgemeinen Wertzerfalls, in dem sich
die traditionelle metaphysische, sittliche und gesellschaftliche Ordnung, aber
auch die geschlossene Personalität des Individuums zersetzt hat.« [7]

Daß die Lebensform des *Anatol* »Folge und Ausdruck des allgemeinen
Wertzerfalls« sei, läßt sich aus Schnitzlers Stück schwerlich ableiten, denn
es sind bestimmte Normen wie das Treuegebot oder die Zweckrationalität
der Lebenspraxis, denen sich der Held entzieht, ohne daß er allerdings auf-
hörte, negativ an sie fixiert zu sein. So hat Anatol ein ausgeprägtes Schuldbewußtsein. »Hatten wir nicht die Verpflichtung«, fragt er Max in *Agonie*,
»die Ewigkeit, die wir ihnen versprachen, in die paar Jahre oder Stunden

hineinzulegen, in denen wir sie liebten? Und wir konnten es nie! nie! – Mit diesem Schuldbewußtsein scheiden wir von jeder – und unsere Melancholie bedeutet nichts als ein stilles Eingeständnis. Das ist eben unsere letzte Ehrlichkeit! –« [8] Weder im Stück noch in seinem historischen Kontext ist erkennbar, daß sich »die traditionelle metaphysische, sittliche und gesellschaftliche Ordnung, aber auch die geschlossene Personalität des Individuums zersetzt« habe. Die sozialgeschichtlich begründete Analyse der Szenen hat vielmehr zeigen können, daß gerade der impressionistische Habitus in seinem Anspruch auf konsequente Indetermination den gesellschaftlichen Konventionen verpflichtet ist, denen er zu widerstreiten scheint. Überdies ist der Erklärungswert der These vom »allgemeinen Wertzerfall« schon darum mehr als fraglich, weil in sie die Annahme von der Intaktheit der »traditionellen metaphysischen, sittlichen und gesellschaftlichen Ordnung« eingegangen ist, eine Annahme, bei der nicht zu sehen ist, wann sie je historisch zutraf. Und was die »geschlossene Persönlichkeit« angeht, bleibt zu fragen, ob sie jemals mehr als eine Annahme oder auch ein gewiß legitimes Postulat der Philosophen war, das umso notwendiger schien, gerade weil ihm keine Wirklichkeit entsprach. Eine »geschlossene Personalität« konnte schon Kants Transzendentalphilosophie nicht mehr voraussetzen; ihre Anstrengungen galten einer Subjektivität, deren Widersprüchlichkeit es schwer machte, die Bedingungen möglichen praktischen Handelns wie gegenständlicher Erkenntnis anzugeben. Selbst wenn die These vom allgemeinen Wertzerfall weniger als historische Diagnose des Zeitalters denn als heuristische Fiktion verstanden werden soll, werden die Risiken keineswegs geringer, denen sie die Deutung eines impressionistischen Werks aussetzt. Lange vor dem Fin de siècle ist die Geltung gesellschaftlicher und ethischer Normen auch in der Literatur bestritten worden, und in dieser Tradition zeichnet sich Schnitzlers *Anatol* gewiß nicht durch Radikalität aus. »Die impressionistische Lebensform« des *Anatol* ist nicht »Folge und Ausdruck des allgemeinen Wertzerfalls«, und das Ich, das in ihm dargestellt wird, ist keineswegs »ohne jede Begrenzung völlig orientierungslos«. [9] Vielmehr hat Schnitzler ihm die Lizenz erteilt, die Realität gleichsam auf Probe zu ignorieren, aber so, daß sie ihn immer wieder einholt. Gerade weil bestimmte soziale und ethische Normen für Anatol in Geltung sind, sucht er sich von ihnen zu dispensieren; mit dem zwangsläufigen Scheitern dieser Versuche werden sie ihm schmerzlich wieder bewußt. Weder steht Anatols Lebensweise objektiv für einen historisch auszumachenden »allgemeinen Wertzerfall« ein, noch ist ein solcher in seiner subjektiven Wahrnehmung gegeben. Daß Anatol die Erlaubnis, die Wirklichkeit und ihre Normen zu ignorieren, fortwährend zugestanden und entzogen wird, trägt wesentlich zum kritischen Gehalt des Werkes bei.

2   Gebrochenes Purpur der Renaissance

Nicht die These vom »allgemeinen Wertzerfall«, bei der eigens zu prüfen wäre, mit welchem Recht sie sich auf die Philosophie des Nihilismus berufen kann, nicht eine geistesgeschichtliche Zuordnung, sondern die Explikation des Charakters des Helden, vor allem seiner Handlungslähmung, bietet die Mittel, Anatols Lebensweise und ihre Darstellung einsichtig zu machen. Anatol, daran ist hier zu erinnern, bringt es nicht fertig, Cora die entscheidende Frage zu stellen, deren Beantwortung ihn nötigen würde, in einer bestimmten Richtung zu handeln. Ebensowenig kann er sich von Annie trennen. Erst mit der narzißtischen Kränkung, die sie ihm zufügt, als sie ihm mit ihrem Abschied zuvorkommt, ist seine Handlungshemmung partiell aufgehoben. Wenn Anatol handelt, das gilt für alle Szenen, so nur, um in der Demütigung der jeweiligen Geliebten sich seiner selbst zu vergewissern.

Auf eigentümliche Weise – das ist bislang übersehen und im Kontext unserer Überlegungen erstmals ausgeführt worden – korrespondieren der Handlungsunfähigkeit des impressionistischen Helden Phantasien von Herrschaftsausübung. Seine Neigung, den vermeintlichen oder auch tatsächlichen Determinationen, die ihn lähmen, auszuweichen – etwa, mit der Vergangenheit zu brechen und ein »neues Leben« zu beginnen –, gewinnt ihm in der Imagination eine Fülle von Handlungsmöglichkeiten zurück. Bei der Aussicht, Cora in der Hypnose »in seiner Macht« zu haben, fühlt er sich wie ein »Gott«. Nichts fasziniert ihn so wie der Gedanke, seine Geliebten »zermalmt« zu haben.

In der Verfügung über eine unbeschränkte Zahl von Handlungsmöglichkeiten ist der impressionistische Held, so gelangweilt er sich von der Realität abgewandt haben mag, dem Bourgeois im Zeitalter des Imperialismus verwandt. Gemeinsam ist ihnen, sei's ostentativ oder uneingestanden, die ökonomische Macht; ohne sie kann auch Anatol nicht das Leben des desinteressierten Abenteurers führen. Die Ambitionen bestimmter Teile des europäischen Bürgertums, sich die Welt ökonomisch zu unterwerfen, sind bis in Anatols imperiale Träume hinein erkennbar. Auf seine Weise, in der Fülle seiner Empfindungen und Phantasien, nimmt der impressionistische Held noch das ›enrichissez – vous‹ der Juli-Monarchie beim Wort, dem das deutsche und österreichische Großbürgertum nur mit erheblicher Verzögerung, dann aber um so erfolgreicher folgen konnte. So unbeschränkt wie die Handlungsmöglichkeiten, die Anatol jedenfalls in der Phantasie zu Gebote stehen, sind auch die Andreas in Hofmannsthals *Gestern*:

> »Ihr sollt mir raten. Denn ich taste kläglich,
> Wenn mich die Dinge zwingen zum Entscheiden:
> Mich zu entschließen, ist mir unerträglich,
> Und jedes Wählen ist ein wahlloses Leiden. [...]
> Ich *kann* nicht wählen, denn ich kann nicht meiden«. [10]

Andreas Problem besteht nicht darin, sich durch die Realität beschränkt zu fühlen, sondern über seinen Teil der Welt so unumschränkt zu gebieten, daß jede Entscheidung seine Macht beeinträchtigen würde. Denn eine Entscheidung zu treffen, bedeutet die Verringerung von Entscheidungsmöglichkeiten.

Hofmannsthal hat das Szenarium seiner frühen Stücke sorgfältig mit den Kulissen und Dekorationen der Renaissance ausgestattet. Doch »unter dem Purpur der Renaissance«, bemerkt Szondi zu *Gestern*, »schimmert [...] das müde Lila des Fin de siècle durch.«[11] Wenn Hofmannsthal für *Gestern* und *Der Tod des Tizian* und Schnitzler etwa für *Der Schleier der Beatrice* und *Die Frau mit dem Dolche* so absichtsvoll den Schauplatz der Renaissance wählen, ist dies nicht allein der Begeisterung über eine gerade zurückliegende Lektüre, etwa Jacob Burckhardts *Kultur der Renaissance* [12] oder nur der herrschenden Mode zuzuschreiben, die unter den Stilen, welche sich das Bürgertum seit den Gründerjahren zu eigen machte, insbesondere die Renaissance favorisierte.

Vielmehr läßt diese Wahl auch die Motive für das erstaunliche Interesse der Zeitgenossen an dieser Epoche erkennen, das in der Architektur der siebziger und achtziger Jahre in Wien ebenso wie in Berlin seinen monumentalen Ausdruck fand. Das Bürgertum der Gründerjahre und mehr noch des beginnenden Imperialismus mußte sich einer Epoche und deren Kultur wahlverwandt fühlen, die mit der Selbstverwirklichung des Individuums auch die ungehemmte Entfaltung ökonomischer wie politischer Macht gelehrt und praktiziert hatte. Wenn namentlich in der Architektur der Gründerjahre gegenüber Neugotik oder Neubarock eindeutig der Renaissance der Vorzug gegeben wurde, so u. a. deshalb, weil sie als Epoche relativer Macht des Bürgertums in den Stadtrepubliken Italiens am ehesten dem Legitimationsbedürfnis der liberalkonservativen Bourgeoisie gegenüber dem Adel entgegenzukommen schien. Zugleich vermochte sie ihm zu bestätigen, daß die vielversprechendste Form bürgerlicher Selbstlegitimierung die der Assimilation an die Repräsentation des Adels sei. »Die erwachende Prachtliebe der Bauherren, die Zuführung kostbarer Materialien, die Schaffenslust der jüngeren Architekten, der erleichterte Verkehr mit Italien und Frankreich, die eifrige Publikation von Baudenkmälern der Renaissance durch Architekten und Kunstgelehrte – diese Momente haben sich vereinigt, um die Vorliebe für den farbenfrohen und schmuckreichen Renaissance-Stil zu fördern und zu befestigen,« schreibt Hugo Licht 1877 über die Architektur Berlins. »Selbst die Bekenner der einfach klassischen, Schinkelschen Richtung haben diesem neuen Geiste nachgegeben und sich namentlich in dekorativer Richtung der italienischen Renaissance genähert. Dem Zuge der Zeit entsprechend huldigen unsere Architekten einem ausgesprochenen Eklektizismus. Die verschiedenartigsten Renaissancemotive, wie sie die Baudenkmäler italienischer Städte in lokaler Eigentümlichkeit bieten, werden verwertet und geschickt verwebt, so daß in seltensten Fällen von direkter Nachahmung die Rede sein kann. Es ist nicht zu leugnen, daß diese Art des künstlerischen Schaffens nicht von spontaner Inspiration getragen wird, daß vielmehr durch sie ein archäologischer, gelehrter Zug geht.«[13] Der milde Tadel Lichts über den historischen Eklektizismus im allgemeinen und die Renaissance-Mode im besondern läßt sich nicht nur auf die Berliner Architektur beziehen, er gilt etwa für die Wiener Ringstraße mit dem gleichen Recht. Zeugen der Neorenaissance sind in Berlin öffentliche Bauwerke wie das Rathaus und das Reichstagsgebäude, Banken und Kaufhäuser, aber auch Wohnhäuser, private Palazzi wie die von Grisebach gebaute Villa Bode in Charlottenburg oder die Villa Monplaisir von Kyllmann und Heyden in Lichterfelde, an der Wiener Ringstraße die Hofoper, die Hofmuseen und die Universität. Auch das nach Plänen von Gottfried Semper gebaute Burgtheater dokumentiert neben barocken Elementen eine Vorliebe für die Spätrenaissance.[14] Gegenüber den repräsentativen Renaissance-Bauwerken in Berlin und Wien nehmen sich Zeugen der Neugotik, etwa das Wiener Rathaus und die Votivkirche sowie die Kirche zum Hl. Kreuz in Berlin-Kreuzberg eher exotisch aus.

Nach der Architektur erreicht die Neorenaissance auch die Inneneinrichtung. Die Gewerbeausstellung in München 1876 hat daran einen nicht zu unterschätzenden Anteil. Schließlich folgt die Mode der Gründerzeit im verschwenderischen Umgang mit dekorativen, schweren Stoffen und der Betonung von Décolleté und Cul de Paris ersichtlich Vorbildern der Renaissance.[15]

Ist die Renaissance die bevorzugte Epoche zur symbolischen Legitimation des zur Macht gelangten Bürgertums der Gründerzeit,[16] so mutet es zunächst befremdlich an, daß Autoren wie Schnitzler und Hofmannsthal, deren Werke von der Gründerzeit sich abwenden, auf Anleihen bei der Renaissance nicht verzichten. Es ist hier eine Hausse von Renaissance-Sujets zu berücksichtigen, die in den neunziger Jahren solche Ausmaße erreichte, daß Julius Hart verbittert feststellte: »Das Mittelalter zu spielen haben sie aufgehört, nun spielen sie sechzehntes Jahrhundert [...]. Der bunte Faschingsreigen, der einst durch die Gassen Roms und in den vatikanischen Sälen des zehnten Leo tollte – Kardinal Bibbiena, der lüsterne Satyr, an der Spitze – zieht noch einmal am Ausgang dieses Jahrhunderts mit Becken und Schellen rasselnd vorüber. Gott Dionysos führt sie im bacchantischen Zug einher.« [17] Inwieweit die Renaissance-Begeisterung durch Jacob Burckhardt und Nietzsche tatsächlich inspiriert wurde, wird sich kaum ermitteln lassen. Soviel scheint aber sicher, daß zahlreiche Autoren sich der Renaissance nicht so sehr zuwandten, weil sie Burckhardt oder Nietzsche gelesen hatten, sondern weil auch sie sich dem Legitimationsdruck auf das bürgerliche Selbstbewußtsein ausgesetzt sahen, dem standzuhalten ihnen um so eher möglich schien, je nachdrücklicher sie sich der kulturhistorischen und philosophischen Mittel versichern konnten, die u. a. Burckhardt und Nietzsche bereitgestellt hatten. Dabei koinzidierte die ideologische Not mit der ökonomischen Tugend. Sich auf den Renaissance-Ton einzustimmen, fiel darum nicht schwer, weil er zumal auf der Bühne Erfolge versprach. Daß dort der Renaissance-Kult zum Geschäft geworden ist, hat schon Rehm gesehen. [18] Als Ausdruck der Renaissance-Begeisterung der Zeit ist auch der Ruhm Rodins zu verstehen, dem während der Pariser Weltausstellung im Jahre 1900 eine Einzelausstellung gewidmet wurde. Die Zeitgenossen haben in ihm einen zweiten Michelangelo gesehen. Für Rilke wie auch für die Ästhetik Georg Simmels hat Rodin eine zentrale Rolle gespielt.

Jacob Burckhardts *Kultur der Renaissance*, die zwischen 1860 und 1885 nur vier Auflagen erreicht, wird in schneller Folge 1896, 1897, 1899, 1901, 1904, 1908 neu aufgelegt. [19] Neu herausgegeben werden wegen ihrer Renaissance-Begeisterung auch Stendhal und Heinse. Julius Bab (*Der Andere*), Emil Ludwig (*Ein Untergang, Die Borgia*), Max Halbe (*Der Eroberer*), C. F. Meyer (›Jürg Jenatsch‹), Rilke (*Die weiße Fürstin*) nehmen sich der Renaissance an, nicht zu vergessen die Romantrilogie Heinrich Manns, *Die Göttinnen*, deren Schwärmereien vor allem Thomas Manns *Betrachtungen eines Unpolitischen* die Rechnung aufgemacht haben. Schon in *Tonio Kröger* hatte er den Helden gegenüber Lisaweta versichern lassen, er halte nichts von Cesare Borgia und dem Ideal des Außerordentlichen und Dämonischen, das in ihm verehrt werde. In Paris schreibt Maeterlinck das Renaissance-Drama Monna Vanna, das beispielsweise in Berlin mit großem Erfolg aufgeführt wird, [20] und Oscar Wildes *Dorian Gray* hat dank Walter Pater mehr mit der Reanissance zu tun, als die gelegentliche Erwähnung des Namens Buonarotti oder das venezianische Tuch auf den ersten Blick zu erkennen gibt, mit dem Dorian sein Bild verhüllt.

Liest man Schnitzlers *Die Frau mit dem Dolche, Der Schleier der Beatrice*, die 1902 und 1903 am Deutschen Theater in Berlin uraufgeführt wurden, mit Hofmannsthals frühen Dramen im historischen Kontext des Renaissance-Kultes der Jahrhundertwende, so fällt zunächst ins Auge, daß ihr Verhältnis zu dieser Epoche ambivalent ist. Daß ihr durch wen auch immer vermitteltes Urteil über die Renaissance einer historischen Prüfung nicht standhielte, ist dabei für alle Autoren gleich unerheblich. Zu fragen ist hier, wie Schnitzler und Hofmannsthal die Renaissance gesehen haben oder vielmehr sehen wollten. Was sie an dieser Epoche interessierte, ist die an ihr wahrgenommene Kunstbegeisterung und Lebensfülle, die sich gegen die zweckrationale Lebenspraxis und gegen moralische Konventionen ins Feld führen ließen, wie sie auch in Wien die Söhne der Gründergeneration während der neunziger Jahre erfuhren. Nicht weniger wird die sich abzeichnende politische Ohnmacht des liberalen Wiener Bürgertums zur Orientierung an einer Epoche beigetragen haben, die als Inbegriff bürgerlichen Selbstbewußtseins und bürgerlicher Macht mit einigem Recht verstanden werden

durfte. Doch widerstreben gerade die Werke Schnitzlers und Hofmannsthals
Deutungen wie der, daß bürgerliche Ohnmacht sich an der Größe kraft-
meierischer Renaissance-Gestalten aufzurichten bemüht war. Beide haben
die Spätrenaissance und ihre Kunst thematisiert, Tizian und Giorgione, nicht
Condottiere-Gestalten. Zeigen die genannten Stücke die Faszination für
die Spätrenaissance und ihre Maler, so nicht minder deutlich auch die Destruktion des zeitgenössischen Renaissance-Kultes, die gründlicher freilich
Thomas Mann besorgt hat. An der *Frau mit dem Dolche* wird zu erörtern
sein, daß Schnitzler schließlich die den Zeitgenossen vertraute Renaissance-
Fassade nur noch aufbaut, um sie einzureißen.

Ist der Zusammenhang von Impressionismus einerseits und Imperialismus
als Inbegriff ungehemmter Expansion ökonomischer und politischer Macht
andrerseits[21] in Hofmannsthals *Gestern* erkennbar in der Gebärde des
Renaissance-Herrschers, die ästhetizistisch gebrochen ist, so beispielsweise
in Schnitzlers *Anatol* in der Korrespondenz von realer Handlungsunfähigkeit
und imaginierter Machtentfaltung, die gelegentlich an die Renaissance gemahnt. Diese Korrespondenz scheint Stefan Zweig geahnt zu haben, als er
1922 zu Schnitzlers 60. Geburtstag schreibt, die Anatols machten nunmehr
Börsengeschäfte. [22] In der Verfügung über Handlungsmöglichkeiten ist der
impressionistische Held, der müden Abkehr von der Ringstraße zum
Trotz, dem Bürgertum und seiner imperialen Machtentfaltung insgeheim verwandt; was ihn von diesem durch einen Abgrund trennt, ist die Fähigkeit
und das Interesse, sie zu realisieren. Nicht versehentlich, sondern absichtsvoll schimmert in solchen impressionistischen Texten durchs Purpur der
Renaissance das Lila des Fin de siècle, bei Hofmannsthals Andrea eher als
bei Anatol. Auch die Interieurs bei Anatol sind vorzugsweise »dunkelrot«;
[23] sie sind gründerzeitliche Dekorationen, die Anatol uneingestanden noch
gefallen, auch wenn sie nicht mehr die seinen sind.

3   Formensemantik des ›Anatol‹, der ›Kleinen Komödie‹

Die ästhetische Präsentation der Handlungsunfähigkeit, durch die Anatol
charakterisiert ist, muß zu einer dramatischen Form in Widerspruch geraten, der das Prinzip finaler Handlungsführung inhärent ist. Anatols
Leben besteht aus einer Folge von Augenblicken, die – und das ist neu in der
Geschichte des Dramas – keinem Ziel mehr zustrebt wie noch das Stationen-
drama Strindbergs. [24] Allein in einer Reihe von Einaktern findet sie ihre
ästhetische Gestalt. Ihr dramatisches Prinzip, wie es in Schnitzlers Brief an
Otto Brahm aus dem Jahre 1905 beschrieben ist (Szenen »am gleichen
Bande nachbarlich aneinandergereiht«), bringt die Diskontinuität impressio-
nistischer Lebenserfahrung zur Anschauung. Der Einakter-Zyklus vermag
»Ausschnitte aus einem Leben« zu zeigen, deren Zusammenhanglosigkeit
einer »verhakenden Notwendigkeit« widerspricht. Sein dramatisches Prinzip

ist mit dem Begriff der Iteration zutreffend bezeichnet. [25] Die Diskontinuität impressionistischer Einstellungen findet sich auch und vor allem in der
Sprache des Stücks realisiert. Verbarmut, Ellipsen, Aposiopesen, das Vermeiden der »ausdrücklichen Bezeichnung grammatikalisch-logischer Unterordnung« wie die Dominanz von Parataxen kennzeichnen nicht nur die
Ziellosigkeit des impressionistischen Helden, wie Offermanns gezeigt
hat[26]; sie lassen zugleich ihre Begründung erkennen, die Abkehr von
Determinationen, wie sie Schnitzler selbst, als Modi des »Notwendigen«,
verdächtig geworden sind. In der impressionistischen Attitüde, die Anatol
vorführt, steckt bei aller Resignation ein kritischer Impuls gegen das Leistungsethos der Gründerzeit, das sie verursachte.

In einem der Einakter, in *Episode* reflektiert das Stück seine Konstitutions-
bedingungen selbst. Sein Thema ist Anatols Vergangenheit, die er Revue
passieren läßt, um sie zu verabschieden. Doch erweist sich die Erinnerung
als nötig, um seine Identität zu sichern. Diese Exposition macht weitreichende dramatische Konsequenzen erforderlich. Anatol verhält sich nicht
zu einem aktuellen Problem, sondern erzählt Max seine Liebesgeschichten.
Wie Anatol ihm in *Episode* anhand von Requisiten seine Abenteuer berichtet, so breitet die Sequenz der einzelnen Szenen vor dem Zuschauer
Ausschnitte aus Anatols Leben aus. Gegenstand dieses Einakters wie der
übrigen ist nicht ein Held, der seiner selbst gewiß wäre, der sich bedroht
sieht oder ein Ziel hat, etwa das, eine Frau zu gewinnen, sondern einer, der
durch die Versenkung in die Vergangenheit seine Identität zu wahren sucht.
Eine solche ›Handlung‹ ist im traditionellen, genauer: im durch den französischen Klassizismus und die deutsche Klassik inaugurierten Drama mit
finaler Handlungsführung [27], das, folgt man Szondi, auf die Gegenwärtigkeit des Geschehens angewiesen ist [28], nicht mehr darstellbar. Die Pointe
dieses Einakters besteht gerade darin, daß er in dem Moment dramatisch
auch schon zu Ende ist, wo die Vergangenheit die Gegenwart erstmals
erreicht. In der Erzählung für Max beschwört Anatol die Vergangenheit so
lange, bis er ihr Opfer wird. Die Gegenwärtigkeit des Erzählten, die zugleich
dessen Dementi ist, Biancas Auftritt, ist ihm so unerträglich, daß er sofort
das Haus verläßt. Die Revue, die Anatol veranstalten muß, um sich seiner
selbst zu vergewissern, endet damit, daß er mit einem anderen verwechselt
wird. Daraufhin entzieht er sich der Handlung: bezeichnenderweise handelt
Max stellvertretend für ihn, allerdings nur einen Augenblick lang. Als
Anatol »gerächt« ist, setzt die Erzählung eines Märchens ein, diesmal *ihrer*
Episode.

Max: [...] Kommen Sie, Bianca ... Erzählen Sie mir was!
Bianca: (läßt sich auf den Fauteuil neben dem Kamin niederziehen). Was denn?
Max: (sich gegenüber von ihr niederlassend). Zum Beispiel von dem ›Ähnlichen‹ in
   Petersburg. [...] Beginnen Sie nur ... Es war einmal eine große, große Stadt...
Bianca: (verdrießlich) Da stand ein großer, großer Zirkus. [29]

Mit dem Märchen, das genausogut die Wiederholung der Affäre zwischen Anatol und Bianca sein könnte, setzt Schnitzlers Einakter das Handlungsgebot konventioneller Dramatik, indem er es parodiert, demonstrativ außer Kraft. Im »Es war einmal« ist die epische Grundsituation, die Distanz des Erzählers zu seinem Gegenstand, deutlicher als in den andern Stücken des *Anatol* formuliert. Schnitzlers *Episode* radikalisiert die Tendenz zur Episierung, die seit Ibsen das Drama in Europa beherrscht. [30] Sie gibt auch, wohl über Schnitzler hinaus, einige der Bedingungen an, unter denen die Episierund zustande kam. Daß Max Bianca »auf den Fauteuil neben dem Kamin« niederzieht und sich selbst »gegenüber von ihr« niederläßt, liest sich wie eine beiläufige Regieanweisung, die dramaturgischen Notwendigkeiten folgt, doch unterstreicht sie vor allem, daß Max eine Erzählsituation herstellt; Bianca soll einem Zuhörer erzählen. Die Handlung geht nicht weiter, sondern bietet die Reflexion des Bisherigen. Biancas Episode zeigt in ihrem Märchencharakter einmal die Unwahrscheinlichkeit der Episode Anatols, sie macht zum andern der dramatischen Handlung episch ein Ende; aber so, daß zugleich die Tendenz dieses Einakters zum Zyklus erkennbar wird. Liest man ihre Episode als die von Bianca und dem »Ähnlichen« in Petersburg, so folgen Anatols und Biancas Episode im Ansatz bereits dem Schema male a meets female b, female b meets male c; damit wäre das Prinzip des *Reigen* schon angedeutet. Zwar schließt Biancas Episode die dramatische Handlung, den Prozeß der Desillusionierung Anatols, vorhanden ab, doch werden durch die Märchenhaftigkeit des Schlusses und das programmatische »Und?«, nach dem der Einakter abbricht, die Erwartungen, die mit dem Drama verknüpft sind, vor allem die an die Zielstrebigkeit der Handlung, bewußt enttäuscht. [31]

Bianca, bislang Objekt von Anatols Erzählung, wird nicht handelnde Person, sondern das Subjekt einer Erzählung, die den »Ähnlichen« in Petersburg, genausogut aber Anatol zum Gegenstand hat. Sie muß es werden, weil sie sich, nachdem Max »ihr Kuvert« in den Kamin geworfen hat, in der gleichen Lage befindet wie Anatol am Anfang. Auch sie ist darauf angewiesen, in der Vergegenwärtigung von Vergangenem ihre Identität zu konstituieren. Das gelingt nur in der Erzählung einer Affäre und nur so lange, wie die Erinnerung an die Episode währt, d. h. für die Dauer der Erzählung.

Die Bemühung um die Konturierung des Ich, von der der Einakter handelt, macht die monologische Erzählung der Vergangenheit erforderlich. Nur sie, nicht der Dialog mit einem Dritten, kann sie verbürgen. Biancas Identitätssuche verträgt wie die Anatols keinen Gesprächspartner, allenfalls einen Zuhörer; darum muß Max »sich gegenüber von ihr« niederlassen, darum das dramaturgische Arragement einer Erzählsituation, die durch die Distanz des Erzählenden zu seinem Gegenstand und zu seinem Zuhörer definiert ist. Unterstrichen wird der durchs Thema erzwungene epische Charakter des Stücks durch das Moment der Reflexion. Aus der Perspektive der Geliebten, die bislang Mittel seiner Identitätsfindung war, wird der Prozeß ihrer Identitätsfindung mit Hilfe eines erinnerten Liebhabers, der Anatol gleicht, im Ansatz wiederholt. Der epische Charakter des Einakters bei Schnitzler, der in *Episode* sicher deutlicher als in den andern Szenen zutage tritt, weist auf die *Kleine Komödie* voraus, die vier Jahre später, im Titel Dramatisches verheißend, die Darstellung eines verwandten Themas aus der Perspektive beider Beteiligten in der Form einer Novelle in Briefen wiederholt.

Alfred und Josefine wollen die Unsicherheit über ihre Identität – Alfred möchte um seiner selbst willen, nicht seines Reichtums wegen geliebt werden – auf dem Wege über den sozialen Statuswechsel beenden. Versuchsweise soll die soziale Identität aufgegeben werden, um sich der personalen versichern zu können. Zwar sucht Alfred in der vorgegebenen Rolle des Dichters sein Ich zu konturieren, doch tut er das nicht, indem er Dichter wird – das ist ihm nicht möglich –, sondern indem er sich von anderen dafür halten läßt. Alfred benutzt Josefine als Spiegel, in dem er sich in der Rolle des Dichters betrachten kann. Umgekehrt versteht Josefine den Dichter als Spiegel, der ihr das gewünschte Bild von der Kunststickerin zurückwirft. An zentraler Stelle ist das Spiegel-Motiv selbst eingeführt. Wenn Alfred, bevor die Rollen gewechselt werden, der Gedanke nicht an ein Vorstadtmädchen, sondern an ein Vorstadtmädchen vor einem Spiegel kommt, [32] so ist in ihm nicht so sehr dessen Eitelkeit ausgemalt als die Funktion antizipiert, die es für ihn haben soll. Daß einer den andern als Spiegel seiner selbst begreift, in dem er nicht sich, sondern seine Verkleidung zu sehen wünscht, begründet die Form der *Kleinen Komödie* als »Parallel-novelle«. [33] Die Spiegelung im andern hat eine Distanz zur Voraussetzung, die unaufhebbar ist. Sosehr Alfred und Josefine als Dichter und Kunststickerin ein Herz und eine Seele zu sein scheinen, die ästhetische Form der Novelle straft dies Einverständnis Lügen. In der Parallelität der Briefmonologe oder besser der Disparatheit, in der Alfred und Josefine Dritten, aber nicht einander, von ihrer Geschichte berichten, findet der unüberbrückbare Gegensatz zwischen ihnen, die sich in Wahrheit als Reflektoren benutzen, sichtbaren Ausdruck.

Auch die Novelle *Die kleine Komödie* macht ihre ästhetische Gestalt zum Thema. Alfred »kann keine Novellen schreiben«, keine Geschichte, die den Statuswechsel zum Gegenstand hätte. Daß er nicht zum Künstler tauge, hat er anläßlich seiner mißlungenen Photographien schon eingestanden. [34] Zugleich ist der Versuch »Novellen zu schreiben« vom Gegenstand her zum Scheitern verurteilt. Die unaufhebbare Distanz, die durch das Interesse an der Spiegelung im jeweils andern zwischen beide Figuren gelegt ist, würde aus der Perspektive des souveränen Erzählers, der beide Figuren synoptisch sieht (»Es war am Sonntag. [...] Unter den Fußgängern, welche gemütlich schlendernd ihren Weg gegen die Grenze der Stadt nahmen, befand sich...«) [35], notwendig verdeckt.

Im Mittelpunkt der *Kleinen Komödie* steht nicht ein Geschehen, auch

wenn der Text dem Handlungsgebot der traditionellen Novelle noch entspricht, sondern die Frage, wie das, was jeweils schon geschehen ist, aus der
Perspektive der Betroffenen wahrgenommen wird. Zugunsten der Identitätsfindung in einer angenommenen Rolle, die der jeweils andere beglaubigen
soll, wird die Handlung immer wieder angehalten. In der Form der Novelle
werden zwei Briefmonologe entwickelt, die dadurch zusammengehalten
werden, daß sie sich auf das gleiche Geschehen beziehen. An die Stelle
der Handlung ist ihre Reflexion und Kommentierung aus der Perspektive
der beiden Helden getreten. Die traditionelle Distanz des epischen Erzählers
zu seinem Gegenstand, die in der *Kleinen Komödie* durch das Arrangement
der Briefmonologe noch festgehalten ist, erscheint schließlich im ›monologue
intérieur‹ (*Leutnant Gustl* und *Fräulein Else*) als vollends aufgehoben.

4   ›Der Tod des Tizian‹, ›Die Frau mit dem Dolche‹

Das Problem der Konturenlosigkeit des Ich, deren historische Bedingungen
eingangs schon dargestellt wurden, hat die Literatur der Jahrhundertwende,
nicht nur in Wien, beschäftigt wie kaum ein anderes. Es steht im Mittelpunkt
des *Anatol*-Zyklus und der *Kleinen Komödie*, doch hat es in Schnitzlers
Frühwerk seine wohl radikalste Formulierung gefunden in dem 1901 geschriebenen Einakter *Die Frau mit dem Dolche*, der in den Zyklus *Lebendige
Stunden* gehört. Während Anatol sich in der *Episode* durch die Erinnerung
der eigenen Vergangenheit seiner Identität zu versichern sucht und während
die Protagonisten der *Kleinen Komödie* zu diesem Zweck den Weg über den
sozialen Statuswechsel beschreiten, sucht die Heldin dieses späteren Einakters sich ihrer selbst zu vergewissern, indem sie sich mit der Gestalt
eines Renaissance-Gemäldes, der ›Frau mit dem Dolche‹ identifiziert. Damit
zitiert Schnitzler augenscheinlich Hofmannsthals *Der Tod des Tizian*. Dessen
Prolog handelt von einem Pagen, der der Figur eines Gemäldes ähnlich sein
möchte:

> Ich stieg einmal die große Treppe nieder
> In unserm Schloß, da hängen alte Bilder
> Mit schönen Wappen, klingenden Devisen,
> Bei denen mir so viel Gedanken kommen
> Und eine Trunkenheit von fremden Dingen,
> Daß mir zuweilen ist, als müßt ich weinen ...
> Da blieb ich stehn bei des Infanten Bild –
> Er ist sehr jung und blaß und früh verstorben ...
> Ich seh ihm ähnlich – sagen sie – und drum
> Lieb ich ihn auch und bleib dort immer stehn
> Und ziehe meinen Dolch und seh ihn an
> Und lächle trüb: denn so ist er gemalt:
> Traurig und lächelnd und mit einem Dolch ...
> Und wenn es ringsum still und dämmrig ist,

> So träum ich dann, ich wäre der Infant,
> Der längst verstorbne traurige Infant ... [36]

Der Page wählt sich den Infanten zum Vorbild, um die Verwirrung, in die ihn die Fülle der Bilder mit »klingenden Devisen« versetzt hat, zu beenden. Eine »Trunkenheit von fremden Dingen« läßt ihn an den Bildern ziellos vorüberziehen. Er bleibt vor einem der Bilder nicht aus eigenem Antrieb stehen, sondern weil andre ihm die Ähnlichkeit mit dem Infanten nachsagen. Erst in der Nachahmung des abgebildeten Infanten wird er seiner selbst gewiß. »Das Ich«, so die Deutung Karl Pestalozzis, »verliebt sich nicht in sein Spiegelbild, es wird an dem, was es sich als Spiegel erwählt, überhaupt erst zum Ich.«[37] Zwar hört der Page in der Wahl des Vorbildes auf, eine Funktion seiner unablässig wechselnden Eindrücke und Gedanken zu sein, doch sind zugleich die Risiken angedeutet, die die spielerische Übernahme der Rolle des Infanten mit sich bringt. Der Page gleicht sich einem Toten an: »so träum ich dann, ich wäre der Infant./Der längst verstorbne traurige Infant«. Er bleibt vor dessen Bild nicht einfach stehen, sondern fällt vor ihm in die Pose des Infanten. Indem der Page der Konturenlosigkeit entgeht, droht ihm die Erstarrung in der geliehenen Identität eines Toten.[38] Hofmannsthal hat diesen Gedanken im *Tizian*-Fragment nicht ausgeführt. Er erteilt zwar, wie es scheint, seiner Figur, die nur für einen Moment Konturen in der Angleichung an das Bild gewinnt, durch den Dichter die Absolution. Der Dichter nämlich, »Zwillingsbruder« des Pagen, nennt ihn nachsichtig den »Schauspieler [seiner] selbstgeschaffnen Träume«. Doch holt er den Pagen auch, indem er ihn aus seinem Traum aufschreckt, in die Wirklichkeit zurück.

Die Forschung hat bislang nicht gesehen, daß drei Momente des Prologs zu Hofmannsthals *Tizian* in Schnitzlers *Frau mit dem Dolche* wiederkehren: die Wahl eines Bildes als Mittel der Identitätsfindung, der Dolch in der Hand des Vorbilds und die Anverwandlung durch den Traum. Schnitzler hat das Problem der Identitätsfindung durch die Kunst, das in Hofmannsthals Fragment nicht entfaltet ist und in ihm nur geringe Bedeutung hat, Jahre später in den Mittelpunkt seines Einakters gerückt und im einzelnen ausgeführt. Schauplatz des Stücks, das hier des Themas, weniger seines literarischen Ranges wegen analysiert wird, ist der »Saal einer Bildergalerie mit Werken der italienischen Renaissance«. Leonhard, der Pauline, die Frau eines erfolgreichen Dramatikers liebt, macht sie auf ein Bild aufmerksam, »das eine sehr schöne Frau in weißer Gewandung vorstellt, etwa in der Manier des Palma Vecchio«.[39] Zugleich stellt er sie zur Rede, weil sie hinnimmt, daß sie ihrem Mann nicht mehr bedeutet als »eine Gelegenheit, seinen Witz oder [...] sein Genie zu zeigen.« (S. 705) Pauline ist mit der Rolle, die ihr in der Kunst ihres Mannes zugedacht ist, nur scheinbar einverstanden. Mit der Neugierde auf den Renaissancesaal und das Bild, das ihr ähnlich sein soll, gibt sie Leonhards Vorwürfen insgeheim recht, daß ihr

Mann sie ihrer Identität beraube. Nicht so sehr um eines Rendezvous willen, sondern um sich in Bildern zu betrachten und zu erkennen, kommt sie wiederholt in die Galerie. In Bildern sucht sie die Identität, die das Schauspiel ihres Mannes ihr genommen hat, indem er ihre private Lebensgeschichte exponierte. Während alle Welt sie in der »Prinzessin Maria« erkannte, saß sie »in der Loge und sah der Komödie zu.« Teilnahmslos betrachtet Pauline eine Figur, die ihr fremd bleibt. Da sie ohne Identität ist und sie in der Bühnenfigur auch nicht wahrnimmt, kann das Stück sie durch die Vorführung der entwürdigenden Lebensverhältnisse, denen sie unterworfen ist, nicht bloßstellen. Leonhards Empörung trifft sie nicht. Die Identitätsdiffusion, die ihr Mann verursacht, indem er sie nur als Instrument seiner Kunst gelten läßt, manifestiert sich in der Unschlüssigkeit, in der »sie ihre Blicke von einem Bild zum andern schweifen läßt.« (S. 704) Umso größer ihr Interesse, das Bild in Augenschein zu nehmen, das ihr ähnlich sein soll.

Zwar vermitteln ihr, im Unterschied zu den »alten Deutschen und Niederlängern«, deren prätentionslose Genremalerei sich mit ihren Ambitionen zur Selbststilisierung schwerlich verträge, diese Renaissance-Gemälde »eine Art von Heimatgefühl«, doch unter ihnen vermag allein ›Die Frau mit dem Dolche‹ sie zu faszinieren. Sowenig wie im Prolog zu *Der Tod des Tizian* erfolgt bei Pauline die Wahl des Vorbildes aus eigener Kraft; es ist Leonhard, der ihren von Bild zu Bild schweifenden Blick auf dies bestimmte lenkt. Und wie der Page bei Hofmannsthal verliebt sich Pauline nicht in ihr Spiegelbild, das nur ihre Konturenlosigkeit wiederzugeben vermöchte, sondern sie sucht an dem Bild, das sie als Spiegel sich wählt, allererst ihre Identität zu gewinnen. Die Wahl fällt deshalb auf ein Bild der späten Renaissance, weil diese der zeitgenössischen Mode zufolge den Zusammenhang von unbeschränkter Lebensfülle und Kunst am besten zu verbürgen scheint. Bevor die Identifizierung mit dem Bild im Medium eines Traums geschieht, bedenkt sie die äußerste – und ersichtlich schauerromantische – Möglichkeit, die ihr zu Gebote steht, ihr Ich zu stabilisieren. Sie könnte durch eine Affäre mit Leonhard ihren Mann provozieren, sie umzubringen.

Pauline: Wär' es geschehen, so würde er mich umbringen.
Leonhard: Was fällt Ihnen ein, er macht ein neues Stück daraus, und am Ende ist er Ihnen noch dankbar.
Pauline: Möglich. Er wäre der Mann, beides zu vereinigen. (S. 707)

»Beides zu vereinigen«, von ihrem Mann umgebracht zu werden und in ein neues Schauspiel einzugehen, wäre für sie ein doppelter Beweis ihrer Identität. Gäbe er seine grenzenlose Gleichgültigkeit auf, würde er ihr bestätigen, mehr zu sein als der bloße Anlaß seiner Kunst, und ein Stück über ihren Tod käme ihrer Verewigung gleich. Doch muß sie letzten Endes Leonhard recht geben, daß sie auch in diesem Falle nichts als die Lieferantin für einen dramatischen Einfall wäre. Da ihr Mann ihr die Identität bestreitet, stellt sie sie im Traum her. Sie nähert sich dem Kunstwerk an, das allein

dem instabilen Ich Dauer zu verleihen verspricht. Die Distanz zur Gestalt
des Bildes, die ihr bewußt bleibt (»Leonhard: Es sind Ihre Augen. Pauline:
Sind –? Es könnten meine Augen sein.«), läßt sich nur im Traum überwinden.
(S. 703)

Was den Traum verursacht, ist in seinen Anfang gleichsam als seine Exposition eingegangen. Die gewandelte Szene zeigt Paola »in weißem
Nachtgewand, ganz dem Bilde gleichend, das man in der vorigen Szene sah.
Sie geht an Lionardo vorbei, ohne ihn zu sehen, langsam bis zu Staffelei,
entfernt leicht den Schleier von dem Bild. Es ist das gleiche, wie in der vorigen
Szene, nur noch nicht vollendet, insbesondere fehlt der ausgestreckte Arm
und die Hand, die den Dolch hält. Natürlich wird das Bild erst deutlicher
sichtbar im Verlauf der Szene, wenn es lichter wird.« (S. 708 f.) Der Traum,
als Objektivation ihrer Wünsche, setzt ein beim noch unvollendeten und nur
undeutlich erkennbaren Bild auf der Staffelei, das die Konturenlosigkeit
der Träumenden spiegelt. Paola ist auf die Ausprägung der undeutlichen
Züge des Bildes bedacht. Geradezu peinlich mutet der Nachdruck an, mit
dem auf den fehlenden Arm und den Dolch hingewiesen wird. Das Ende
des Traums zeigt dagegen Paola als Tableau des fertigen Bildes. Im Traum
setzt sich Pauline über die Hindernisse hinweg, die dem Wunsch, vermittels
des Kunstwerks ihre Identität zu finden, entgegenstanden. Zwar bringt
Lionardo die gleichen Einwände zur Geltung, mit denen Leonhard sie
konfrontiert hatte, doch werden sie in der Traumhandlung überspielt.

Lionardo: Denn er [sc. Remigio] erkennt in Euch
  Kaum, was Ihr seid, ich aber mehr als Euch:
  Erfüllung jeder Schönheit, die ich ahnte,
  Durchflimmert Euern Leib, aus Euerm Aug'
  Erglänzt mit alles Lebens Sinn zurück.
  Ihm ist Euer tiefstes Wesen nichts als Anlaß
  Und Stachel seiner Kunst, verräterisch lockt
  Aufs Antlitz Euch sein Kuß der Seele Glut
  Zur Fördrung eines Bildes, das Euch gleicht.
  Und glaubt mir, wenn dies letzte ihm gelang,
  Das unvollendet seiner Rückkunft harrt,
  Schwand all sein Lieben hin.
Paola: Das weiß ich gut;
  Denn ich bin dann nichts mehr, bin ausgeschöpft,
  Und mein Lebend'ges bebt in jenem Bild. (S. 710)

Paola möchte nicht um der Vollendung eines Werks willen geliebt werden,
um sich im Moment seiner Fertigstellung fallengelassen zu sehen. Sie will
nicht länger der Anlaß von Remigios Kunst sein, sie möchte dem Bild auch
nicht gleichen, sondern das Bild selbst sein. Da sie sich ihres Lebens nicht
mit Hilfe der Kunst vergewissern kann, denkt sie sich als lebendes Kunstwerk: »mein Lebend'ges bebt in jenem Bild«. Nur als Kunstwerk, das nicht
dem Leben gleicht, sondern es zu ersetzen vermag, außerhalb dessen sie
aufhört zu existieren, glaubt sie ihre Identität zu finden, das heißt für sie:

die Liebe des Ästheten zu gewinnen, der die Kunst liebt und das Leben verachtet. Daß der Maler, vor die Wahl zwischen Kunst und Leben gestellt, sich
gegen sie und für die Kunst entscheiden könnte, nötigt sie zur Aufhebung
der Unterscheidung von Kunst und Realität: »Dies Bild in mir?/Ich in dem
Bild?«. In dieser Aufhebung sieht sie eine unerhörte, singuläre Möglichkeit,
die sie zu realisieren sucht. Dazu gehört, Lionardo zu töten, der sie an das
Recht erinnert, das das Leben an sie und Remigio hat. Der Dolch in ihrer
Hand wird zum Symbol ihrer Macht über das Leben, das ihr, wie sie
meint, die Erfahrung ihrer selbst verwehrte. Es hätte nahe gelegen, daß sich
Paola an Remigio für die grenzenlose Verachtung rächt, mit der er ihr
begegnet. Stattdessen kommt in ihr augenscheinlich ein Abwehrmechanismus
in Gang, den die Psychoanalyse die Identifizierung mit dem Aggressor genannt hat. Paola tötet nicht Remigio, sie setzt sich vielmehr an die Stelle
Remigios und tötet Lionardo, der ihr die Wahrheit über Remigio gesagt
hat. Zwar bricht Pauline im Traum mit einigen Konventionen – es ist ihr
Traum, der dargestellt wird –, doch erweist sie sich auch in ihm als Kreatur
ihres Mannes. Was sie träumt, ist immer schon ein Stück, wie es der Er-
folgsdramatiker aus ihrer Affäre mit Leonhard machen könnte. [40] Das
erklärt die melodramatische Qualität dieses Traumes.

Indem sich Paola zur Herrin über das Leben erhebt, entgeht sie nicht der
Ohnmacht, Objekt für Remigios Kunst zu sein. Ungerührt nämlich nimmt
der Maler die Tat als die Erleuchtung, auf die er gewartet hat, um sein Bild
zu vollenden. Mit Lionardo tötet Paola zugleich sich selbst. Der Versuch ihrer
Verewigung als ›lebendiges Kunstwerk‹ endet in ihrer Erstarrung. In dem
Augenblick, in dem Lionardo »sterbend zu Boden sinkt«, heißt es in der
Regieanweisung, »sieht Paola genau so aus, wie auf dem Bild in der ersten
Szene, den Dolch in der Hand und den Blick auf den toten Lionardo gerichtet.« Remigios Anruf hört sie nicht, sie ist verstummt. »Paola bleibt
regungslos bis zum Schluß der Szene stehen.« (S. 718) Die Konturierung des
Ich vermittels des Kunstwerks, das ihr ihre höchste Möglichkeit vorspiegelt,
hat Paola von dem, was Individuation zu nennen wäre, weiter denn je entfernt; sie nämlich setzt vielfältige Beziehungen zur Realität voraus. So real
das Individuum, heißt es in Adornos *Minima Moralia*, »in seiner Beziehung
zu anderen sein mag, es ist, als Absolutes betrachtet, eine bloße Abstraktion.
Das Ich »wird um so reicher, je freier« es sich in seiner Beziehung zur
Gesellschaft »entfaltet und sie zurückspiegelt, während seine Abgrenzung
und Verhärtung, die es als Ursprung reklamiert, eben damit es beschränkt,
verarmen läßt und reduziert.« [41] Manifest ist Paolas totale Reduktion, ihr
Identitätsverlust, in der Mortifikation, in der diese Figur am Ende erscheint.
Diese Mortifikation bleibt nicht auf die Traumhandlung beschränkt. Pauline
deutet ihren Traum so, als sei ihr Wunsch, dem Bild der Frau mit dem Dolch
gleich oder gar es selbst zu sein, in Erfüllung gegangen. Daß Paolas Tat
wiederum nur den Anstoß zur Inspiration des Künstlers gibt, wird dabei

von ihr verdrängt. Indem Pauline den Liebhaber im Traum tötet, besorgt sie die eigene Mortifikation, tötet sie sich gleichsam selbst. Die Mortifikation der Traumgestalt Paola setzt sich in Paulines Zwangshandlung fort, das Geschehen, das sie geträumt hat, nachzuvollziehen. »In ihren Zügen«, so endet das Schauspiel, »drückt sich allmählich die Überzeugung aus, daß ein Schicksal über ihr ist, dem sie nicht entrinnen kann. Sie reicht Leonhard die Hand, sieht ihm ernst und fest ins Auge und sagt, nicht mit dem Ausdruck der Liebe, sondern der Entschlossenheit: Ich komme. – «

In seiner Analyse von Schnitzlers Traumspielen, *Die Frau mit dem Dolche* und *Alkandis Lied*, sieht Bayerdörfer die »Besonderheit traumhafter Zusammenhänge [...] durch das Prinzip der Wahrscheinlichkeit, dem der dramatische Ablauf folgt, aufgehoben«. Damit erweise sich der Traum »als Leerform«. »Schnitzlers Traumspiele gehen nicht von der Substanz des Traumes aus, sondern bleiben in durchsichtiger Weise an dem rationalen Entschlüsselungsverfahren der analytischen Technik ausgerichtet.« Strindbergs *Traumspiel* sei dagegen ungleich radikaler, insofern in ihm »die besondere ›Logik‹ des Traumes nicht nur Inhalt, sondern auch Form« bestimme.[42] Die Beobachtung, in Schnitzlers *Frau mit dem Dolche* bliebe, anders als bei Strindberg, die Differenz zwischen Rahmenhandlung und Traumspiel durchweg festgehalten, veranlaßt Bayerdörfer zu Fehlschlüssen über den Gehalt des Stücks. Einmal entgeht seinem auf typologische Sachverhalte ausgerichteten Blick, daß der Traum die Rahmenhandlung überspielt, indem er Pauline erstarren läßt. Auf diese Weise wird die Trennung der beiden Spielebenen aufgehoben. Zum andern verkennt er, daß der Traumcharakter des Spiels im Spiel gerade darin zu Geltung kommt, daß Gesetze der Wahrscheinlichkeit, wie sie am Anfang des Stücks respektiert sind, verletzt werden. Paola denkt und tut, was Pauline nicht zu denken und zu tun wagt. Die Dissoziation in Pauline und Paola ist von Schnitzler nicht aus Unvermögen beibehalten, sondern beabsichtigt. Über den Traumcharakter des Spiels entscheidet nicht schon das Vorhandensein eines Rahmens, sondern erst die genaue Analyse seines Gehaltes wie der Folgen, die er für die dramatische Gestalt hat.

Anstoß für die Kunst des Ästheten zu sein, ist die Rolle, die Pauline in Auslegung ihres Traumes als ihr Schicksal erfüllen zu müssen glaubt. Der Traum bestimmt sie – anders ist die Fortsetzung des Stücks schwerlich zu denken –, sich Leonhard hinzugeben und ihn womöglich zu töten. Die Identitätsfindung vermittels des Kunstwerks, mit der Pauline ihrer Instrumentalisierung im Leben des Künstlers zu entrinnen versucht, führt zur Bannung des Ich in den Raum eines Bilderrahmens.

Was Hofmannsthals Prolog zu *Der Tod des Tizian* nur andeutete, die drohende Erstarrung des Subjekts in der geliehenen Identität einer Bildgestalt, hat Schnitzlers Einakter ausgeführt. Anhand seiner grotesken Konsequenzen macht er dem Ästhetizismus den Prozeß. Er nimmt die der zeitgenössischen Diskussion vertraute Parole, das Leben der Kunst zu opfern, beim Wort. Und wenn Remigio eines Toten und Paolas Mortifikation bedarf, um das Bild zu vollenden, ist zugleich über seine Kunst das Urteil gesprochen. Es gilt dem Manierismus der späten Renaissance so gut wie dem Ästhetizismus des Fin de siècle.

Bei Hofmannsthal träumt der Page einen Moment, er sei der Infant. Der Dichter, berichtet er, habe ihn aus dem Traum zurückgeholt. In Schnitzlers Schauspiel dagegen wird, was die Heldin träumt, der ›Frau mit dem Dolche‹ nicht nur gleich, sondern mehr noch: sie selbst zu sein, als Traumhandlung innerhalb des dramatischen Geschehens objektiviert. Die Handlung erweist ihren Traumcharakter daran, daß die Widerstände, die Pauline im Wachen zu schaffen machen, ausgeschaltet werden können und daß die Zensur der Konventionen, der sie in der Realität unterliegt, übergangen wird. Pauline, die bislang Leonhard abgewiesen hat, träumt, nicht selbst, sondern in der Gestalt der Paola Lionardos Geliebte gewesen zu sein; noch in der Verwandlung bleibt die Zensur erkennbar. Und im Traum ist sie imstande, die Ungeheuerlichkeit auszuführen, um ihrer Verewigung willen den Liebhaber zu töten. In dieser Tat ist zu Ende gedacht und verwirklicht, was sie in der Realität nicht sich vorzustellen gewagt hatte. Nicht daß ihr Mann sie töten könnte, sichert ihr die Identität, die das Bild ihr vor Augen führt, sondern die Verschiebung dieser Vorstellung: daß sie selbst Leonhard tötet, macht sie dem Bilde gleich.

Schnitzlers *Episode* aus dem *Anatol*-Zyklus zeigt den Versuch des Helden, sich durch den Rückgriff auf die eigene Vergangenheit die Identität zu sichern. Das geschieht bei aller dialogischen Verkleidung im Grunde in einer monologischen Erzählung. *Die Frau mit dem Dolche* handelt dagegen von der Konturierung des Ich vermittels eines fremden Vorbilds, durch den Rückgriff auf die im Bild festgehaltene Identität einer Toten. Wenn Schnitzler die Heldin des späteren Einakters nicht auf die eigene und sei's auch stilisierte Lebensgeschichte, sondern auf die Renaissance zurückgreifen läßt, steht zu vermuten, daß er das Problem des Identitätsverlustes nunmehr skeptischer beurteilt als zur Zeit des *Anatol*. Der Heldin, die sich im Renaissance-Bild spiegelt, steht die eigene Vergangenheit nicht mehr zur Verfügung. Die Angleichung an das fremde Bild ist nicht durch die Erzählung der Wirklichkeit, sondern nur durch ihre Außerkraftsetzung zu bewerkstelligen. Das Problem des Stücks erzwingt einen radikaleren Bruch mit der Handlungsführung, als ihn Anatols Erzählung darstellt: das Spiel im Spiel. *Die Frau mit dem Dolche* bietet nicht die märchenhafte Erzählung der eigenen Vergangenheit, wobei Erzähler und Erzähltes auf der Bühne unterscheidbar bleiben, sondern ein Spiel, das die Objektivation ihrer verschwiegensten Wünsche ist. Die Kontrollinstanz einer dramatis persona als Zuhörer, die die Kontinuität des Geschehens gewährleisten würde, entfällt. Die Traumhandlung setzt sich zwar vorübergehend, doch für längere Dauer an die Stelle der Rahmenhandlung; in ihr ist neben dem Zuhörer auch die Träumende als dramatis persona im Unterschied etwa zum Erzähler Anatol zum Verschwinden gebracht. Insofern die Traumhandlung aus der Rahmenhandlung entwickelt ist und zu ihr zurückkehrt oder vielmehr sich in ihr fortsetzt, ist sie nicht als ein Spiel im Spiel zu deuten, das den Illusionscharakter des dramatischen Geschehens transparent machte, sondern als eine Handlung, die außerhalb der Gesetze, welche für die Realität des dramatischen Vorgangs gelten, nichts als die Traumwelt der Heldin zur Anschauung bringt. Die Bedeutung, die die Pantomime am Ende dieses Einakters gewinnt, zeigt die Schwierigkeit an, das Thema dramatisch noch zu vermitteln. Wenn die Logik des Stücks die Heldin schließlich sprachlos werden und in ihrer Bewegung erstarren läßt, fallen Dialog und Handlung als Träger des dramatischen Geschehens aus. Was der Heldin widerfährt, läßt sich nicht mehr mit Mitteln darstellen, die eine auf die Finalität der Handlung und die Wahrscheinlichkeit des Geschehens ausgelegte Dramatik bereitstellen konnte.

VI   Oscar Wilde: ›The Picture of Dorian Gray‹

1   Identitätsfindung im Bild

In Bildern die eigene Identität zu suchen, wie es sich in Hofmannsthals *Tod des Tizian* und in Schnitzlers *Frau mit dem Dolche* dargestellt findet, gehört zu den bevorzugten Motiven der Literatur der Jahrhundertwende. Wie kaum eine andere vor ihr, ausgenommen wohl die Frühromantik, hat sie die Kunst selbst, zumal die bildende, zu ihrem Thema gemacht. Unübersehbar verweist Schnitzlers Einakter auf den wohl berühmtesten, gewiß aber berüchtigtsten Exponenten dieser Literatur, auf Oscar Wilde und seinen 1890 geschriebenen Roman *The Picture of Dorian Gray*.

Dorian Gray ist in das Bild verliebt, das der Maler Basil Hallward von ihm gemalt hat, doch zugleich muß er es hassen. Die Paradoxie, mit der der Roman den Leser eingangs konfrontiert, bedarf der Erklärung. Das Porträt trägt zwar die Signatur von Hallward, doch verdankt es seine Vollendung in erster Linie Lord Henry Wotton. Aufs engste ist der Prozeß der Fertigstellung des Bildes mit dessen Lehre eines neuen Hedonismus verknüpft. Allein die Schönheit, belehrt Lord Henry den jungen Dorian, verleihe die Macht, sein Leben auszuleben, alle Möglichkeiten der Selbstverwirklichung zu realisieren, ohne auf gesellschaftliche Normen oder moralische Konventionen Rücksicht nehmen zu müssen. Da er schön sei und nur solange er schön sei, sei es ihm gegeben, sich als Symbol eines neuen Hedonismus unbeschränkt auszuleben. Andere könnten davon allenfalls träumen. Nichts sei ihm verboten, die Welt gehöre ihm. Die Veränderung, die Lord Henry in Dorians Wesen bewirkt, kommt in dessen Physiognomie zum Vorschein. Sie versetzt den Maler allererst in die Lage, das Bild zu vollenden: »And I have caught the effect I wanted – the half-parted lips, and the bright look in the eyes. I don't know what Harry has been saying to you, but he has certainly made you have the most wonderful expression.« [1] Als Dorian zum ersten Mal das fertige Porträt betrachtet, heißt es: »A look of joy came into his eyes, as if he had recognized himself for the first time. He stood there motionless and in wonder, dimly conscious that Hallward was speaking to him, but not catching the meaning of his words. The sense of his own beauty came on him like a revelation. He had never felt it before.« (S. 32) Was Dorian wahrnimmt, hat mit der Selbsterkenntnis des Subjekts in seinem Spiegelbild wenig zu tun. Dorian wird nicht seiner selbst ansichtig, sondern der ihm von Lord Henry nahegelegten Identität, die ihn überwältigt. Nicht von einem

Verstehensakt, sondern von einer Offenbarung ist die Rede. Ihm ist zumute, *als ob* er sich zum ersten Mal erkennen würde, und die Versenkung ins Bild schließt aus, daß er die Bedeutung dessen, was Hallward sagt, begreift. Das Kunstwerk, in dem er seine Identität zu erkennen glaubt, droht sie ihm freilich zugleich zu rauben. Das Werk des Malers verleiht seiner Schönheit Dauer, diese selbst wird aber, so hat ihn Lord Henry gelehrt, mit jedem Tage zerstört. Indem Dorian sich in sein Spiegelbild verliebt, wird es ihm zugleich verhaßt; ursprünglich Spiegelbild, tritt ihm das Kunstwerk als Konkurrent entgegen, der seine Eifersucht hervorruft, weil ihm dauernde Bewunderung sicher ist, nicht aber einem alternden Dorian. »You like your art better than your friends«, wirft er Hallward vor. »I am no more to you than a green bronze figure. Hardly as much, I dare say. [...] I am less to you than your ivory Hermes or your silver Faun. You will like them always. How long will you like me?« (S. 34) Die Vorwürfe, zu denen drohender Liebesverlust Dorian veranlaßt, treffen den Maler unbeschadet seiner Dementis nicht zu Unrecht. Zwar nimmt sich seine Bereitschaft überzeugend aus, das Bild, das nur Farbe und Leinwand ist, um der Freundschaft willen zu zerstören, doch hat er zuvor Lord Henry bekannt, daß das Modell Dorian ihm nicht mehr bedeutet als eine Gelegenheit, in der Kunst sich selbst zu offenbaren: »The sitter is merely the accident, the occasion. It is not he who is revealed by the painter; it is rather the painter who, on the coloured canvas, reveals himself.« (S. 11)

Das Kunstwerk, das Basil gemalt hat, ist Dorian in zweifacher Hinsicht suspekt. Einmal ist er sich gewiß, daß er für Hallward nur das Instrument zur Vollendung eines Kunstwerks darstellt, daß dessen Zuneigung nicht ihm, sondern der Kunst gilt. Zum andern fühlt er sich durch das Porträt, das ihn darstellt, wie er gegenwärtig ist, gehindert, nach den Anweisungen Lord Henrys sein Leben auszuleben. Das Bild hält fest, wie Basil Dorian zu sehen wünscht. »Well, as soon as you are dry, you shall be varnished, and framed, and sent home.« (S. 35) Die Ineinssetzung von Modell und Porträt, die Basil hier vornimmt, bestätigt nicht sowohl die Befürchtung Dorians, es sei dem Maler allein um die Kunst zu tun; sie verrät darüber hinaus das Interesse des Malers, Dorian im Zustand jener naiven Schönheit zu konservieren, die er an ihm bewundert und die er durch Henrys Doktrin der Amoralität bedroht sieht. Dorian zögert keinen Augenblick, sich gegen die Empfehlungen des Malers und für die Lehren des Dandys zu entscheiden.

Neben der Unterschrift von Basil trägt das Bild insgeheim auch die von Lord Henry. Indem Dorian es betrachtet, wird er seiner naiven Schönheit ansichtig, der Basils Interesse gilt. Sie ist »unspotted from the world« (S. 23). Zugleich aber nimmt er an dem Bild Züge des Lebens wahr, das Lord Henry ihm in Aussicht stellt. Die technische Fertigstellung des Bildes, das Firnissen und Rahmen, begreift er als symbolische Festlegung seines Ich auf den Status quo, den Zustand naiver Schönheit, den Basil wünscht. Umso mehr ist er daran interessiert, die Identität anzunehmen, die Lord Henry propagiert und die im Porträt an den halb geöffneten Lippen und dem geänderten Ausdruck der Augen sichtbar wird. Dabei ist er sich bewußt, daß das neue Leben notwendig in Widerspruch zu seiner Schönheit geraten muß. »The life that was to make his soul would mar his body. He would become dreadful, hideous and uncouth.« (S. 33) Das macht den Teufelspakt notwendig. Dorian will seine Seele dafür geben, daß seine Schönheit erhalten bleibt und an seiner Statt das Porträt altert. Der Pakt stellt den Versuch dar, sich beider Identitäten, die im Bild angelegt sind, zu versichern. Auf die ewige Schönheit, die ihm Bewunderung und gesellschaftliche Geltung sichert, will er sowenig verzichten wie auf das Leben, das Lord Henry ihn lehrt. Offensichtlich ist dieser Versuch zum Scheitern verurteilt. Nur in dem Maße, wie Dorian die alte Identität zerstört, gelingt es ihm, eine neue zu gewinnen. Sie zeigt sich ihm nicht in einem Spiegel, vielmehr im Porträt, das mit jedem Verbrechen, das er begeht, sich ändert und zunehmend die Züge des Grauens gewinnt. Sosehr das wahre Gesicht, das das Porträt ihm offenbart, Dorian erschreckt, sowenig kann er auf seine Betrachtung verzichten. Der Weg in die Dachkammer hat die Bedeutung einer Erfolgskontrolle, deren er bedarf, um seiner neuen Identität in der Negation der alten, die Basils Bild ursprünglich festhielt, immer wieder inne zu werden.

Zwar beginnt erst mit der Schuld Dorians am Selbstmord von Sybil die Zerstörung des Porträts, doch ist sie bereits im Moment seiner Vollendung vorgezeichnet. Die gleiche Lehre Lord Henrys, die Dorian den einzigartigen Gesichtsausdruck verleiht, welcher dem Maler die Vollendung des Werks erlaubt, ist auch für die Vernichtung des Bildes verantwortlich. Dieser Umstand, nimmt man ihn beim Wort, zwingt dazu, das Urteil über *Dorian Gray* als Hauptwerk und Schule der Dekadenz zu revidieren. Zwar wird in ihm, ganz im Sinne der geläufigen Anschauungen des Ästhetizismus, in polemischer Wendung vor allem gegen den seit der Antike festgehaltenen Zusammenhang von Ethik und Ästhetik der Immoralismus als die Bedingung der Möglichkeit von Kunst behauptet. Erst die Lehren des Zynikers Lord Henry ermöglichen die Vollendung des Porträts. Doch ebensowenig ist zu übersehen, daß der gleiche Immoralismus die Zerstörung des Kunstwerks bewerkstelligt. Der Begriff der Kunst, der dem Roman über Dorian Gray zugrunde liegt, hält eher emphatisch an ihrem Wahrheitsanspruch fest. [2] Das Kunstwerk bringt in der Zerstörung der Schönheit die Verbrechen Dorians als Verbrechen zur Anschauung. Von hier aus fällt auch ein Licht auf den Künstler Basil Hallward, der gemeinhin als Gegenspieler Lord Henrys, als Anwalt der Moral und der Kunst verstanden wird, mit ihm aber in wesentlichen Zügen übereinkommt. Gewiß ist Basil um den Freund besorgt, den er von dem verheerenden Einfluß Lord Henrys zu schützen sucht; doch profitiert er um der Vollendung des Werks willen ohne Skrupel von dem Beitrag, den Lord Henry dazu leistet. Die Aufforderung Basils an Dorian, Lord

Henry kein Wort zu glauben, kommt einem Schuldgeständnis gleich. Nachdem er einzig dem, was Lord Henry Dorian gesagt hat, die Vollendung des Bildes verdankt, sucht er dessen Lehre im nachhinein aus Dorians Gedächtnis zu löschen.

Wenn Dorian die Möglichkeiten des Lebens realisiert, die ihm Lord Henry eröffnet und die er in seinem Porträt erkennt, so exemplifiziert der Roman an seinem Helden ein berühmtes Dictum aus *The Decay of Lying*. »All that I desire to point out«, schreibt Wilde, »is the general principle that Life imitates Art fare more than Art imitates Life, and I feel sure that if you think seriously about it you will find that it is true. Life holds the mirror up to Art, and either reproduces some strange type imagined by painter or sculptor, or realizes in fact what has been dreamed in fiction.« [3] Die Identifikationsmuster, die das Bild Dorians im Gefolge der Lehre Lord Henrys ahnen läßt, sucht er in den Salons wie in den Opiumhöhlen Londons nachzuleben. Was das Bild nur verspricht in den Zügen, die Lord Henry beeinflußt hat, will er in seinen Exzessen einlösen. Wilde läßt in *Dorian Gray* das Leben die Kunst nachahmen, doch nicht minder deutlich führt der Roman vor, daß die Kunst das Leben nachahmt. Die Untaten nämlich, die Dorian begeht, spiegeln sich getreu in den verzerrten Zügen des Porträts. Es scheint, daß Gegner wie Anhänger Wildes, sieht man auf *Dorian Gray*, den provokatorischen Satz »Life imitates Art far more than Art imitates Life« ohne den Vorbehalt verstanden haben, der ihm einen Teil der Schärfe nimmt. Wilde hat nicht die Formel »Life imitates Art« der andern »Art imitates Life«, die das Nachahmungsgebot der Kunst seit der Antike wiedergibt, kontradiktorisch entgegengesetzt, sondern behauptet, daß das Leben die Kunst nachahme, und zwar weit mehr, als es umgekehrt der Fall sei. Wir haben hier nicht den Stellenwert des Dictums innerhalb der ästhetizistischen Programmatik bei Wilde zu untersuchen; wichtig ist in unserm Zusammenhang, daß *Dorian Gray* auf jene programmatischen Sätze die Probe macht, und zwar so, daß ihre Interdependenz erkennbar wird. Das Leben Dorians folgt den Identifikationswerten des neuen Hedonismus, die im Bild erkennbar sind; umgekehrt bezeichnet das Bild nacheinander die Taten, die Dorian verübt.

2 Schönheit der Gewalt und Gewalt der Schönheit

In zweifacher Weise führt Dorians Identifizierung mit dem Bild zum Bann durch das Bild. Basil sucht mit dem Rahmen und Firnissen des Porträts zugleich den auf immer zu fixieren, den es darstellt. Dorian soll so bleiben in seiner Schönheit, »unspotted from the world«, wie er ihn gesehen hat und weiter zu bewundern wünscht. Das ist Dorian umso weniger erträglich, als dieselbe Kunst, für die er lediglich Mittel der Vollendung war, nunmehr Macht über ihn auszuüben beansprucht. Indem Dorian seine Natur verwirklicht, glaubt er den Bann, in den ihn Basils Bild schlägt, zu brechen. In Wahrheit gerät er nur in den Bann der Züge, die das Bild Lord Henry verdankt. Indem er alle Determinationen, die Basil und sein Werk für ihn repräsentieren, hinter sich läßt, gewinnt er nicht die unumschränkte Freiheit zu leben, sondern räumt wiederum dem Werk, Henrys Anteil an ihm, magische Gewalt über sich ein. Freilich ist sich Dorian dessen nicht bewußt.

Nicht er habe das Bild vernichtet, bekennt er dem Maler, als der das entstellte Porträt wiedersieht, sondern das Bild habe ihn zugrunde gerichtet. Indem er Basil tötet, sucht er sich vom Bann des Bildes zu befreien. War Basil entschlossen gewesen, das Bild zugunsten des Lebens zu zerstören, so opfert Dorian das Leben Basils um des Bildes willen. Indem er den Schöpfer des Bildes tötet, ist schon antizipiert, daß er auch das Bild selbst zerstören wird. Doch spricht Dorian den falschen schuldig. Die magische Gewalt, die vom Bild ausgeht[4] und die im Pakt ihren objektiven Ausdruck findet, hat in Lord Henry ihren Ursprung. Sie ist gegenwärtig ebenso im Zwang, immer wieder nach vollbrachter Tat das Bild anzusehen, wie in dem, es am Ende zu zerstören. Lord Henry lehrt die Schönheit, die Dorian ermächtigt, alles zu tun, auch Verbrechen zu begehen; ihrer wird er im Porträt wie auch in dem gelben Buch ansichtig, das auf Joris Karl Huysmans verweist.[5] Die Schönheit auch der Gewalt, die Lord Henry verheißt, manifestiert sich im Bild als Gewalt der Schönheit, die Dorian in ihren Bann schlägt.

Die Kunst gewinnt in dem Maße dämonische Züge, wie sie asozial, allein auf den Maler und sein Modell bezogen ist. Indem Basil sich ganz in die Arbeit am Bild versenkt, verschließt er die Augen vor Lord Henrys Anwesenheit und seiner ruinösen Wirkung auf Dorian. Für Basil ist das Bild die Offenbarung seiner selbst, darum will er es um keinen Preis ausstellen und der Öffentlichkeit zugänglich machen.[6] Das vom Künstler in seiner Einsamkeit und nur von ihm geschaute und angebetete Ideal des Lebens – »I can now re-create life in a way that was hidden from me before« (S. 16) – blickt ihn schließlich mit den Augen des Teufels an. (S. 174) Für Dorian ist das Bild Medium der Selbstbeziehung; in ihm liebt er sich selbst unter Verzicht auf reale soziale Beziehungen. Die er eingeht, sind im Grunde so imaginär wie die zu Sybil Vane. Ausdrücklich überläßt Basil das Bild Dorian in seiner privaten Verfügung: »you can do what you like with yourself.« (S. 35) Dorian hält mit dem Bild Zwiesprache, zunächst im Salon, seit Sybils Selbstmord in der Dachkammer. Die Dachkammer, zu der nur er den Schlüssel hat, symbolisiert denn auch die Ausschließlichkeit seiner Beziehung zum Bild, noch bevor seine Taten dessen Verheimlichung zunehmend dringlicher machen.

Ebensogut wie in seinem Porträt erkennt sich Wildes Held in dem seiner Mutter. Ihre Schönheit und ihr Tod sind in ihrem Porträt symbolisiert durch das Weinlaub im Haar. Mit Lady Elizabeth Devereux schaut Hedda Gabler auf Dorian herab. Die Schönheit und das Bacchantinnenkleid, in dem sie ihm entgegenlacht, bestätigen ihm die Doktrin Lord Henrys. Wenn er ihr weiter folgt, weiß er sich nunmehr auch in Übereinstimmung mit seiner Mutter. Noch größere Bedeutung als das Porträt der Mutter hat für Dorian das gelbe Buch. Es setzt die »Vergiftung« des Helden fort, die sein Porträt einleitete. Er beginnt in ihm in dem Augenblick zu lesen, als er den Einfluß des Bildes scheinbar gebrochen, es mit einem Tuch verhängt und in seiner Dachkammer verschlossen hat. Nach dem Vorbild des Helden des gelben Buches versetzt sich Dorian eine Saison lang in Mystik, die nächste in den Darwinismus, läßt er die Denkweisen anderer Epochen Revue passieren, um sie, sobald die intellektuelle Neugierde befriedigt ist, wieder fallen zu lassen. [7] Das exzentrische Gebaren des Dandys, so vehement es auch gegen die Konventionen der viktorianischen Gesellschaft zu opponieren scheint, reproduziert nur jenen Eklektizismus, den die königlich oder kaiserlich protegierten Akademien in London, Berlin und Wien offiziell den Künsten zu verordnen suchten. Was gerade auf dem Gebiet der Architektur in der allergnädigst aufgenommenen Verfügung über ältere Stile (Gotik, Renaissance, Klassizismus, Neubarock) heute noch sichtbar ist, hat der auf den Nonkonformismus wie nichts sonst erpichte Held im Grunde getreulich internalisiert.

3 Private Weltausstellung

Ähnlich steht es mit Dorian Grays modischer Extravaganz. Wie die Denkweisen wechselt er die Moden, doch keineswegs nach spontanen Eingebungen, sondern nach einem Gesetz, das nicht das seine ist. Dorian wird als Typus des Weltmannes beschrieben, von dem man in Eton und Oxford träumt. Daß er der modischen Avantgarde zugehört, überrascht deshalb nicht, weil in der Mode besser als sonstwo die Devise, daß das Leben die größte Kunst sei, sichtbar vorgeführt werden kann. »Fashion, by which what is really fantastic becomes for a moment universal, and Dandyism, which, in its own way, is an attempt to assert the absolute modernity of beauty, had, of course, their fascination for him. His mode of dressing, and the particular styles that from time to time he affected, had their marked influence on the young exquisites of the Mayfair balls and Pall Mall club windows, who copied him in everything that he did, and tried to reproduce the accidental charm of his graceful, though to him only half-serious, fopperies.« (S. 144 f.) Indem der Dandy, aus dessen extravagantem Lebensstil alles Bürgerliche verbannt sein soll, das Phantastische, Außerordentliche in seiner Garderobe anschaulich macht, gibt er schon die Distinktion auf, die er ursprünglich im Sinn hatte. Er nimmt die Universalität die Verbreitung des modischen

Einfalls in Kauf, wünscht sich sogar aus narzißtischen Gründen die Gefolg-
schaft der »young exquisites«. Mit ihrer Verbreitung verliert aber die neue
Mode die distinktive Funktion, um deretwillen er sie kreierte. Die Verbreitung zwingt Dorian immer wieder, einen neuen Stil anzunehmen. Was sich
wie unvermittelte Extravaganz des Helden ausnimmt, gehorcht nur der
Dialektik von Distinktion und Verbreitung, deren sich auch auf dem Gebiete
der Mode und der Kunst die »distinguierten Klassen« Bourdieu zufolge
bedienen, um die Differenz zu den unteren Klassen diesen und sich selbst
immer wieder sichtbar zu machen. [8] Dorian Gray folgt mit seinen Moden
dem Gesetz von Distinktion und Verbreitung, das er zu diktieren glaubt. Wie
die exzentrischen Moden rücken auch Dorians Anhäufungen kostbarer
Materialien – darauf hat Adorno hingewiesen – die Intérieurs des »piek-
feinen Ästhetizismus« in die Nähe von »Antiquitätenhandlungen und Ver-
steigerungsstätten«, damit aber in die Nähe des »Kommerz« von dem sich
die Protagonisten des Romans angewidert abgewandt haben. [9]

Mit der Sammlung von Musikinstrumenten, Gobelins, duftenden Essenzen
und Edelsteinen aus aller Herren Länder, so läßt sich die Beobachtung
Adornos historisch konkretisieren, werden die Weltausstellungen, die dem
Bürgertum der europäischen Großmächte die Erfolge kolonialer Politik vor
Augen führten, von Dorian Gray in seinen Räumen privat noch einmal
veranstaltet. [10] Die Begeisterung für Orientalistica hängt historisch mit
der Wiener Weltausstellung von 1873 zusammen, die zur modischen Verbreitung des orientalischen Dekors beitrug, und Dorians Renaissance-Kult,
so exklusiv einzelgängerisch er sich auch gibt, läßt sich u. a. auf die Münchner
Gewerbeausstellung von 1876 zurückverfolgen, die in Deutschland den
Durchbruch der Neurenaissance mit sich brachte. [11] Zwar vollzieht Dorian
Gray Weltausstellungen in seinem Privathaus nach, doch darum bleiben sie
nicht in ihm verschlossen. Was er hat, stellt er zur Schau, wie es die Glas-
paläste tun, die für die Weltausstellungen erfunden wurden. »At another
time he devoted himself entirely to music, and in a long latticed room, with
a vermilion-and-gold ceiling and walls of olive-green lacquer, he used to
give curious concerts, in which mad gypsies tore wild music from little
zithers, or grave yellow-shawled Tunisians plucked at the strained strings
of monstrous lutes, while grinning Negroes beat monotonously upon
copper drums, and, crouching upon scarlet mats, slim turbaned Indians
blew through long pipes of reed or brass, and charmed, or feigned to charm,
great hooded snakes and horrible horned adders.« (S. 149) Dorians Bemühungen, unablässig meist kostbare Materialien um sich herum anzuhäu-
fen, sind der so angestrengte wie vergebliche Versuch, die ästhetische
Existenz zu durchbrechen und sich Zugang zur Welt der Dinge zu verschaffen. Diese beginnt im Zeitalter der Weltausstellungen die Welt der Menschen
zu beherrschen.

4 »*Your days are your sonnets*«

Die gewaltsame Befreiung vom Einfluß Basils ändert nichts an Dorians Unterwerfung unter den Willen Lord Henrys. Lord Henry ist es darum zu tun, sich selber in Dorian wiederzuerkennen und Dorian seine Lehren in der Weise realisieren zu lassen, daß er gleichsam seinem eigenen Leben zuschaut, ohne in es verwickelt zu sein. Es fasziniere ihn, bekennt er, »to hear one's own intellectual views *echoed back* to one with all the added music of passion and youth; to convey one's temperament into another as though it were a subtle fluid or a strange perfume; there was a real joy in that – perhaps the most satisfying joy left to us in an age so limited and vulgar as our own [...]. There was nothing that one could not do with him [sc. Dorian]. He could be made a Titan or a toy.« (S. 44) (Hervorhebung P. J.) Was Dorian schließlich tut, erfüllt alle Erwartungen des notorischen Décadent,[12] die hier formuliert sind. Sir Henry verspricht sich den höchsten Reiz, den die miserablen Zeiten noch zulassen, von der Beherrschung Dorian Grays. Er will ihn zum Spiegel seines Lebens machen, aber im Glanz von Jugend und Schönheit, über die er nicht mehr verfügt. »He would make that wonderful spirit his own.« (S. 45) In welchem Maße die Unterwerfung Dorians unter seinen Willen gelingt, wird im Porträt festgehalten. Die im Namen seiner Doktrin verübten Taten erscheinen im makellosen Bild Dorians als Konturen des Grauens. So hoch auch der Einfluß Lord Henrys auf Dorian zu veranschlagen ist, sowenig ist zu übersehen, wieweit ihm der Held entgegenkommt. Dorian »was dimly conscious«, heißt es nach den ersten Ausführungen Lord Henrys, »that entirely fresh influences were at work within him. Yet they seemed to him to have come really from himself.« Am geänderten Gesichtsausdruck Dorians, den »parted lips, and eyes strangely bright« (S. 26) wird sichtbar, daß seine eigenen Leidenschaften, seine unerhörten Gedanken und Tagträume sich durchsetzen, die er bislang unterdrückte und an die ihn der Décadent nur erinnert.[13] Die Interpretation machte es sich zu leicht, wollte sie Lord Henry zum Schurken stilisieren, dem der Maler und mehr noch sein Modell unschuldig zum Opfer fallen. Die antiviktorianische Provokation des Romans war durch den Verführer intendiert, kaum weniger aber durch die vermeintlich Verführten. Unter die Oberfläche naiver, weltferner Schönheit hat Wilde seinen Helden mit Neigungen und Wünschen ausgestattet, die wohl erst die Psychoanalyse Freuds zu benennen wagte und die u. a. der Surrealismus schließlich zu seinem bevorzugten Gegenstand gemacht hat.

Die Macht, die Lord Henry über Dorian gewinnt, ist ausdrücklich in Konkurrenz zu der gedacht, die dem Maler über sein Modell zu Gebote steht: »he would try«, heißt es von Lord Henry, »to be to Dorian Gray what, without knowing it, the lad was to the painter who had fashioned the wonderful portrait. He would seek to dominate him – had already, indeed, half done

so.« (S. 45) Lord Henry und Basil Hallward sind unbeschadet des offensichtlichen Immoralismus des einen und der glaubhaften Besorgnis des andern um das Schicksal Dorians darin verwandt, daß für sie Dorian das
Objekt freilich verschiedener Interessen ist. Basil benutzt Dorian als Instrument der Kunst, um sich selbst darzustellen; Lord Henry bedient sich seiner
ebenfalls als Instrument, als Spiegel, in dem er der Kunst zu leben ansichtig
wird. Er trifft Maßnahmen, die sicherstellen, daß Dorians Leben ihm sein
eigenes als Kunstwerk vorführt. Lord Henry ist nicht Maler, sondern Ästhet;
Dorians Leben soll Lord Henrys Kunstwerk sein. Zufrieden kann er am Ende
behaupten, da ihm die Veränderungen am Porträt verborgen bleiben: »You
are the type of what the age is searching for, and what it is afraid it has
found. I am so glad that you have never done anything, never carved a statue,
or painted a picture, or produced anything outside of yourself! Life has been
your art. You have set yourself to music. Your days are your sonnets.«
(S. 240)

Mit aller Schärfe bezeichnet vor Schnitzler und Hofmannsthal schon Oscar
Wilde die Kluft, die den Ästhetizismus von der Kunst trennt. Die Eifersucht, mit der Lord Henry darauf bedacht sein muß, daß Dorian kein Bild
malt, entspricht der Einsicht, daß nur der totale Verzicht auf die Kunst die
Gewähr dafür bietet, das Leben zum Kunstwerk zu machen.

Der neue Hedonismus, die Wildesche Fassung des Ästhetizismus der
Jahrhundertwende, folgt nicht aus der maßlosen Liebe zur Kunst, er setzt
ihre tiefste Verachtung voraus. Die Genugtuung Lord Henrys darüber, daß
Dorians Leben zur Kunst stilisiert ist, straft zugleich seine Behauptung
Lügen, Dorian verfüge über die Macht, sich auszuleben. Die Verheißung
Lord Henrys, Dorian habe die Möglichkeit »to live really, perfectly, and
fully«, die das aufklärerische Postulat der Selbstverwirklichung noch in deren
Perversion festzuhalten scheint, wird schließlich in seiner Zufriedenheit
darüber dementiert, daß Dorian nichts aus sich geschaffen hat (»you have
never [...] produced anything outside of yourself«). Diese Unfruchtbarkeit
ist es, die in den zum Bild erstarrten Zügen Dorians zum Ausdruck kommt.
Nicht so sehr der makellosen Schönheit seiner Gesichtszüge als vielmehr ihrer
jahrelangen Unveränderlichkeit gilt die Bewunderung Lord Henrys und der
Gesellschaft der Décadents, die sich um Dorian versammelt. Die unverändert
schönen Züge Dorians bestätigen Lord Henry immer aufs neue die Untätigkeit Dorians, seinen Verzicht auf jede Selbstverwirklichung, auf jede Konturierung seines Ich, die die Bedingung dafür ist, daß Dorians Leben Lord
Henrys Kunstwerk ist. Das zeitlos schöne Gesicht bezeichnet ungeachtet
aller exotischen Erlebnisse die tatsächliche Erfahrungslosigkeit Dorians.
Wenn er schließlich, bevor er sein Porträt zerstört, seinen Spiegel zertrüm-
mert, so auch deshalb, weil er ihm als Leblosigkeit zum ersten Mal vor Augen
führt, was er bis dahin für seine unwandelbare Schönheit gehalten hatte.

5   Spiegel und Bild

In Spiegel und Bild wird Dorian Grays Identitätskonflikt gegenständlich. Solange Dorian das fertige Porträt nicht gesehen hat, ist er der Identität seiner naiven Schönheit sicher. Mit dem Blick auf das Bild aber setzt der Identitätskonflikt ein. Das Bild, erkennt er, ist nur »part of myself«. Dorian wird im Bild zweier, einander widerstreitender Identitätsangebote ansichtig, für die Basil und Lord Henry einstehen. Zu Recht spricht Dorian daher das Bild schuldig, sein Leben zerstört zu haben. Und der Maler irrt, wenn er an Dorian »the harmony of soul and body«, »all the passion of the romantic spirit, all the perfection of the spirit that is Greek« (S. 17) zu erkennen meint. Mit Entsetzen gesteht er diesen Irrtum ein, als er das zerstörte Bild wiedersieht. Dorian genießt es, im Spiegel seine körperliche Schönheit und im Bild seine Seele zu betrachten, bis ihm die immer größer werdende Disparatheit seines Ich unerträglich wird. »I am tired of myself tonight. I should like to be somebody else«, erklärt er Basil, der mit ihm über Dorian Gray sprechen will. (S. 166) Er muß den Spiegel zerstören, weil er ihm seine Schönheit zeigt, eine Schönheit, vor der ihm ekelt, da sie ihn zugrunde gerichtet hat. Und er muß das Bild zerstören, weil er sich von der Beseitigung des einzigen Zeugen seiner monströsen Taten die Absolution verspricht. Nacheinander vernichtet Dorian den Spiegel und das Bild, denn in keinem kann und will er sich mehr erkennen; in jedem von beiden wird er sich der Zerrissenheit seines Ich bewußt, der Kluft, die seine makellose Schönheit und seine schuldbeladene Seele trennt.

Mit dem Bild zerstört Dorian zugleich sich selbst. Der Roman hat die symbolische Auslegung dieses Vorgangs ausdrücklich vorgeschrieben, wohl weil seinen Verfasser die eigene Darstellung nicht überzeugte. »As [the knife] had killed the painter, so it would kill the painter's work, *and all that that meant*. It would kill the past, and when that was dead he would be free. It would kill this monstrous soul-life, and without its hideous warnings, he would be at peace.« (S. 247) (Hervorhebung P. J.) Dorians schöne Züge präsentieren in den Salons, die er besucht, nichts als Basils Porträt. Dorian ist zum lebenden Bild geworden. Das Bild aber hat seine Gestalt angenommen; indem er es zerstört, zerstört er sich selbst. Wie in einem Tableau wird am Schluß des Romans in der makellosen Schönheit des wiederhergestellten Porträts an der Wand und der Unkenntlichkeit des Toten noch einmal die Zerrissenheit des Individuums zur Anschauung gebracht. Auf drastische Weise symbolisiert die Unkenntlichkeit des Toten Dorians totalen Identitätsverlust. »It was not till they had examined the rings that they recognized who it was.« Die Ringe, die einzig ihn zu identifizieren erlauben, sind in ihrer Kostbarkeit zugleich die Insignien seiner ästhetischen und sozialen Distinktion.

Was verursacht Dorians Untergang? Nicht so sehr die Schönheit, über die ihn Lord Henry belehrt, sondern daß er sich in sie verliebt. Wildes Schwärmerei für Narkissos ist bekannt, [14] und bekannt sind auch die Passagen des Romans, die Dorian als Narziß beschreiben. Lord Henry nennt ihn Adonis, Basil hat ihn als Adonis gemalt und als Jüngling, der sich im Wasser spiegelt. An anderer Stelle heißt es: »Once, in a boyish mockery of Narcissus, he [sc. Dorian] had kissed, or feigned to kiss, those painted lips that now smiled so cruelly at him.« (S. 119) Unübersehbar ist der Mythengestalt auch nachgebildet der Zusammenhang von verschmähter Liebe und dem Fluch einer unstillbaren Liebe zu sich selbst, mit der sie bestraft wird. Die Zurückweisung Sybils, die ihren Tod verursacht und die als erste Schuld Dorians im Bild sichtbar wird, verstärkt nur den Zwang, sich immer wieder in ihm zu betrachten. Schließlich muß sich Dorian eingestehen, daß ihn die unerfüllbare Liebe zu sich selbst zerstört. »›I wish I could love‹, cried Dorian Gray, with a deep note of pathos in his voice. ›But I seem to have lost the passion, and forgotten the desire. I am too much concentrated on myself. My own personality has become a burden to me. I want to escape [...]‹« (S. 226)

Dorian beklagt die Unfähigkeit, etwas außer sich zu lieben. In der narzißtischen Selbstbeziehung wird er sich zur Last. Alle noch so bizarren Anstrengungen, die er unternimmt, um Neues zu erfahren, belehren ihn darüber, daß er nichts und niemanden außer sich selbst lieben kann. Das schöne Bild seiner selbst, in das er verliebt ist, muß er schließlich hassen, da es ihn zugrunde gerichtet hat. Das Häßliche und Monströse lernt Dorian weniger deswegen kennen, weil der Ästhet sich auch diesen Genuß nicht entgehen lassen will; vielmehr bricht das aus der Selbstbeziehung, aus der Beziehung Dorians zum Bild verbannte Häßliche – für ihn Synonym der Realität – in die Welt des Ästheten ein und zerstört sie. Was Hofmannsthal über den Ästheten Wilde schrieb, war zugleich mit Rücksicht auf Dorian Gray formuliert: »Unablässig forderte er das Leben heraus. Er insultierte die Wirklichkeit. Und er fühlte, wie das Leben sich duckte, ihn aus dem Dunkel anzuspringen.« [15]

6 › Dorian Gray‹ und › Die Frau mit dem Dolche‹

Die Virtuosität, mit der Wilde in *Dorian Gray* die Klaviatur der Schauerromantik handhabt, kann nicht darüber hinwegtäuschen, mit welcher Strenge in ihm der Immoralismus, dem Vorwort zum Trotz, zur Rechenschaft gezogen wird. [16] Das Schicksal ereilt den Helden um seiner Missetaten willen mit einer Unerbittlichkeit, die dem barocken Trauerspiel entliehen sein könnte. So erinnern sein schönes Spiegelbild und das durch Züge des Grauens entstellte Porträt an die beiden Gesichter der Frau Welt. »What the worm was to the corpse, his sins would be to the painted image on the canvas.« (S. 133) Die Sünden, die Dorian dem Porträt als seinem Stellvertreter zu übertragen gedachte, holen ihn ein. Die Prophetie des Immoralismus und jenes Begriffs der Schönheit, der ihn zugleich lizensiert und verklärt, endet mit seinem Fall, der dem memento mori nicht fern steht.

Was dennoch daran hindert, den Roman moralistisch von seinem Ende her zu lesen, so als würden die Sünden, die der Held begeht, mit alttestamentarischer Strenge bestraft, ist der augenfällige Affront gegen den »harsh, uncomely puritanism« seiner Tage (S. 146), den Wilde im Sinn hatte. Die Monstrositäten des Romans sind nicht à la lettre zu nehmen, sondern unterm Aspekt ihrer provokatorischen Funktion.

Liest man Schnitzlers Einakter *Die Frau mit dem Dolche* auf dem Hintergrund von Wildes Roman, so fällt ins Auge, daß beide Werke bei aller Verschiedenheit von der Selbstidentifizierung im Bild handeln. Sie gehen davon aus, daß ihren Hauptfiguren die Identität durch die Kunst – Dorian durch das Porträt Basils, Pauline durch das Schauspiel ihres Mannes – genommen wurde, insofern sie zum bloßen Anlaß der Kunst instrumentalisiert wurden. Dorian und Pauline-Paola fürchten, nur um der »Fordrung eines Bildes« willen geliebt zu werden, im Augenblick seiner Vollendung aber schon gleichgültig zu sein. Um sich dieser Rolle, Anlaß für die Kunst zu sein, neben der sie nichts gelten, zu entledigen, suchen sie ihre Identität – wiederum in der Kunst. Im Bild hoffen sie die Identität zu finden, die die Kunst ihnen raubte, indem sie sie instrumentalisierte. Die Herabsetzung durch die Kunst führt nicht etwa dazu, in realen Erfahrungen eine Identität zu konstituieren, sondern zur Anverwandlung des Lebens an die Kunst. »Life has been your art«, kann sich Dorian am Ende sagen lassen«, und »mein Lebend' ges bebt in jedem Bild« ist der Wunsch, von dem die Heldin Schnitzlers besessen ist. Der Primat des Ästhetischen gegenüber der Realität ist unbestritten; unter den Modi möglicher Identitätsfindung ziehen die Helden allein die vermittels des Bildes, nicht eine der Realitätserfahrung in Betracht. Dorian nimmt Sybil als Künstlerin, als Shakespeares Julia wahr; als Mädchen, das ihn liebt, bedroht sie sein ästhetisches Dasein. Darum weist er sie ab. Ähnlich werden in Schnitzlers Stück mögliche reale Erfahrungen durch ästhetische ersetzt. Wenn Pauline schließlich auf eine Beziehung zu Leonhard sich einzulassen gewillt ist, so wiederum nur im Interesse der Kunst. Die Negation der durch die Kunst fragwürdig gewordenen Identität soll wiederum Sache der Kunst sein. Die ästhetizistische Befangenheit, die beide Werke ihren Protagonisten gleichermaßen bescheinigen, wird deutlich auch an den Bildern, in denen sie sich zu erkennen suchen. Beide zeigen einsame Individuen; in ihnen sind nicht mehrere Personen abgebildet, deren Betrachtung dem Helden erlaubte, sich selbst zu erkennen. Das eine Porträt bildet nur Dorian Gray ab, das zweite eine Frau, die sich gerade eines andern gewaltsam entledigt hat. Es scheint, als sei auch solchermaßen die Selbstidentifizierung im Bild als Schule asozialen Verhaltens kenntlich gemacht.

Mit Wilde stimmt Schnitzlers Stück auch darin überein, daß es die Vollendung des Bildes an die Bedingung der Amoral knüpft. Diese manifestiert sich neben der Herabsetzung des Modells durch den Maler, das ihm mit der Fertigstellung des Werks als quantité négligeable erscheint, vor allem im Verbrechen oder doch in der Koketterie mit seiner Möglichkeit. Für die Vollendung des Bildes von Dorian Gray ist die Verkündung des Immoralismus durch Lord Henry, wie gezeigt wurde, die unerläßliche Voraussetzung, darum auch ist sie ins Bild eingegangen. Schnitzlers Stück hat dies Moment augenscheinlich schärfer pointiert. Er stellt den Mord, den Paola an ihrem Liebhaber begeht, als die Bedingung der Möglichkeit dar, daß Remigio sein Bild vollenden kann. Der Zusammenhang von Kunst und Amoral bzw. Verbrechen ist zu den Motiven zu rechnen, die im Kontext der zeitgenössischen Renaissance-Begeisterung Wilde wie auch Schnitzler bewogen haben mögen, die Verhandlung ihres Themas in die Renaissance zu verlegen oder ihr doch wesentliche Elemente zu entleihen.

Die Amoral als Entstehungsbedingung der Bilder hat in der Logik der Werke auch den Bann zu begründen, den sie auf den Betrachter ausüben. Das mit gebieterischer Erwartung annoncierte oder tatsächlich begangene Verbrechen wird in den Bildern nicht neutralisiert; es lebt in den fatalen Folgen fort, die sie für den haben, der sich in ihnen betrachtet. Die Selbstidentifizierung im Bild führt notwendig zum Bann durch das Bild, zur Erstarrung, wie sie die unveränderlich schönen Gesichtszüge Dorians zeigen und die stumme Pose, in der Paola bzw. Pauline verharrt. Dorians Gesichtszüge wie Paulines Pose demonstrieren, daß der Versuch der Selbstidentifizierung im Bild zum lebenden Kunstwerk führt, d. h. aber zum totalen Identitätsverlust in der Erstarrung.

Während Oscar Wilde Dorians Leben als Kunst bis zu seinem Selbstmord zu Ende erzählt, gestattet Schnitzlers Einakter seiner Heldin nur, von der durch das Bild vermittelten Identität zu träumen, freilich so, daß die fatalen Konsequenzen dieses Traumes sichtbar werden. Es scheint, als sei es nach Oscar Wildes *Dorian Gray* nicht nötig gewesen und in Wien auch nicht möglich, die Aussichtslosigkeit der Identitätsfindung im Bild noch einmal unter Aufbietung des gesamten ästhetizistischen und exotischen Arsenals darzustellen. Überdies fehlten in Wien, das am Rande imperialistischer Machtentfaltung blieb, im Unterschied zu London die historischen Voraussetzungen, ohne die Dorian Grays Schwelgen in den exotischen Möglichkeiten seiner selbst nicht denkbar ist. Die liberale Kultur Wiens hat weniger vehemente Proteste und andere Formen der Auseinandersetzung mit dem Ästhetizismus entstehen lassen als in London der asketische Puritanismus der spätviktorianischen Ära.

Zwar kommen Oscar Wildes *Dorian Gray* und Schnitzlers *Frau mit dem Dolche* wie auch die frühen Dramen Hofmannsthals im Protest gegen den Bourgeois der Industriegesellschaft am Ende des Jahrhunderts überein. Die

Helden, die in *Dorian Gray* als Paradigma der englischen Décadence und im frühen Œuvre Schnitzlers und Hofmannsthals, das als repräsentativ für die Wiener Literatur um 1900 gelten kann, entworfen werden, sind Gegenfiguren zum Bürger, der nicht bekämpft, sondern bestenfalls verachtet wird. Dorian Gray wie auch Anatol ignorieren das Arbeits- und Leistungsethos durch andauernde Untätigkeit. Eine ungewöhnliche Krankheit, und sei sie auch eingebildet, ist banaler Gesundheit tausendmal vorzuziehen, schon deshalb, weil sie Distinktion verspricht. Der trivialen, wo nicht vulgären Lebensweise des Bürgers wird ein exklusiver Ästhetizismus entgegengesetzt, wie ihn eindrucksvoll der abgeschlossene Garten der Kunstwelt Tizians hoch über dem großstädtischen Leben Venedigs in Hofmannsthals *Tod des Tizian* anschaulich macht. [17] Darüber hinaus aber konterkariert diese Literatur bürgerliche Wertvorstellungen in zwei andern Punkten. Mit einem offensiven Kult der Künstlichkeit trifft ihr Hohn die »Naturseligkeit des Bürgers«, die ihn seit Rousseau nicht mehr verlassen hat und mit erotischen sujets, zu schweigen von einem ausgesuchten Repertoire sexueller Perversionen, werden die moralischen Wertvorstellungen des Bürgers außer Kraft gesetzt. [18]

Wenn auch Décadence und Wiener Literatur in der Opposition gegen das gründerzeitliche Bürgertum übereinstimmen, fällt doch ins Auge, daß Schnitzler diese Opposition in anderen Formen und weit weniger radikal zur Geltung bringt als Oscar Wilde. Dominiert bei Wilde der elitäre Habitus des Aristokraten, der mit dem Bourgeois der Gründerzeit nichts zu schaffen haben will, fühlen sich die Figuren Schnitzlers eher zur Subkultur der Bohème hingezogen, zu der sie vielfältige Beziehungen unterhalten. Während die Décadents, wie sie Wilde beschreibt, mit ihren Exotismen, Verruchtheiten und Perversionen die geltenden bürgerlichen Normen oder vielmehr das, was sie dafür halten, ›von oben her‹ in Frage stellen, [19] erfolgt die moderierte Kritik des Bourgeois in den Dramen und Erzählungen Schnitzlers überwiegend ›von unten‹, aus der Wahrnehmung der Bohème. Beide, Décadence und Bohème, bleiben über den Gestus des Affront oder der Indignation hinweg an die Bourgoisie der Gründerzeit negativ fixiert.

1 Abweichung vom konventionalisierten Selbstbild

Als Schnitzlers Erzählung *Leutnant Gustl* im Jahr 1900 in der Weihnachtsbeilage der Wiener *Neuen Freien Presse* erschien, rief sie sofort Erregung und Entsetzen bei denen hervor, denen es zuweilen berufsmäßig obliegt, Erregung und Entsetzen hervorzurufen, bei den Militärs. Nachdem ein gewisser Gustav Davis in der »Reichswehr« Schnitzler überaus heftig angegriffen hatte, erging kurz darauf ein »Befehl des k. k. Landwehrergänzungsbezirkskommandos Nr. 1«, der »Seine Hochwohlgeboren« den »k. u. k. Oberarzt im Verhältnis der Evidenz Arthur Schnitzler« aufforderte, bekanntzugeben, »ob er der Verfasser des am 25. Dezember 1900... erschienenen Feuilletons ›Leutnant Gustl‹ sei. [1] Schnitzler gab seine Autorschaft zu, bestritt jedoch dem Bezirkskommando das Recht, ihn wegen der Veröffentlichung einer Novelle in einem Ehrengerichtsverfahren zu belangen. Daraufhin faßte der »Ehrenrat für Landwehroffiziere und Kadetten Wien« den folgenden Beschluß: »der beschuldigte Oberarzt hat die Standesehre dadurch verletzt, daß er als dem Offiziersstande angehörig eine Novelle verfaßte und in einem Weltblatte veröffentlichte, durch deren Inhalt die Ehre und das Ansehen der österr. ung. Armee geschädigt und herabgesetzt wurde, sowie daß er gegen die persönlichen Angriffe der Zeitung ›Reichswehr‹ keinerlei Schritte unternommen hat.«

Schnitzler verlor seinen Offiziersrang und wurde zum einfachen »Sanitätssoldaten des k. u. k. Landsturms« degradiert.

Das Urteil erregte großes Aufsehen. Begeisterte Zustimmung fand es vor allem in nationalistischen und antisemitischen Kreisen. Die *Österreichische Volkspresse* verteidigte die Armee gegen die (wie sie es nannte) »Schunderzeugnisse dieses Juden« mit den Worten: »Wir sagen: ›*Unsere Armee*‹ denn diese, den Ehrbegriff und die Mannesvorzüge verkörpernde Einrichtung ist durch und durch eine arische, daher dem jüdischen Wesen strikt entgegengesetzt und den Hebräern von Grund aus verhaßt.« Die *Deutsche Zeitung* verlangte gar eine noch weitergehende Bestrafung Schnitzlers: »Wir glauben, daß für ein Subjekt, das so niedriger Denkungsart fähig ist, daß es sich davor nicht scheut, den Stand, dem anzugehören es gewiß nicht würdig war, zu besudeln und in den Augen anderer herabzusetzen, ein moralischer Fußtritt viel zu wenig ist.«

An der Heftigkeit dieser Reaktionen läßt sich ermessen, wie nachhaltig die

Betroffenheit gewesen sein muß, die Schnitzlers Erzählung auslöste. Sie war offenbar so groß, daß Teile des zeitgenössischen Publikums sich nurmehr unzureichend über ihre Ursache Rechenschaft abzulegen vermochten. Denn allenfalls einem sehr oberflächlichen Verständnis wird *Leutnant Gustl* als Kritik der Armee, der Duelle und des Antisemitismus erscheinen. Zwar ist nicht zu leugnen, daß die Novelle Elemente einer solchen Kritik enthält, aber sie wird in ihr gleichsam nebenbei vorgetragen und ist nicht eigentlich thematisch. Es scheint, als hätten die skandalisierten Zeitgenossen, wie es oft geschieht, das Skandalon nicht recht begriffen. Vielleicht wird man auch umgekehrt folgern dürfen, daß sie sich die Wahrheit nicht eingestehen mochten, die sie in ihrer Aufregung beinahe schon begriffen hatten.

Denn begriffen hatten sie immerhin, daß Schnitzler mit der Gestalt des jungen Leutnants eine Leitfigur der Epoche in den Mittelpunkt seiner Erzählung stellt. [2] Wenn es für jede Gesellschaft einen Sozialcharakter gibt, der, ohne daß sie es wollen oder bemerken, für die meisten der übrigen Gesellschaftsmitglieder als Vorbild gilt, so scheint dies für die österreichische fast ebenso wie für die preußische Gesellschaft der Jahrhundertwende der jugendliche Leutnant gewesen zu sein. [3] An ihm, so wird man annehmen dürfen, orientierten sich die Zeitgenossen auch und gerade dort, wo sie aus inneren oder äußeren Gründen so wenig mit ihm übereinzustimmen vermochten, wie die Mehrzahl von uns mit dem in unserer Gesellschaft propagierten Ideal des dreißigjährigen, verheirateten, städtischen, gebildeten, psychisch ausgeglichenen, heterosexuellen Vaters einer vierköpfigen Familie übereinstimmt. [4]

Die Wut der Zeitgenossen kann also nicht eigentlich durch die Themenwahl der Novelle bedingt gewesen sein. Sie muß viel eher auf Schnitzlers besondere Behandlung dieses Themas zurückgeführt werden. Denn die Erzählung vom *Leutnant Gustl* zeigte zwar eine Leitfigur der Epoche, aber sie bot den zeitgenössischen Lesern nicht die Außenansicht dieser Figur, mit der sie sich nur zu bereitwillig identifiziert hätten, sondern eine Innenansicht, von der sie sich angeblich nichts hatten träumen lassen.

Den inneren Monolog, den Schnitzler mit dieser Novelle in die deutsche Literatur einführte, hatte er kurz zuvor durch Dujardins Erzählung *Les lauriers sont coupés* kennengelernt. [5] Indem er ihn hier konsequent als Stilmittel verwendete, konnte er zeigen, wie seine Hauptfigur ohne jede Rücksicht auf andere vor sich selbst erscheint. An dieser Wendung der Erzählung ins Innere des Helden scheinen die Zeitgenossen, ohne daß sie es hätten benennen können, den meisten Anstoß genommen zu haben. Denn die Wendung nach innen verletzte eine Grundregel des sozialen Anstands, die damals ebenso galt wie heute, obwohl sie inzwischen an Verbindlichkeit verloren haben dürfte. Diese Regel legt fest, daß das Bild, das jemand durch sein Benehmen von sich entwirft, nur in Extremfällen von anderen hinterfragt werden darf. Und selbst dann darf dies höchstens für Augenblicke und nur in Bezug auf ein bestimmtes Verhalten oder auf bestimmte Argumente, keineswegs jedoch prinzipiell und durchgängig geschehen. Denn im allgemeinen, so wird unterstellt, versucht jeder, in seinem sozialen Handeln sein Selbstbild mit dem, was andere von ihm erwarten, zur Deckung zu bringen. Diese naive Unterstellung in der einfachen sozialen Interaktion und Wahrnehmung führt, da sie von den Interaktionsteilnehmern jeweils wechselseitig vorgenommen wird, zu einer scheinbar verläßlichen Reflexivität der Erwartung von gesellschaftlichen Erwartungen.[6] Sie wird durchkreuzt, sobald derlei Erwartungserwartungen prinzipiell und methodisch in Frage gestellt werden. Dann wird nämlich die Naivität der Gleichsetzung des Selbstbildes mit dem Bild deutlich, das eine Person von sich bei anderen herzustellen bemüht ist.

Schnitzler hat mit dem inneren Monolog diese konventionalisierte Gleichsetzung konsequent durchbrochen. Durch die Wahl dieses Stilmittels gelang es ihm scheinbar mühelos, hinter das Bild zu leuchten, das die Hauptfigur seiner Novelle von sich in den Köpfen anderer zu entwerfen versucht. Da dieses Bild weithin mit dem identisch gewesen sein dürfte, das die Kritik erwartete, zog er sich deren Zorn zu. Der wird umso heftiger gewesen sein, als er einen Leutnant in den Mittelpunkt seiner Erzählung gestellt hat. Denn damit konnte die kaum offenbare Verletzung einer psychischen Anstandsregel zur scheinbaren Verletzung einer sozialen Ständeklausel ausgeweitet oder gar uminterpretiert werden. Es kam dann nicht mehr darauf an, daß Schnitzler hinter der Charaktermaske des Leutnants einige wesentliche psychologische und soziologische Dimensionen der Identität nachgezeichnet hatte, sondern einzig darauf, daß er mit dieser Figur die Ehre der k. u. k. Armee beschmutzt zu haben schien.

Nun ist freilich die Ehre unter bestimmten gesellschaftlichen Bedingungen selbst eine wesentliche psychologische und soziologische Dimension der Identität. Ihre berühmteste Definition, die Hegel in den *Vorlesungen über die Ästhetik* gegeben hat, lautet: »Indem nun die Ehre nicht nur ein Scheinen in *mir* selber ist, sondern auch in der Vorstellung und Anerkennung der *anderen* sein muß, welche wiederum ihrerseits die gleiche Anerkennung ihrer Ehre fordern dürfen, so ist die Ehre das schlechthin *Verletzliche*.«[7] Die Ehre definiert also das Ausmaß und die Punkte der Verletzlichkeit im Blick auf andere, einer Verletzlichkeit, die von den Betroffenen als Beschmutzbarkeit erfahren wird.

In Schwierigkeiten führt diese Bestimmung aber, sobald aus ihr gefolgert werden soll, wie groß dieses Ausmaß der Verletzlichkeit ist und wo die Punkte der Beschmutzbarkeit jeweils liegen. Dann nämlich zeigt sich, daß die prekäre Balance wechselseitiger Anerkennung inhaltlich ebensowenig etwas Bestimmtes auszumachen erlaubt wie die reine Willkür, die Hegel für den Inhalt der Ehre verantwortlich zu machen sucht, sondern daß soziale Standards das Ausmaß und die Punkte der Beschmutzbarkeit und Verletzlichkeit einer Person festlegen. Um eben diese Standards geht es in Schnitzlers Novelle.

Die Geschichte selbst ist trivial: Im Foyer eines Konzertsaals provoziert ein Leutnant einen Bäckermeister und wird von diesem in einer Weise beleidigt, die es ihm unmöglich macht, sich zu wehren. Der Leutnant beschließt daraufhin, sich umzubringen, weil er sich, solange der Bäckermeister lebt, der selbst nicht satisfaktionsfähig ist, um seine Ehre gebracht fühlt. Durch einen Zufall erfährt der Leutnant aber, daß den Bäckermeister in der gleichen Nacht der Schlag getroffen hat. Das erlaubt ihm, weiterzuleben, und noch am selben Tag zu einem Duell mit einem Juristen aufzubrechen, den er kurz zuvor gefordert hat, weil er ihn für einen Sozialdemokraten hielt, der sich abfällig über die Armee zu äußern schien.

Die Geschichte ist also eher nichtssagend. Wesentlich ist an ihr, wie sie die Unsicherheit des Leutnants in Bezug auf die inhaltliche Bestimmung seiner Ehre vorführt. Dieser Reflexionsprozeß soll im folgenden mikrosoziologisch, literaturtheoretisch und psychoanalytisch interpretiert werden. Zuvor aber muß die Situation genauer untersucht werden, die Leutnant Gustl als Ehrverletzung empfindet.

2   Mikrosoziologie einer Beleidigung

Nach dem Konzert, in das er nur ungern gegangen ist und in dem er sich gelangweilt hat, fühlt Gustl sich gereizt. Bereits auf dem Weg zur Garderobe reagiert er innerlich aggressiv auf die übrigen Konzertbesucher, die ihn, wie er meint, daran hindern, den Ort, an dem er sich unwohl fühlt, möglichst rasch zu verlassen. Er sagt sich: »Wie lang' wird der da noch brauchen ... Warum drängt denn der Idiot hinter mir? Das werd ich ihm abgewöhnen ... Na, hab'n Sie keine Augen?« (S. 342f.) [8] Zugleich fühlt er sich dadurch frustriert, daß Steffi, seine Geliebte, ihm für den Abend abgesagt hat. Seine ihm kaum bewußte Aggressivität steigert sich, als er bemerkt, daß eine junge Frau, der er hat nachsteigen wollen, direkt vor seinen Augen von einem anderen abgeholt wird.

Unmittelbar darauf kommt es zu dem Zusammenstoß mit dem Bäckermeister. Beide stehen im Gedränge an der Garderobe. Gustl versucht in dem Augenblick, als er seine Garderobenmarke bereits abgegeben und seinen Mantel eben in Empfang genommen hat, den Bäckermeister beiseite zu drängen. Der fordert ihn mehrmals auf, Ruhe zu bewahren und nicht zu drängeln. Gustl antwortet: »Halten Sie das Maul!« (S. 343) und weiß im gleichen Moment schon, daß er zu weit gegangen ist. Denn jetzt erkennt er, wen er vor sich hat. »Donnerwetter, das ist ja der Bäckermeister, der immer ins Kaffeehaus kommt. [...] Ja, was ist denn das? Ja, was macht er denn? Mir scheint gar ... ja, meiner Seel', er hat den Griff von meinem Säbel in der Hand ... Ja, ist der Kerl verrückt? ... »Sie Herr ...« »Sie, Herr Leutnant, sein S' jetzt ganz stad.« Was sagt er da? Um Gottes willen, es hat's doch keiner gehört? Nein,

er red't ganz leise ... Ja, warum laßt er denn meinen Säbel net aus? [...] »Herr
Leutnant, wenn Sie das geringste Aufsehen machen, so zieh' ich den Säbel aus
der Scheide, zerbrech' ihn und schick' die Stück' an Ihr Regimentskommando. Versteh'n Sie mich, Sie dummer Bub?« (S. 343).

Bemerkenswert an dieser Szene ist zunächst, daß sich der Bäckermeister
weigert, sich den sozialen Bezugsrahmen der Situation durch den gesellschaftlich höherstehenden Leutnant vorgeben zu lassen. Nach dessen Auffassung verkehren beide zwar an den gleichen Orten, im Kaffeehaus oder im
Konzertsaal, können wohl auch gelegentlich miteinander reden, aber sie bilden wegen des Standesunterschieds zwischen ihnen nicht eigentlich ein »Miteinander«. [9] An der Garderobe im Foyer stehen sie, wie er meint, zwar in
einer Reihe, aber nicht auf einer Stufe. Im Grunde kann Gustl die egalitäre
Abfolge des Reihenprinzips nicht akzeptieren. Für ihn ist die »Einnahme
eines Platzes in einer Reihe« nicht zu trennen von der »Inanspruchnahme
eines sozialen Ranges«. [10] Auch unabhängig von der gereizten Stimmung,
in der er sich befindet, glaubt er sich berechtigt, sich als Offizier gegenüber
einem Zivilisten Platz zu verschaffen; denn nach seiner Auffassung hängt
seine Existenz davon ab, daß man ihn in einer Hierarchie beachtet. Der
Bäckermeister hingegen fügt sich dem Reihenprinzip, das die Abfolge der
sozialen Ansprüche nicht nach hierarchischen Gesichtspunkten organisiert,
sondern durch ein numerisches Nacheinander egalisiert. Er fühlt sich daher
vollkommen im Recht, wenn er den Anspruch des Leutnants, ihm Platz zu
machen, mehrmals gelassen zurückweist, ohne sich nach ihm umzudrehen
und ihn als Offizier identifizieren zu können. Erst als Gustl ihm mit dem Satz
»Sie, halten Sie das Maul!«, die dieser Situation angemessene Möglichkeit
des verbalen Protests gegen eine territoriale Übertretung bestreitet, fühlt er
sich herausgefordert.

Er reagiert unerhört schnell und nützt die Verblüffung Gustls aus, einen
Bekannten provoziert zu haben. Im selben Augenblick, wo er ihn erkennt,
hindert er Gustl daran, seine soziale Überlegenheit symbolisch unter Beweis
zu stellen. Und zwar tut er dies gleich auf doppelte Weise. Indem er ihm, ohne
Aufsehen zu erregen, leise und gleichsam unter vier Augen antwortet, schließt
er die Öffentlichkeit aus [11], vor der die Provokation zunächst stattgefunden
hatte. Zugleich hält er den Säbel des Leutnants fest und hindert ihn dadurch
daran, die symbolische Drohgebärde auszuführen, mit der dieser aufgrund
des von seiner Duellmoral notwendig beanspruchten Gewaltmonopols physische Sanktionen in Aussicht stellen könnte. Er blockiert also Gustls sprachliche ebenso wie seine handlungsmäßige Reaktionsmöglichkeit. Indem er ihm
beide Wege verlegt, beschneidet er ihm faktisch jede Dimension der Selbstdarstellung. Da nun aber die Ehre wesentlich eine eigenmächtige Repräsentation des Selbst vor anderen voraussetzt und erfordert, muß Gustl, der sich
buchstäblich nicht mehr rühren kann, die Situation als in höchstem Maße
ehrenrührig auffassen.

Unterstützt wird die Strategie des Bäckermeisters durch äußere Bedingungen. Denn das Foyer eines Konzertsaals stellt eine prinzipiell andere Öffentlichkeit dar als es die ist, in der man seine Ehre verteidigen kann und muß. Wenn nämlich die Ehre nach Hegels Beobachtung »das schlechthin Verletzliche« ist [12], so erfordert sie permanente Aufmerksamkeit. Sie muß ständig vor anderen als eine Identität gewährende Schutzhülle der Unantastbarkeit einer Person ausgestellt werden. Sie verweist mithin auf eine repräsentative Öffentlichkeit. [13] In ihr allein kann sie angemessen auftreten. Ein Theaterfoyer ist nun aber keine repräsentative, sondern eine anonyme Öffentlichkeit. In ihm wird dem einzelnen unabhängig von seinem Status nur dann Beachtung zuteil, wenn er die normativen Erwartungen der übrigen Anwesenden durchbricht, die gerade darauf hinauslaufen, ihn nicht sonderlich zu beachten. Während also der Bäckermeister »die Verhaltensstandards, durch deren Beibehaltung man die Achtung vor der gegenwärtigen Situation ausdrückt« [14], weiter respektieren will, versucht Gustl, eine repräsentative Öffentlichkeit herzustellen, ohne nach dem Eingreifen des Bäckermeisters über die Repräsentation der Gewaltmittel verfügen zu können, durch die allein sie sich konstituiert.

Die Anonymität der sozialen Situation hatte er schon während des Konzerts nur mit Mühe ertragen. Während ihm die repräsentative Musikrezeption von Oper und Operette vertraut ist, bei der der Zuschauer ebenso sehr gesehen wird, wie zu sehen hat, fühlt er sich unwohl angesichts der selbstversunkenen Andacht, die das Oratorium seinen Hörern abverlangt. Wer gewohnt ist, sein Leben nach den Forderungen eines Ehrenkodex einzurichten, muß es gelernt haben, sich jederzeit mit den Augen anderer zu sehen. [15] Weil er meint, daß sich sein Selbstbild nicht von dem Bild unterscheidet, das andere ihm von ihm selbst übermitteln, wird er ohne die Aufmerksamkeit der anderen nervös oder unsicher. Respektiert zu werden, bedeutet für ihn die Möglichkeit, seine Identität auf dem Umweg über andere zu gewinnen. Wer nach den Begriffen der Ehre lebt, unterliegt notwendig einem heteronomen Über-Ich. [16] Die anderen sind ihm in seinem Lebensprozeß Zeugen und Richter zugleich. Er kann ohne sie nicht leben. Daher ist es ihm unmöglich, über längere Zeit hinweg zwar nicht allein, wohl aber einsam zu sein.

Denn Einsamkeit ist für ihn mit dem Verlust seiner Ehre identisch, weil sie einen Verzicht auf die fortdauernde Beachtung und Billigung seines Handelns durch andere erzwingt. Daher sucht denn auch Gustl, sobald er glaubt, seine Ehre verloren zu haben, die Einsamkeit auf. Er begibt sich in den Prater und verbringt einen Teil der Nacht als »obdachloser Leutnant« (S. 351) auf einer Parkbank. Er tut dies, um vor anderen, vor allem aber auch vor sich selbst den Beweis dafür anzutreten, daß er mit dem Verlust seiner Ehre eigentlich schon aufgehört hat zu existieren. Sobald ihn keiner mehr sieht, so meint er, kann er auch in seinen eigenen Augen zu einem Niemand werden. Er antizipiert gleichsam seinen Selbstmord, indem er sich sozial totstellt. [17] Das bietet ihm die Möglichkeit, sich nicht sofort umbringen zu müssen, sondern zunächst einmal nachdenken und sich in seinen Reflexionen immer erneut Aufschub gewähren zu können.

3 Funktion des inneren Monologs

Der innere Monolog, das ist Schnitzlers genialer Kunstgriff, ist der Handlung an keiner Stelle äußerlich, sondern stets unmittelbar durch sie bedingt. Er setzt ein während des Konzerts, in einer sozialen Situation also, in der auf Seiten des Publikums jede direkte Interaktion mit anderen normativ suspendiert ist. Gustls Motorik ist in dieser Lage zwangsweise stillgestellt; er ist der optischen Anonymität und der akustischen Rezeptivität des Konzertsaals ausgeliefert, ohne diese genießen oder wenigstens jene ertragen zu können. Ihm bleibt unter diesen Umständen einzig die Möglichkeit, über die Unmöglichkeit seiner Lage nachzudenken. Schon hier ist der innere Monolog eine Reflexion wider Willen. Er wird dies vollends nach der Dialogpartie, die den Zusammenstoß mit dem Bäckermeister schildert. Sie ist ebenso wie der Dialog mit dem Kellner am Ende der Novelle auf höchst kunstvolle Weise durch Formeln wie »Was sagt der Kerl?« (S. 343) an den Monolog gebunden. [18]

Läßt sich die Zerstreutheit der Assoziationen Gustls während des Konzerts noch durch die Vergeblichkeit seines Bestrebens rechtfertigen, sich der für ihn unerträglichen Umgebung wenigstens in Gedanken zu entziehen, so zeigt sich im zweiten Teil seines Monologs, daß er über eine geradezu exemplarische Unfähigkeit zur Selbstreflexion verfügt. Er ist weder zu einer Bestandsaufnahme noch zu einer Revision seines bisherigen Lebens fähig und wird durch den vermeintlichen Verlust seiner Ehre doch zu beidem gezwungen. In seinen Assoziationen erbringt er eigentlich keinerlei kognitive Leistungen. Ebensowenig schafft er es, über seine Gefühle Klarheit zu gewinnen. Rechenschaft braucht er sich auch über seine Beziehungen zu anderen kaum abzulegen. Denn diese Beziehungen stehen beinahe vollständig unterm Diktat seines Ehrenkodex. Durch diese Regulierung übertreffen sie, wie sich an seinem Monolog erweist, sein Verhältnis zu sich selbst an Intimität, an Intensität und vor allem an Kontinuität. [19] Nicht zuletzt hieran wird deutlich, wie lebenswichtig für ihn die ehrenvolle Bindung an eine repräsentative Öffentlichkeit ist und wie wenig er darauf vorbereitet ist, ohne die fortlaufende Bestätigung durch andere über sich selbst nachzudenken.

Der innere Monolog, so könnte man also folgern, wird in der deutschen Literatur zuerst an einer Figur vorgeführt, die für ihn merkwürdig ungeeignet ist. Würde man dieser These vorbehaltlos zustimmen, müßte man jedoch unterstellen, daß er im Grunde dem regelhaften Nacheinander eines geordneten Denkens zu folgen hätte und daß Leutnant Gustl dem aus vielerlei inhaltlichen und formalen Gründen nicht gerecht zu werden vermag. Dagegen läßt sich gerade umgekehrt die These vertreten, daß der innere Monolog wie kein anderes Stilmittel die Desorganisation seiner Inhalte organisiert. Denn kaum eine andere Technik erlaubt es, eine scheinbar völlig chaotische Abfolge von Sachgehalten mit einer so unglaublichen Informationsdichte zu verbinden.

Erst mehrmaliges Lesen läßt erkennen, daß der Text durch die offenbare Regellosigkeit der Assoziationen hindurch folgende Informationen mehr oder weniger zweifelsfrei übermittelt: Die Handlung beginnt am »vierten April« (S. 351) um 21.45 Uhr (S. 337) und endet am folgenden Morgen gegen 6.00 Uhr (S. 361). Gustl ist zu diesem Zeitpunkt dreiundzwanzig oder vierundzwanzig Jahre alt (S. 351). Er entstammt einer höheren Grazer Beamtenfamilie (S. 353), von der unbestimmt bleibt, ob sie adelig ist oder bürgerlich. Sein Vater ist im Verlauf des letzten Jahres unter Umständen, die seine Mutter als kränkend empfunden hat, »in Pension gegangen« (S. 339). Gustl hat eine Schwester im Alter von achtundzwanzig Jahren, die, weil sie offenbar über keinerlei Mitgift verfügt, noch unverheiratet ist (S. 339), obwohl sie fünf Jahre zuvor schon einmal verlobt war (S. 353). Gustl selbst wurde als Schüler aus ungenannten Gründen »aus dem Gymnasium hinausg'schmissen« und daraufhin »in die Kadettenschul' gesteckt« (S. 341). Er ist also, wie der Jurist, den er deswegen fordert, sehr richtig bemerkt, nicht ganz freiwillig Offizier geworden. Denn aufgrund des erzwungenen Schulwechsels wurde der ursprüngliche Plan seiner Familie durchkreuzt, daß er Ökonomie studieren (S. 353) und anschließend auf dem Landgut eines Onkels in Ungarn (S. 339) arbeiten sollte. Dieser Onkel, ein Bruder seiner Mutter (S. 339), ist schon mehrmals für die Spielschulden Gustls aufgekommen (S. 339). Er soll auch jetzt wieder die 160 Gulden zahlen, die Gustl am Tag zuvor verspielt hat (S. 339). [20] Schon zu der Zeit, als sein Vater noch nicht pensioniert war, scheinen Gustls Eltern so wenig vermögend gewesen zu sein, daß sie es ihrem Sohn nicht ermöglichen konnten, Kavallerieoffizier zu werden. Als solcher hätte er nämlich ein eigenes Pferd unterhalten müssen. Und das, so hatte sein Vater ihm erklärt, »wär' ein zu teurer Spaß gewesen« (S. 355). Das Duell mit einem promovierten Juristen, das am nächsten Tag um vier stattfinden soll, wurde ausdrücklich von Gustls Vorgesetzten gebilligt. Gustl meint, es werde seiner Karriere nützen (S. 340). Es ist im übrigen keineswegs sein erstes Duell; schon vor anderthalb Jahren hat er sich mit einem Oberleutnant geschlagen (S. 340).

Werden manche dieser biographischen Informationen unumwunden ausgesprochen, so sind andere, oft gegen Gustls Absicht, nur zu erschließen. Durch die starke Subjektiviertheit der Assoziationen tritt im inneren Monolog keine Äußerung auf, die nicht durch die Art, wie er sich zu ihr verhält, den Sprecher qualifiziert. Die unterschiedliche Klarheit der Aussagen kommt dadurch zustande, daß sich Wahrnehmungsinhalte mit Erinnerungsspuren und Motiven des Unbewußten vermischen, die sich gegen eine bewußte Absicht durchsetzen. Das Ineinander von Regellosigkeit und Informationsdichte ist durch die Einheit eines Bewußtseins strukturiert, das unter dem Zwang, eine Reihe von Enttäuschungen psychisch zu verarbeiten, die es am liebsten nicht wahrhaben möchte, nur über ein vermindertes Potential verfügt. Vermindert ist das Potential dieses Bewußtseins, weil es allzugroße Energiebeträge darauf verwenden muß, nicht an das zu denken, woran es denken möchte, und stattdessen an das zu denken, woran es denken soll (vgl. S. 349 f.). Immer wieder verliert Gustl seinen bevorstehenden Selbstmord aus dem Sinn, und immer wieder entgleiten seine Reflexionen zu trivialen Alltäglichkeiten oder werden von sexuellen Vorstellungen überflutet.

4 Psychoanalyse eines Helden

Insbesondere durch die Erinnerung an seine Beziehungen zu Frauen gewinnt Gustls Charakter im Verlauf der Erzählung Profil. Er hat, wie sich dem Text entnehmen läßt, zuerst noch bevor er achtzehn war (S. 353 mit 351) und zuletzt am vorigen Sonntag (S. 359) intim mit einer Frau verkehrt. Dazwischen hat er eine Vielzahl von sexuellen Beziehungen unterhalten. Sie sind (oder waren) zumeist so oberflächlich, daß er nicht einmal genau anzugeben vermag, seit wann die jetzige dauert (S. 360) und wie alt seine Geliebte ist (S. 339). Er teilt sie im übrigen, was für einen Antisemiten wie ihn bezeichnend ist, mit einem Bankbeamten, den er für einen Juden hält (S. 338). Dabei redet er sich ein, er sei keineswegs eifersüchtig (S. 350). Denn er gibt vor, es sei bequem »wenn man nur gelegentlich engagiert ist und ein anderer hat die ganzen Unannehmlichkeiten« (S. 357). Nur ungern gesteht er sich ein, daß auch finanzielle Gründe für dieses Arrangement verantwortlich sind: er ist zu arm, eine Mätresse zu unterhalten (S. 342, 357). Also läßt er das den vermeintlichen Juden besorgen und sagt sich, er selbst habe bei dieser Regelung »nur das Vergnügen« (S. 357).

Dieses Vergnügen besteht gelegentlich darin, daß er sich in eine Position bringt, die es ihm ermöglicht, den anderen bei dessen Zusammensein mit seiner Geliebten zu beobachten oder zu belauschen (S. 338, 342). Es enthält mithin etwas Voyeuristisches und auch etwas Zuhälterisches; denn es kulminiert in der lächelnden Verständigung mit der Geliebten über die Ahnungslosigkeit dessen, der zahlt, ohne den vollen Gegenwert zu erhalten (S. 338). Im übrigen ist er froh darüber, nicht in Steffi verliebt zu sein (S. 363), und macht vor sich kein Hehl daraus, daß nach ihr »noch manche andere gekommen« wäre und, wie er sagt, »am End' auch eine, die was wert ist – junges Mädel aus guter Familie mit Kaution« (S. 363) [21]. Diese vage Aussicht ist neben der wohl mehr illusorischen und für seinen Antisemitismus ebenfalls charakteristischen Hoffnung, ein Verhältnis mit der Frau eines großbourgeoisen Juden beginnen zu können (S. 339, 352), die einzige Zukunftsperspektive, die er in seinen Liebesbeziehungen zu entwickeln vermag.

Daß deren Kurzfristigkeit und Folgenlosigkeit für ihn wesentlich sind, bezeugt seine Erinnerung an eine frühere Geliebte, die er aus Angst, nicht mehr von ihr loszukommen, verlassen hat. Sie war, wie er meint, die einzige, die ihn gern gehabt hat. Als er ging, hat sie geweint. »...mein Lebtag«, so sagt er sich, »hab ich kein Frauenzimmer so weinen geseh'n« (S. 357). Unmittelbar darauf folgt der Satz: »...Das war doch eigentlich das Hübscheste was ich erlebt hab'...« (S. 357). Dieser Satz macht deutlich, daß sich die phallischen Momente, die sich in seiner don-juanesken Männlichkeit verkörpern, unmittelbar mit aggressiven und sadistischen vermischen.

Belegt wird das durch Gustls Bericht über seine Zeit in Galizien. Er ist für die Psychoanalyse der Erzählung von weitreichender Bedeutung: »War doch eine schöne Zeit... obzwar... die Gegend war trostlos und im Sommer zum verschmachten... an einem Nachmittag sind einmal drei vom Sonnenstich getroffen worden... auch der Korporal von meinem Zug – ein so verwendbarer Mensch... Nachmittag haben wir uns nackt aufs Bett hingelegt. – Einmal ist plötzlich der Wiesner zu mir hereingekommen; ich muß grad' geträumt haben und steh' auf und zieh' den Säbel, der neben mir liegt... muß gut ausg'schaut haben... der Wiesner hat sich halb tot gelacht« (S. 355).

An keiner anderen Stelle der Erzählung tritt die phallische Bedeutung des Säbels so unmittelbar hervor. Phallus und Säbel werden nicht allein durch ihr Nebeneinander und durch ihre Gleichzeitigkeit in der Szene aufeinander bezogen, sondern vor allem durch den Blick des hinzutretenden Kameraden. Daß der lachen muß, läßt zudem darauf schließen, daß er Gustl mit vom Traum erigiertem Glied überrascht hat. Doch selbst wenn man geneigt ist, *diesen* Schluß für unzulässig zu halten, wird man einräumen müssen, daß die Szene einen *anderen* Schluß legitimiert. Zweifelsfrei erlaubt sie es, den Umstand, daß Gustl in der Auseinandersetzung mit dem Bäckermeister daran gehindert wird, seinen Säbel zu ziehen, als symbolische Kastration zu interpretieren. Gustl wird in dieser Situation nicht nur um die Darstellung eines Zeichens seiner Kaste gebracht, er wird symbolisch seiner Männlichkeit beraubt. Obwohl ihm das selbst nicht bewußt ist, darf eine Interpretation es nicht übersehen, die die Grenzen seines Bewußtseins zu bestimmen versucht.

In der symbolischen Kastration findet die Angst Gustls, sexuell zu versagen, ihre Erfüllung. Denn für ihn dürfte die »Überbetonung der phallisch-sadistischen Rolle ... ein Ausweg aus einem Gefühl sexueller Minderwertigkeit« sein. [22] Dieses Gefühl äußert sich überaus deutlich in der psychosexuellen Grundlage seines Antisemitismus. Daß er sich in seinem Verhältnis zu Steffi in Konkurrenz mit einem Rivalen begibt, den er für einen Juden hält, erlaubt den Schluß, daß er, einem gängigen Vorurteil entsprechend, Juden für potenter, zumindest aber für sexuell aktiver hält als Nichtjuden. Wenn er sich nun in der sexuellen Konkurrenz mit einem Juden bewährt, obwohl er ihm bereits finanziell unterlegen ist, beweist ihm das seine sexuelle Überlegenheit. Zugleich läßt es seine Angst, neben der finanziellen Malaise ein sexuelles Versagen fürchten zu müssen, als unbegründet erscheinen. Die unbewußte Logik dieses Arrangements ist verblüffend. Denn sie würde Gustls Vorurteil selbst dann bestätigen, wenn er sich als sexuell unterlegen erweisen würde. Auch in diesem Fall nämlich müßte er nicht sein Gefühl sexueller Minderwertigkeit für sein Scheitern verantwortlich machen. Er könnte (wie er es am Abend im Konzertsaal tatsächlich tut) auf das Geld des vermeintlichen Juden verweisen und vor sich selbst behaupten, seine Geliebte habe aus Rücksicht auf dessen Reichtum gewisse Einschränkungen im Verhältnis zu ihm auf sich nehmen müssen. Unabhängig vom Ausgang der Konkurrenz mit seinem Rivalen ist Gustls Antisemitismus also durch eine Potenzphantasie abgesichert. Sie suggeriert ihm im einen Fall sexuelle Überlegenheit über einen mächtigen Gegner und sie erlaubt es ihm im anderen Fall, seine Unterlegenheit als solche nicht anerkennen zu müssen. In beiden Fällen bietet der Antisemitismus die Möglichkeit, das Gefühl eigener Minderwertigkeit, das ihn trägt, nicht ins Bewußtsein treten zu lassen, sondern durch phallisches Potenzgebaren zu überspielen.

Für Gustl bedeutet die »Überbetonung der phallisch-sadistischen Rolle« zugleich »eine Flucht vor der Verpflichtung zu wahrer Intimität«.[23] Ihren deutlichsten Ausdruck findet sie in seiner Bindungsunfähigkeit. Die als Gefahr empfundene Nähe einer Frau muß er durch deren soziale Erniedrigung oder zumindest durch ihre Distanzierung abwehren. Unbewußt verbindet sich in dieser Abwehr das Bedürfnis, inzestuös die eigene Identität zu sichern, mit einer Rücksichtnahme auf die moralischen Standards seiner Klasse, die eine Verbindung mit einer Frau aus den unteren Schichten nur für eine Übergangszeit, nicht jedoch auf Dauer tolerieren. Keine der zahlreichen Frauen, die er in seinem Monolog erwähnt, ist ihm gesellschaftlich ebenbürtig gewesen und stand ihm zugleich nahe. Entweder handelt es sich bei ihnen um »Menscher« wie Steffi (S. 352), die dem Typ des süßen Mädels entsprechen, oder sie sind ihm gesellschaftlich unerreichbar wie Frau Mannheimer (S. 339, 352). Nur einmal ist es ihm offenbar gelungen, eine gesellschaftlich ebenbürtige Frau, die seines Hauptmanns in Przemysl (S. 352), zu seiner Geliebten zu machen. Sie muß ihm, gerade weil sie verheiratet war, zunächst als unerreichbar erschienen sein. Bezeichnenderweise regt sich in der Erinnerung an sie sogleich der Verdacht, sie sei am Ende »ja doch keine anständige Frau« (S. 352) gewesen, weil auch einige seiner Kameraden Beziehungen zu ihr unterhalten haben könnten.

Diese Bemerkung macht Gustls ambivalente Einstellung und seine projizierte Eifersucht deutlich.[24] Er wäre geradezu unglücklich, wenn sich nachträglich herausstellen sollte, daß die Frau des Hauptmanns nicht auch mit anderen ein Verhältnis gehabt hätte. Zweifellos würde er sofort nach neuen Mitteln suchen, um sich nachträglich von ihr zu distanzieren. Täte er es nicht, müßte er an sich selbst verachten, was er ihr anzulasten bemüht ist, die Bindungsunfähigkeit und den häufigen Partnerwechsel.

In der besonderen Form der Eifersucht, die Gustl empfindet, tritt eine homoerotische Komponente zutage. Denn der Verdacht der Untreue, der auf die Frau fällt, dient nicht allein dazu, sie noch in der Erinnerung herabzusetzen; hinter ihm verbirgt sich auch ein Interesse an den Männern, die sie angeblich gehabt hat. Freud hat dieses eifersüchtige Interesse auf die Formel gebracht: »Nicht *ich* liebe den Mann – *sie liebt ihn ja.*« Wer nach dieser Formel handelt, so fügt er hinzu, »verdächtigt die Frau mit all den Männern, die er zu lieben versucht ist«. [25]

Obwohl er es nicht wahrhaben will, wird auch Gustls spätere Entwicklung von Eifersucht bestimmt. In seinem Verhältnis zu Steffi stellt er sie in einer Weise auf Dauer, die es ihm möglich macht, sie rundheraus vor sich selbst zu verleugnen (S. 350) und ihre homosexuellen Komponenten gar nicht erst zu bemerken. Gustl akzeptiert die Untreue seiner Geliebten als Grundlage dieses Verhältnisses und läßt den angeblichen Juden für sie zahlen. Dadurch verschafft er sich neben dem ökonomischen Vorteil einen erheblichen Lustgewinn. Daß er sich eingesteht, nicht in Steffi verliebt zu sein, aber dennoch ein beträchtliches Vergnügen dabei empfindet, sie beim Rendezvous mit einem anderen zu beobachten, läßt vermuten, daß der ihn unbewußt zumindest ebensosehr (wenn nicht stärker) interessiert wie seine Geliebte. Die Beziehung zu seinem jüdischen Rivalen wäre demnach als eine phallische Konkurrenz aufzufassen, der homoerotische Züge anhaften.

Daß sie nicht stärker hervortreten, dürfte an den voyeuristischen Elementen in Gustls Charakter liegen. Durch sie werden seine homosexuellen Neigungen vor ihrem unvermittelten Ausbruch gehemmt. Solange er nämlich Steffi und den Juden nur beobachtet und am Anblick ihres Zusammenseins seine Schaulust befriedigt, tritt seine latente Homosexualität nicht offen zutage. Im Bann des Blicks auf den anderen bleibt sie ihm fern. Zutritt zu seinem Bewußtsein dürfte ihr darüber hinaus sein Antisemitismus verwehren. Denn der stellt eine gesellschaftlich legitimierte Form der Abwehr eigener sexueller Wünsche durch Fremdattribuierung bereit. Selbst wenn Gustl einzusehen vermöchte, daß sein Dreiecksverhältnis auf ein homoerotisches Verlangen hinweist, könnte er dieses Verlangen, seinem Vorurteil entsprechend, dem Juden zuschreiben, um sich selbst von ihm zu entlasten.

Allenfalls als betonte Kameradschaftlichkeit, so wird man annehmen dürfen, kann Gustl seine latente Homosexualität erfahren. Das Männerbündische des Offiziersmilieus verleiht ihm eine normative und emotionale Sicherheit, in der er sich geborgen weiß und die er schmerzlich vermißt, sobald er dieses Milieu verläßt. Zugleich vermittelt es ihm das Elitebewußtsein der Zugehörigkeit zu einer besonderen Gemeinschaft: »Die Leut' können eben unserein'n nicht versteh'n sie sind zu dumm dazu... Wenn ich mich so erinner', wie ich das erstemal den Rock angehabt hab', so was erlebt eben nicht ein jeder...« (S. 341).

Stabilisiert wird dieses Elitebewußtsein durch den Ehrenkodex des Offiziersstandes. Es stellt für Gustl ein jederzeit aktivierbares Aggressionspotential dar, das ein hohes Maß an Risikobereitschaft voraussetzt. Sie ist durch die Fähigkeit zu physischen Sanktionen ebenso gekennzeichnet wie durch die Bereitschaft, andere in einer Weise zu provozieren, die physische Sanktionen als Antwort gerechtfertigt erscheinen läßt.

Daß die Schwelle der provokativen Verletzbarkeit dabei sehr niedrig liegen kann, demonstriert das unter Männern der Oberschicht damals übliche und heute zumeist nurmehr informell oder spielerisch ausgeführte Ritual eines Machtkampfs durch Blicke, dem sich Gustl während des Konzerts ausgesetzt glaubt:

»Was guckt mich denn der Kerl dort immer an? Mir scheint, der merkt, daß ich mich langweil' und nicht herg'hör'... ich möcht' Ihnen raten, ein etwas weniger freches Gesicht zu machen, sonst stell' ich Sie mir nachher im Foyer! – Schaut schon weg! ... Daß sie alle vor meinem Blick so eine Angst hab'n.« (S. 338)

Gustl empfindet es als Eingriff in seine Persönlichkeitssphäre, in der optischen Anomymität des Konzerts einen längeren Moment hindurch von einem anderen angeschaut zu werden. Seine aggressive und stets sanktionsbereite Abwehrhaltung gestattet es ihm nicht, sich dem Blick des Fremden absichtslos und nahezu unbemerkt darzubieten. Dieser Blick scheint ihn vielmehr zu einer ungewollten Selbstpreisgabe zu zwingen. Daher meint er ihn als Provokation auffassen zu müssen. Er gelangt zu dieser Auffassung, weil er dem anderen unterstellt, daß er sein musikalisches Desinteresse ebenso bemerkt wie seine soziale Deplaziertheit.

Gustls Unsicherheit läßt ihn vergessen, was er zunächst noch hellsichtig wahrnahm und auf den Begriff zu bringen verstand: Wenn im Konzert jemand die Unaufmerksamkeit eines anderen bemerkt, »so paßt er gerade so wenig auf« wie der und braucht sich vor ihm »nicht zu genieren« (S. 337). Denn die normativ erforderte, selbstvergessene Hingabe an die akustischen Eindrücke schließt in dieser gesellschaftlichen Situation eine näher identifizierbare visuelle Wahrnehmung bestimmter Personen aus. Kommt es zu einer solchen Wahrnehmung, und trifft sie ihrerseits in der Wechselseitigkeit der Blicke auf die Fremdwahrnehmung eines anderen, so können beide voneinander annehmen, daß sie sich einer Normverletzung schuldig gemacht haben, indem sie einen Teil ihrer Aufmerksamkeit der Musik entzogen. Sie besitzen aber gegeneinander keinerlei Sanktionsmöglichkeit, weil der Blick des jeweils einen dem anderen unmittelbar beweist, daß beide dieselbe Norm, und noch dazu im selben Augenblick übertreten haben.

Wenn sich Gustl nun trotzdem ertappt fühlt, so zeigt das, wie wenig er der sozialen Situation des Konzertsaals gewachsen ist, in die ihn der Zufall verschlagen hat. Seine Unsicherheit ist offenbar so groß, daß er fürchtet, nicht nur als jemand erkannt zu werden, der sich nicht situationskonform verhält, sondern mehr noch als jemand, der sich aufgrund sozialer Unzugehörigkeit prinzipiell nicht situationskonform verhalten kann. Aus dem Gefühl heraus, daß der andere ihm die gesellschaftliche Daseinsberechtigung nicht ohne Grund bestreitet, entsteht Gustls Aggressivität. Er verteidigt das Territorium seiner Person, daß auf deren äußeren Aspekt geschrumpft ist, mit der Waffe, durch die er es bedroht sieht. Mit seinem Blick zwingt er den anderen, die Augen von ihm abzuwenden. Damit glaubt er, ihn unterworfen zu haben.

Gustl meint, auf seinen Blick mit Recht stolz sein zu dürfen. Selbstgefällig wiederholt er sich die Worte seiner Geliebten, die ihm einmal gesagt hat, er habe »die schönsten Augen« die ihr je vorgekommen seien (S. 338). Sein Verhalten in der wortlosen Auseinandersetzung mit dem Unbekannten, der ihn im Konzert zufällig anschaut, beweist freilich, daß es ihm weniger um die Schönheit seiner Augen zu tun ist als vielmehr darum, sie als Machtmittel einzusetzen. Denn seiner Schaulust ist eine aggressive Komponente beigemengt, die sich im Kampf der Blicke Ausdruck verschafft. Psychoanalytisch ist dieser Kampf als Symbolisierung einer phallischen Konkurrenz zu interpretieren.

Uneinsichtig wird eine solche Interpretation nur denen bleiben, die der Auffassung sind, die äußere Form eines Objekts entscheide darüber, was mit ihm symbolisiert werden könne. Ausschlaggebend ist aber im Symbolbildungsprozeß weniger die Form als vielmehr die psychische Bedeutung eines Gegenstandes.

Daß das Auge in eine »Ersatzbeziehung« zum männlichen Glied treten kann [26], wird nach einem Gesetz der primitiven Wahrnehmung möglich, demzufolge das noch kaum ausgebildete oder stark regredierte Ich versucht, die Reize, die auf es einströmen, dadurch zu bewältigen, daß es das Wahrgenommene imitiert. [27] In der primitiven Wahrnehmung kann eine »Verwechslung von Subjekt und Objekt« immer dann stattfinden [28], wenn sie von großer Erregung begleitet wird. Kaum eine optische Wahrnehmung dürfte nun aber größere Erregung hervorrufen als die des eigenen oder fremden Penis. Bei seinem Anblick handelt es sich nicht um ein distanziertes und detachiertes Sehen, sondern um ein im wörtlichen Sinn fasziniertes. Denn im lateinischen bedeutet ›fascinus‹ »gleichzeitig Bannung, ›böser Blick‹ und das männliche Glied«. [29] Gerade weil dieser Blick so stark libidinös besetzt ist, kann in ihm das Wahrnehmungsorgan an die Stelle des wahrgenommenen treten.

Darüber hinaus wird die phallische Bedeutung des Auges durch die Gefahr konstituiert, unter der sich der Blick auf das Genitale richtet. Denn dieser höchst erregte Blick wird von einem Verbot bedroht, das in seiner schärfsten Form die Kastration als Strafe nach sich zieht. Unterm Eindruck dieses Verbots kann die entstehende Kastrationsangst unmittelbar auf die Angst vor einer Beschädigung des Auges verschoben werden. Dessen phallische Bedeutung wird dann auf dem Umweg über eine jederzeit aktivierbare Sanktionsdrohung auf Dauer stabilisiert. –

Von hier aus gewinnt nun Gustls Auseinandersetzung mit dem Unbekannten im Konzertsaal eine zusätzliche Bedeutung. Zwar geht es im Kampf ihrer
Blicke um die Symbolisierung einer phallischen Konkurrenz. Aber deren
Sinn würde verkannt, wenn übersehen würde, daß sie jederzeit ins Auge
gehen kann. Denn sie wird auf dem Hintergrund einer latenten Kastrationsdrohung ausgetragen. Indem jeder der beiden Kontrahenten unausgesetzt den
anderen fixiert, versichert er sich, selbst nicht kastriert zu sein. Da aber
diese Versicherung vom jeweils anderen nicht anerkannt wird, gewinnt sie
weder Evidenz noch Überzeugungskraft. Aus diesem Grund möchte zumindest Gustl (wenn auch wohl nicht sein Rivale) den Kampf vorübergehend
durch ein Duell entschieden sehen. Es würde die phallische Konkurrenz
eindeutig beenden und einem der beiden Kontrahenten die Gewißheit bieten,
sich einer Kastrationsdrohung erfolgreich entzogen zu haben.

Das Duell besitzt für Gustl die Bedeutung einer kontraphobischen Reaktion auf eine tiefreichende Kastrationsangst. [30] Besteht eine phobische
Einstellung darin, bestimmte Situationen, Objekte oder Empfindungen zu
meiden, weil sie Angst auslösen, so scheint bei einer kontraphobischen Reaktion eine unbewußt vorhandene Angst wirksamer dadurch bekämpft zu werden, daß bestimmte zuvor angstauslösende Situationen, Objekte oder Empfindungen aufgesucht, als daß sie gemieden werden. Dabei findet eine
Libidinisierung der Angst statt, aus der die für kontraphobisches Verhalten
charakteristische Angstlust entsteht. Deren wesentliche Züge sind »die
objektive äußere Gefahr, welche Furcht auslöst, das freiwillige und absicht-
liche Sich-ihr-Aussetzen und die zuversichtliche Hoffnung, daß alles schließlich doch gut enden wird.« [31] Wer Angstlust empfindet, begibt sich aus
freien Stücken in Situationen, denen er nicht ausgesetzt sein möchte, durch
die er sich bedroht fühlt oder die ihm die Existenzberechtigung bestreiten.
Er versucht, durch die Mobilisierung kleiner Angstbeträge große zu bewältigen, mit denen er anders nicht meint fertigwerden zu können. Ihren
Grund hat die Angstlust in der Chance, aktiv zu bewältigen, wovon man
sonst passiv überwältigt worden wäre. Sie setzt eine Identifizierung mit
dem Aggressor voraus, durch den die Angst ursprünglich hervorgerufen
wurde. Das bedingt die dem kontraphobischen Verhalten eigentümliche
»Flucht in die Realität«. [32]

Gerade sie läßt sich an Gustls Einstellung zum Duell besonders deutlich
beobachten. Er sucht im Zweikampf die Situation auf, an die seine imaginäre
Straferwartung geknüpft war. Dabei will er sich davon überzeugen, daß sie
in der Realität keine direkte, sondern nur eine symbolische Entsprechung
findet. Er setzt sich absichtlich Risiken aus, die ein ursprüngliches Trauma
erneut gegenwärtig werden lassen [33], um sich zu beweisen, daß er die trau-
matische Situation eigenmächtig herbeizuführen und glücklich zu beenden
vermag, daß es sich bei ihr keinesfalls um eine Kastration, sondern wirklich
»nur« um ein Duell handelt und das schließlich er selbst nicht unbedingt

bestraft wird, sondern zu denen gehört, die die Macht besitzen, andere zu bestrafen.

Jedes Stück Bewältigung der Angstlust verweist mithin auf das Glück des Davongekommenseins, dessentwegen die Angstlust hervorgebracht wurde. Doch gelingen kann diese Form der Angstbewältigung nur unter der Prämisse, daß sie immer erneut wiederholt wird; denn die urspüngliche Angst bleibt ja unaufgelöst bestehen und wird durch die Risikofreudigkeit des kontraphobischen Verhaltens nur auf ihre relative Realitätsangemessenheit hin geprüft. Durch den fortdauernden Zwang zur Wiederholung dieses Verhaltens bleibt Gustl also an seine ursprüngliche Kastrationsangst gebunden. Sie stellt sich ihm freilich nicht als solche dar. Vielmehr vermischt sie sich mit einer selbst noch weitgehend unbewußten Angst vor der Unsicherheit des eigenen Status und der eigenen Rollen.

Diese Angst ist vor allem an seinem Antisemitismus abzulesen. Ihre Grundlage wird man darin vermuten drüfen, daß Gustl in der Tat von sozialer Deklassierung bedroht ist. In seinem Judenhaß hat er ein Feindbild entworfen, das es ihm gestattet, sich von dieser objektiven Bedrohung zu entlasten. Den sozialen Abstieg seiner Familie sowie seine eigene damit zusammenhängende Mittellosigkeit könnte er durch den Stolz auf seine gesellschaftliche Sonderstellung als Offizier kompensieren. Als wirklich beängstigend aber muß er seine Lage empfinden, sobald er sich klarmacht, »daß sie noch immer so viel Juden zu Offizieren machen.« (S. 338)

Seine Statusangst gilt dem damals relativ neuen Institut des Reserveoffiziers. Diese für den Militarismus der österreichischen ebenso wie der preußischen Gesellschaft ungemein folgenreiche Einrichtung mußte von Teilen des Offizierskorps als gefährlicher Verlust sozialer Exklusivität angesehen werden. Denn die Einjährig-Freiwilligen konnten nach Ablauf ihrer Dienstzeit auf die gleichen Privilegien Anspruch erheben wie die altgedienten Offiziere. [34] »... was hat das für einen Sinn? Wir müssen uns jahrelang plagen, und so ein Kerl dient ein Jahr und hat genau dieselbe Distinktion wie wir...« (S. 349) Die Prestigeeinbuße der Berufsoffiziere gegenüber den Reserveoffizieren mußte umso größer sein, je häufiger es (was selten genug vorkam) Juden gelang, auf diesem Weg ein Offizierspatent zu erwerben. Wie in anderen Bereichen der Gesellschaft schien die Statusangst als auslösendes Moment des Antisemitismus auch beim Militär durch die bloße Möglichkeit gleichrangiger sozialer Berührung gerechtfertigt.

Daß diese Angst bei Gustl mit einer tiefsitzenden Kastrationsangst verbunden sein muß, läßt sich daraus erschließen, daß er sich auch in seinen privaten Beziehungen in Konkurrenz zu einem vermeintlichen Juden begibt. Durch das Gefühl, ihn jederzeit bei seiner Geliebten ausstechen zu können, versichert er sich seiner phallischen Überlegenheit und bestätigt sich, daß seine Kastrationsangst ebenso ungerechtfertigt sein muß wie seine Angst vor Statusverlust.

Am äußersten Punkt seiner Selbstwahrnehmung sagt er sich, daß ihm manchmal vor sich selbst »graust« (S. 357). Wenn er sich eingestehen muß, darüber noch mit niemandem gesprochen zu haben, weil er es »auch selber gar nicht recht gewußt« hat (S. 357f.), so wird man dies Eingeständnis als vorübergehende Unterbrechung einer weitgehend sprachlosen Angstabwehr ansehen müssen. Deren allenfalls symptomatisch beredte Sprache stellt der innere Monolog in der Diskontinuität seiner Assoziationen dar. An ihnen zeigt sich, daß Gustl seiner selbst in keiner Beziehung sicher ist. Im Kampf gegen seine Angst gerät er schließlich in einen »lähmungsartigen Grenzzustand«. Dessen Symptome sind: ein »schmerzhaft gesteigertes Gefühl von Vereinsamung«, ein »Zerfall des Gefühls innerer Kontinuität und Gleichheit« sowie »ein generelles Gefühl der Beschämung«.[35] Aus diesen Momenten entsteht unterm fortdauernden Zwang der Angstabwehr eine Identitätsdiffusion, die er als »Selbstmordrausch« bezeichnet (S. 350).

Während Angstlust im Bewußtsein des Helden meist nur als wiederbelebte Erinnerung oder uneingelöste Erwartung auftaucht und im übrigen die Vor- und Nachgeschichte der Novelle beherrscht, dominieren in deren unmittelbarem Verlauf Züge einer ihr korrespondierenden Regression. Ausgelöst wird sie durch Gustls Unfähigkeit, die lebensbedrohlichen Risiken der Angstlust auf Dauer zu ertragen. Ihren Ausdruck findet sie zunächst in einem nicht ganz erwachsenen, leichtsinnigen Unernst, der in einem gewissen Widerspruch steht zum ernsten Verbindlichkeitsdruck des Offiziersberufs. Gustls Charakter haften in seinen regressiv entdifferenzierten Momenten Züge des Jugenhaft-Puerilen, eines psychosozialen Moratoriums, an. Die Beleidigung des Bäckermeisters, der ihn als dummen Buben bezeichnet (S. 343), trifft insofern durchaus etwas Richtiges. Ist Gustl unter diesem Aspekt wenig mehr als ein »Kind im Gewand eines Helden«,[36] so bleibt seine Regression doch ernstzunehmen.

5 Auflösung der Bewußtseinskontinuität

Welche Bedrohung sie für ihn darstellt, zeigt sich an der für seinen Monolog charakteristischen Diffusion der Zeiterfahrung. Dauerhafte und einigermaßen konsistente Zukunftserwartungen als Grundlage gegenwärtigen Handelns und Erlebens sind aufgrund seiner sozialen und psychischen Ängste mit Gustls Zeiterfahrung nicht vereinbar. Deren Zerfall tritt zunächst vor allem an dem Gegensatz einer real verengten Handlungsperspektive und einer imaginär überzogenen Erwartungsstruktur zutage. Dieser Gegensatz ist an der Ungeduld zu beobachten, mit der Gustl im Konzert die normativ erzwungene Bewegungs- und Handlungsunfähigkeit in Gedanken überspringt, um in einen überaus heftigen und aus seiner gegenwärtigen Situation heraus scheinbar völlig unmotivierten Aggressionsausbruch gegen seinen zukünftigen Duellgegner zu geraten (S. 341). Nach der Beleidigung durch den Bäckermeister ist das Gegeneinander von realer Handlungsperspektive und imaginärer Erwartungsstruktur an Gustls ständig wechselndem Zeithorizont abzulesen. An ihm zeigt sich, daß die kontinuierliche Identitätsgewißheit des Leutnants durch seine herabgesetzten Handlungschancen grundsätzlich in Frage gestellt erscheint, obwohl er sich bemüht, sie durch überzogene Erwartungen zu stabilisieren.

Die fortgesetzten Verschiebungen seines Zeithorizonts gehen darauf zurück, daß Gustl den Verlust seiner Ehre, auch wenn er es immer wieder möchte, nicht ignorieren kann, sich aber andererseits auch nicht auf diesen Verlust einzustellen, ihn also nicht zu akzeptieren vermag. In diesem unentschiedenen Schwanken verengt sich sein Erwartungshorizont auf einen unmittelbar bevorstehenden Selbstmord, um sich im nächsten Moment auszuweiten auf ein beschauliches Leben in Galizien (S. 349) oder ein geschäftiges in Amerika (S. 354, 355, 361).

Regressiv wie seine Zeiterfahrung sind auch die Techniken der Enttäuschungsverarbeitung, die Gustl sich selbst gegenüber anwendet. Seine Lage durchschaut er so wenig, daß er zu den einfachsten Mitteln greift, um sie sich zu erklären. »Er macht nacheinander in verschiedenen Erinnerungsfolgen drei verschiedene Personen dafür verantwortlich, daß er im Konzert sitzen muß. Der erste Schuldige ist sein Kamerad Kopetzky, der ihm die Karte geschenkt hat.« [37] Wenig später fällt ihm ein, daß seine Geliebte ihn versetzt hat: »Die Steffi ist eigentlich schuld, daß ich dasitz' und mir stundenlang vorlamentieren lassen muß.« (S. 338) Kurz danach kommt er darauf, daß ein anderer Kamerad, an den er im Spiel am Vorabend hundertsechzig Gulden verloren hat, dafür verantwortlich ist, daß er sich die Konzertkarte hat schenken lassen. »Der Ballert ist eigentlich schuld, daß ich in das blöde Konzert hab' geh'n müssen.« (S. 339) Schließlich verfällt er am Tiefpunkt seiner Regression darauf, nicht mehr Personen, sondern eine Sache für sein Mißgeschick haftbar zu machen. Lapidar stellt er fest: »das Billet ist an allem schuld ... ohne das Billet wär' ich nicht ins Konzert gegangen, und alles das wär' nicht passiert...« (S. 354)

Die Enttäuschungserklärungen, zu denen Gustl greift, haben deutlich die Funktion, ihn selbst zu entlasten. Regressiv sind sie, weil sie den Schuldvorwurf zunächst personalisieren und schließlich sachlich unbegründbar isolieren. Nicht zuletzt deshalb sind sie eher dazu angetan, von einer angemessenen Reflexion der Vorgänge abzulenken als eine Schuldfrage zu klären. Aber obwohl sie irrational erscheinen, sind sie keineswegs beliebig. Festzuhalten bleibt, daß Gustl in der Tat ins Konzert gegangen ist, weil er weder ins Café, noch zu seiner Geliebten hat gehen können. Denn im Café hätte er seine Spielschulden begleichen müssen, wozu er nicht in der Lage gewesen wäre, und seine Geliebte hat ihm abgesagt, weil sie sich ihres Geldgebers versichern muß, ohne den sie nicht existieren könnte. Gustl ist also in doppelter Hinsicht enttäuschenden Einschränkungen unterworfen. Nur hat er sie im einen Fall unmittelbar, im anderen mittelbar selber zu verantworten. Dieser Verantwortung entzieht er sich, indem er zunächst die Schuld an seiner Lage projektiv anderen zuschreibt und indem er sie endlich in ebenso infantiler wie ohnmächtiger Wut dem Billett anzulasten sucht.

Gustl kann sich in seinen Enttäuschungserklärungen ein hohes Maß an Regressivität durchgehen lassen, weil sie an niemanden gerichtet sind außer an ihn selbst. Er braucht keinerlei Sanktionen zu fürchten. Denn die Rechenschaft, die er ablegt, fällt schon allein deshalb notwendig zu seinen Gunsten aus, weil er selbst sie auch zugleich entgegennimmt und beurteilt.

Der innere Monolog ist eine literarische Technik, die wie keine andere einen Rückbezug des Sprechers auf sich selbst bei gleichzeitiger Ermäßigung des Anspruchsniveaus nicht nur gestattet, sondern von sich aus geradezu erfordert. Während er die Neigung zur Selbstreflexion mit anderen literarischen Gattungen teilt, unterscheidet er sich von ihnen durch seine Impulsivität. Denn die Assoziationen, auf denen er beruht, werden nicht durch die Kontrolle eines ordnungsgemäß verfahrenden Verstandes zum sinnvollen Nacheinander einer vernünftigen Rede strukturiert, sondern folgen momentanen Impulsen, die sich auf den ersten Blick jeder Folgerichtigkeit zu entziehen scheinen.

Erst bei näherem Hinsehen erweist sich, daß in der Form, die Schnitzler ihnen gegeben hat, ihr gemeinsames Ziel ein regressiver Drang zur Wunscherfüllung ist. Regressiv ist dieser Drang, weil er immer wieder dem Konflikt mit den realen Gegebenheiten aus dem Wege geht. Er besitzt die Tendenz, einen Befriedigungswunsch ohne Rücksicht auf die unabweisbaren Versagungen der Realität zu behaupten. Nicht zuletzt von diesem kontrafaktischen Moment geht in der Darstellung Schnitzlers die Faszination des inneren Monologs aus. Es macht ihn zum formal angemessensten Darstellungsmittel einer subjektiven Enttäuschungsverarbeitung. Denn durch die Herabsetzung des Anspruchsniveaus bei gleichzeitiger Steigerung unvermittelter Reflexivität bietet der innere Monolog dem Sprecher die Möglichkeit, erlittene Kränkungen und Verletzungen im selben Atemzug darzustellen und zu verleugnen. Da der Monologisierende keine Rücksicht auf andere nehmen muß, kann er seine Enttäuschungen vor sich selbst in einer Weise darstellen, die ihn entlastet. Sein Ich scheint in der Lage zu sein, das Ausmaß seiner Beschädigung insofern selbst zu bestimmen, als es über die Fähigkeit verfügt, den Umfang dessen festlegen zu können, was es sich als enttäuschend eingestehen muß. Seine Rücksichtnahme auf die Realität wird dabei durch ein sprachliches Vermeidungshandeln eingeschränkt. Sobald etwas Unangenehmes in den Blick rückt oder zu geschehen droht, regrediert es und strebt die situativ gerade noch mögliche Maximalbefriedigung als Ausgleich an, um vor den gefürchteten Unannehmlichkeiten der Realität bestehen zu können.

Die Enttäuschungen, denen das Subjekt ausgesetzt ist, müssen unter den äußeren Bedingungen des inneren Monologs weitgehend als narzißtische Kränkungen erfahren und verarbeitet werden. Aufgrund der für die Form konstitutiven sozialen Isolierung des Monologisierenden können sie ebensowenig unumwunden in der Handlungsdimension aufgefangen wie uneingeschränkt in der Erlebnisdimension durch projektive Schuldzuweisung nach außen gewendet werden. Bleibt somit der Monologisierende bei seiner Enttäuschungsverarbeitung in den Dimensionen des Handelns und Erlebens beeinträchtigt, so läßt sich die Stärke seines Ich unmittelbar daran ablesen, was er sich an reflexiver Realitätsbewältigung in einer Situation zumutet und was er allein mit regressiven Mechanismen abzuwehren vermag. Durch die relative Ermäßigung des Anspruchsniveaus in der Selbstdarstellung kann dabei die Schwere einer Verletzung des Ich sowohl formal wie inhaltlich bestimmt werden. Je tiefgehender sie gewesen ist, desto unzusammenhängender dürfte sie sich in den Assoziationen darstellen, in denen von ihr die Rede ist.

Darin nähert der innere Monolog dem psychoanalytischen Diskurs sich an. Mit ihm teilt er neben den Assoziationen die Abwehrmechanismen des Verdrängens und Verleugnens, die Neigung, etwas ungeschehen zu machen, ebenso wie die Suche nach narzißtischem Trost angesichts äußerer oder innerer Bedrohungen und Gefahren. Von ihm unterscheidet er sich durch eine unumgängliche Rücksichtnahme auf seinen Leser. Dessen Geduld (und Zeit) dürften weit weniger strapazierfähig (und verfügbar) sein, als es die eines Psychoanalytikers sind. Schon allein hieraus ergibt sich, daß der innere Monolog auch dort eine Kunstform bleiben muß, wo er vorgibt, keine mehr zu sein. Trotz der Desorganisation seiner Inhalte ist er an eine narrative Struktur gebunden.

Sie wird durch eine höchst kunstfertige Chaotisierung des erzählerischen Materials erreicht. Nur zum Schein gleicht sie der Spontaneität des psychoanalytischen Diskurses. In Wirklichkeit ist sie weit durchgearbeiteter als er. Denn in ihr kann es weder zu einer spontanen Übertragung kommen, noch darf es in ihr länger als nur augenblicksweise jenes Schweigen und die Langeweile geben, die den Widerstand im psychoanalytischen Gespräch kennzeichnen. Die narrative Struktur des inneren Monologs muß dichter sein als die eines analytischen Diskurses, weil sie nicht auf eine therapeutische Anstrengung rechnen kann, sondern nur auf eine durchschnittlich gespannte Aufmerksamkeit. Ihr Ziel bleibt eine ästhetische Erfahrung, die über die ausschnitthafte Darstellung einer fremden Lebensgeschichte vermittelt wird. Es besteht nicht in der widerständigen Reflexion der eigenen Biographie mit dem Ziel einer Rekonstruktion der in ihr abgespaltenen, aber krankhaft wirksam gebliebenen Erfahrungselemente.

Derlei abgespaltene Elemente können freilich, ohne daß an ihre therapeutische Auflösung zu denken wäre, auch in die ästhetische Erfahrung eingebracht werden. Gerade Schnitzler hat das meisterhaft verstanden. Von nicht geringer Bedeutung dürfte dabei der Eindruck seiner Lektüre der *Traumdeutung* gewesen sein, die er nach Ausweis des Tagebuchs um den 26.3.1900, also sehr bald nach ihrem Erscheinen und unmittelbar vor den Skizzen zu *Leutnant Gustl* vom 27.5.1900, intensiv studierte.

Da Schnitzler unterm Einfluß der Psychoanalyse in dieser Erzählung die Fiktion einer Bewußtseinskontinuität seines Helden aufgab, vermochte er auch die abseitigen und Gustl selbst kaum bewußten Teile seiner Psyche ästhetisch darzustellen.

In dem Maße, in dem der innere Monolog diese Elemente in sich integriert, kann er nicht bei einem transzendentalistisch verkürzten Alltagsbewußtsein stehen bleiben, das »Ich« zu sich sagt und damit meint, schon etwas Abschließendes gesagt zu haben. Auf ein jederzeit fertiges und verläßliches Subjekt seines Erlebens und Handelns kann er nicht vertrauen. Die erstaunliche Fähigkeit der meisten Menschen, sich für »normal« zu halten, dies nützliche und allzu oft trügerische Gefühl, mit sich im reinen zu sein, greift er an. Die Anstrengung, die es eine so triviale Figur wie Gustl kostet, sein Ich zusammenzuhalten, weckt Zweifel am normativen Sinn dessen, was üblicherweise als »normal« gilt. Gerade an dem, was Gustl auch sich selbst, geschweige denn anderen kaum eingestehen will, vermag Schnitzler zu zeigen, daß jede Identitätsnorm ihre Abweichungen gleich miterzeugt und daß sich diese Abweichungen nicht nur bei sozialen Randgruppen bemerkbar machen, sondern verstärkt auch und gerade bei denen auftreten, die eine solche Norm aufrechterhalten. Gustl zeigt so etwas wie eine »normale Devianz«.[38] Er verhält sich, obwohl er beinahe ausflippt, den Erwartungen konform, die an ihn gestellt werden.

Die Irritation, die von dieser Figur ausging, mag über die Wut der militärischen Öffentlichkeit hinaus, die sich nur in ihrer Standesehre verletzt fühlte, vor allem darin begründet gewesen sein, daß Schnitzler an einer durchschnittlichen Selbstreflexion die nützliche Einbildung einer alltäglichen Identitätsgewißheit wie beiläufig zerstörte. Man lastet ihm an, etwas verletzt zu haben, von dem er zeigen konnte, daß es schon vor sich selbst nur eine höchst problematische und mühsam erworbene Einheit darstellte. Auch einige von denen, die ihm wohl wollten, vermochten nicht zu sehen, daß er ein lebendiges Bild des Normalzustandes dessen geliefert hatte, was mit dem Begriff Identität traditionell und zumeist unzureichend umschrieben wurde und wird. In einem Brief an Theodor v. Sosnosky, der ihn fragte, ob er mit *Leutnant Gustl* nicht etwas zu weit gegangen sei, schrieb Schnitzler: Sein Gustl sei »ein ganz netter, nur durch Standesvorurteile verwirrter Bursch..., der mit den Jahren gewiß ein tüchtiger und anständiger Offizier werden dürfte.«[39]

VIII   Zur Sozialgeschichte des Duells

1   *Satisfaktionsfähigkeit als soziales Distinktionsmerkmal*

Leutnant Gustl gelangt, nachdem er von einem Bäckermeister beleidigt worden ist, zu der Einsicht, »ganz wehrlos sind wir gegen die Zivilisten« (347). Mit diesem Satz scheint er die Wahrheit, die sich an seiner Geschichte ablesen läßt, aus Selbstmitleid in ihr Gegenteil zu verkehren. Denn am Ende stirbt ja nicht er an den Folgen des Zwischenfalls, sondern der Bäckermeister, den noch am selben Abend der Schlag trifft.

Doch nach den strengen Regeln seines Ehrenkodex ist Gustl dem Bäcker gegenüber in der Tat wehrlos. Er wäre es nicht geworden, wenn er ihn auf der Stelle mit der blanken Waffe bedroht und zu einem Widerruf gezwungen hätte. Aber gerade daran hatte der Bäckermeister ihn gehindert.

Verlegt ist ihm auch der Weg vors Gericht; denn mit einer Beleidigungsklage müßte er die Form und den Inhalt der Beleidigung, an deren Geheimhaltung ihm mehr gelegen sein muß als an einer Verurteilung des Bäckers, einer größeren Öffentlichkeit allererst bekannt machen.

Vermag Gustl demnach keinen der beiden Wege zu gehen, die ihm als Offizier gegenüber dem sozial niedriger rangierenden Handwerker zunächst offenstehen, kann er ihn also weder durch unmittelbare Drohung mit Waffengewalt zu einer Zurücknahme seiner Äußerung bewegen, noch ihn mit einer Beleidigungsklage überziehen, so ist ihm aufgrund des Statusunterschieds zwischen ihnen ein dritter Weg vollends abgeschnitten. Er darf den Bäckermeister nicht zum Duell fordern; denn der ist nach dem genauen Reglement seines Ehrenkodex nicht satisfaktionsfähig.

Diesem Kodex entsprechend wird als satisfaktionsfähig »derjenige angesehen, welchem ein Offizierskorps nach Prüfung und Erwägung seines Rufes in Beziehung auf Charakter, privates und geselliges Leben, Wahl des Umgangs, Sitten, Takt und Bildung die Würdigkeit zum (aktiven oder nichtaktiven) Offizier zuerkennen würde, falls es über diese Frage zu entscheiden hätte.« [1]

An dieser Bestimmung ist bemerkenswert, daß die gesellschaftliche Abgrenzung, die sie vornimmt, sich nicht primär an den herrschenden Gesellschaftsklassen, an Adel und Bürgertum, orientiert, sondern an der militärischen Führungsschicht. Ihr wird die Entscheidungskompetenz eingeräumt, festzulegen, wer satisfaktionsfähig ist. Und das geschieht in der Weise, daß ihr ein Urteil darüber zugestanden wird, wen sie gegebenenfalls in ihre

Reihen aufnehmen würde. Da nun aber ein solches Urteil nach der um 1900 herrschenden Praxis einer virtuellen sozialen Diskriminierung gleichkommt, wird mit dieser Definition faktisch dem Offizierskorps die Macht zugesprochen, die Grenzen der »guten« Gesellschaft festzustellen. Da ferner der Zweck dieser Feststellung eine Entscheidung über die Teilnahmeberechtigung (oder gar Teilnahmepflicht) am Duell ist, muß das Recht (und die Pflicht), sich zu duellieren, als entscheidendes Zugehörigkeitskriterium der führenden Gesellschaftsschicht angesehen werden. Verwirkt man dieses Recht (oder verletzt man diese Pflicht), so verliert man in den Augen derer, die zu dieser Schicht gehören, nicht nur alle Rechte und Pflichten eines Angehörigen der herrschenden Klasse, sondern die gesellschaftliche Existenz.

Das ist die Gefahr, der sich Leutnant Gustl ausgesetzt sieht. Als Offizier glaubt er, sich peinlich genau an die Vorschriften des Ehrenkodex halten zu müssen. Sie verlangen von ihm, daß er sich nicht in eine Auseinandersetzung mit gesellschaftlich niedriger Stehenden einläßt, sondern diese durch sein militärisches Auftreten so beeindruckt, daß sie sich ihm nicht zu widersetzen wagen. Durch die ostensible Behauptung eines situativen Gewaltmonopols soll er sie in einer Weise einschüchtern, daß sie ihm weder zu nahe treten, noch gar Hand an ihn zu legen wagen. Entsprechen sie dieser Erwartung nicht, muß er ihr Verhalten als Widerstand werten, den es auf der Stelle zu brechen gilt. Wenn ihm das nicht gelingt und wenn er sie darüber hinaus nicht einmal mit juristischen Mitteln belangen kann, so wird er ihnen gegenüber tatsächlich handlungsunfähig.

Gustls Gefühl, gegenüber Zivilisten »wehrlos« zu sein (S. 347), rührt also daher, daß er das Gewaltmonopol, das er kraft seines Offiziersstatus in bezug auf nichtmilitärische und sozial untergeordnete Personen nach den herrschenden Normen seiner Gesellschaft notwendig beanspruchen muß, in einer bestimmten Situation nicht durchsetzen konnte. Aufgrund der gewaltsamen Berührung durch einen nicht Satisfaktionsfähigen, dem er nicht Einhalt zu gebieten vermochte, hat er den Schein seines Herrschaftsanspruchs, seine Unberührbarkeit, verloren.

Da das Duell als Ausfluß des militärisch beanspruchten situativen Gewaltmonopols auf der Voraussetzung beruht, daß eine gewaltförmige Auseinandersetzung nur mit sozial gleichrangigen Personengruppen möglich sein darf, kann er mit ihm seine verlorene Ehre nicht wiederherstellen. Er, der sich anscheinend nur zu gern duelliert, geht nach einer Beleidigung durch einen Bäckermeister beinahe daran zugrunde, daß er sich nicht duellieren darf. Denn er droht, nicht der direkten, sondern der indirekten Gewalt des Duells zum Opfer zu fallen.

Wenn das Duell von Mitgliedern der herrschenden Klassen nur mit gesellschaftlich Gleichgestellten ausgetragen werden darf, so bedeutet das, daß sich seine indirekte (also nicht mehr physische, sondern durch die Androhung sozialer Sanktionen vermittelte) Gewalt gegen alle sozial Unzugehörigen richtet. Sie werden vom Gebrauch dieses Machtmittels unumwunden ausgeschlossen und haben das situative Gewaltmonopol der militärischen Führungsschicht gewaltlos und widerspruchslos hinzunehmen. Das Duell dient also als Mittel zur Abschließung von Oberschichten. Mit dem Kriterium der Satisfaktionsfähigkeit schaffen und erhalten sie sich ihre Exklusivität. Es ist ein um so verläßlicheres Herrschaftsmittel, als mit ihm die relevante Gleichzeitigkeit des Erlebens bestimmter Entscheidungssituationen sozial restringiert werden kann.

Zugleich liefert es eine indirekte (und damit gesellschaftlich ungemein wirkungsvolle) Legitimation für die Entwaffnung aller nicht zur Oberschicht zählenden Gesellschaftsmitglieder. Indem ihnen die Satisfaktionsfähigkeit abgesprochen wird, können sie wie selbstverständlich daran gehindert werden, Waffen zu tragen. Hat man sie erst einmal soweit, daß sie auch selber nicht mehr glauben, dessen würdig zu sein, braucht man von ihnen weniger zu fürchten.

Die Angst der Herrschenden vor einer gewaltsamen Berührung mit den unteren Klassen wird kaum irgendwo so deutlich wie an der Ritualisierung des Duells. Es vertritt ihnen den Ernstfall, den es zugleich auszuschalten bemüht ist. Nicht umsonst wird es von seinen Apologeten als »Krieg en miniature« bezeichnet. [2] Es kann nun aber keineswegs nur als Ersatz einer zwischenstaatlichen kriegerischen Auseinandersetzung angesehen werden, sondern es ist (gerade wegen seiner sozial restriktiven Funktion) Surrogat des bewaffneten Klassenkampfs. Auch in dieser Hinsicht (und nicht bloß in der Dimension psychischer Einzelschicksale) eignet ihm etwas Kontraphobisches. Wie überall, wo sich sozialer Zwang mit äußerstem Verbindlichkeitsdruck durchzusetzen bestrebt ist, verbirgt sich auch hier ein gesellschaftliches Syndrom. Die Herrschenden scheinen zu ahnen, daß ihnen der Ernstfall, den sie im Duell restriktiv ritualisieren, um ihn nicht kollektiv Wirklichkeit werden zu lassen, in der Tat gefährlicher werden könnte als die Säbelverletzungen oder gar Todesschüsse bei ein paar selbstinszenierten Auseinandersetzungen auf der grünen Wiese.

Daß das Duell als spezifische Institution der Oberschicht eine diskriminierende Funktion besessen hat, wird augenfällig daran, daß es in den Dienst des Antisemitismus hat treten können. In welchem Umfang es zur Diskriminierung der Juden Verwendung fand, hat Schnitzler bereits in seiner Studentenzeit erfahren. In seiner Autobiographie erwähnt er den Beschluß des »Waidhofener Verbands der Wehrhaften Vereine Deutscher Studenten in der Ostmark« vom 11. März 1896, auf den er auch in seinem Drama *Professor Bernhardi* Bezug nimmt (DW II, S. 395). Dieser Beschluß hat folgenden Wortlaut:

»In vollster Würdigung der Tatsache, daß zwischen Ariern und Juden ein so tiefer moralischer und psychischer Unterschied besteht und daß durch jüdisches Unwesen unsere Eigenart schon so viel gelitten, in Anbetracht der vielen Beweise, die auch der

jüdische Student von seiner Ehrlosigkeit und Charakterlosigkeit gegeben und da er
der Ehre nach unseren deutschen Begriffen völlig bar ist, faßt die heutige Versammlung deutscher wehrhafter Studentenverbindungen den Beschluß ›*Dem Juden auf
keine Waffe mehr Genugtuung zu geben, da er deren unwürdig ist!*‹« [3]

Schnitzler erwähnt nicht die für die politische Selbstdarstellung der
Christlichsozialen im Parlament charakteristische Bemerkung des Abge-
ordneten und späteren Bürgermeisters von Wien Dr. Karl Lueger in einem
Dringlichkeitsantrag an den Minister für öffentliche Erziehung, die diesen
Beschluß zynisch rechtfertigte:

»Das Duell ist in Österreich eine strafgesetzlich verbotene Handlung und die österreichische Regierung sollte froh sein, daß die arischen Studenten, mit den Juden, sich
nicht duellieren wollen. (Heiterkeit bei den Antisemiten.) Freilich wird der Minister
sagen, wenn die Deutschen die Juden nicht mehr schlagen wollen, so ist das eine Beleidigung, eine Verletzung der Staatsgrundgesetze. (Heiterkeit bei den Antisemiten.)
Die Studenten müssen im Gegentheile den Beschluß fassen, die Juden ordentlich durch-
zuhauen, dann wird der Minister beruhigt sein. Der Minister wird sagen, die Studenten haben das aus Verachtung gegen die Juden gethan. Die Hauptsache ist aber,
daß Jemand eine strafgesetzlich verbotene Handlung nicht begeht.« [4]

Diente an den Universitäten die Rechtfertigung der Duellverweigerung gegenüber einer Minorität dem aufkommenden Rassenwahn, so wird in der Gesamtgesellschaft der herrschaftstechnische Schutzmechanismus sozialer Exklusivität zu einer solchen Rechtfertigung herangezogen. Indem die Herrschenden die unteren Klassen von ihren Ehrenhändeln ausschließen, beugen
sie der Gefahr vor, daß ihnen im Ernstfall nicht nur jeweils die Existenz bestritten werden könnte, sondern ihr kollektiver Herrschaftsanspruch. Darum
müssen sie von jedem, den sie zu den ihren zählen, verlangen, notfalls eher
auf seine Existenz zu verzichten als auf seinen Herrschaftsanspruch. Der
Staat, so will es die Ideologie des Duells, darf auf die Dauer kein Interesse
daran haben, daß seine Bürger »einen moralischen Tod dem physischen Tod
vorziehen.« [5]

Die Befolgung dieser Maxime steht im Zentrum des Begriffs der Ehre, wie
er sich Leutnant Gustl darstellt. Die Konsequenz, die Gustl aus seiner Lage
zieht, entspricht voll und ganz der Konvention. »So ein Kerl (wie der Bäckermeister, K. L.) kann sich auf offener Straße prügeln lassen, und es hat
keine Folgen, und unsereiner wird unter vier Augen insultiert und ist ein
toter Mann...« (S. 358) Gustl glaubt, mit seinem Entschluß sich umzubringen, einer gesellschaftlichen Pflicht zu gehorchen. Seine Situation interpretiert er dahingehend, daß er eine Normverletzung hingenommen hat, ohne
angemessen (und das heißt: mit Androhung physischer Gewalt) zu reagieren.
Die Fortgeltung der Norm glaubt er nun dadurch sicherstellen zu können,
daß er die Gewalt, die sie hätte garantieren sollen, gegen sich selber wendet.

»Solche Normierungen der Selbstreaktion des Verletzten findet man vor
allem in wenig differenzierten Sozialsystemen, in denen auch akut unbeteiligte Dritte jederzeit in die Lage des Verletzten kommen können und des-

halb lebhaft daran interessiert sind, daß die Fortgeltung der Norm demonstrativ bestätigt wird.«[6] Daß derlei Normierungen nur in relativ überschaubaren Sozialgebilden gelten können, hat seinen Grund darin, daß sie zu ihrer Wirksamkeit einen hohen Bekanntheitsgrad der ihnen unterworfenen Personen voraussetzen. Wer nach den Prinzipien der Ehre lebt, muß sich praktisch in allen Lebenssituationen als »öffentliche Person«[7] definieren und darf keinerlei Anspruch auf Anonymität erheben.

Denn er muß seine persönliche Identität jederzeit mit Recht und Wahrheit identifizieren. Wer wie Gustl seine Ehre verliert, verliert daher mit ihr nicht nur einen Rechtstitel, sondern seine Rechtsfähigkeit und die Wahrheit seiner Person. Vermag er sie nicht wiederherzustellen, wird er zu einer Un-Person, zu einem gesellschaftlichen Niemand. Ihm fehlt dann jede weitere Möglichkeit einer öffentlichen Selbstdarstellung. Will er in dieser Lage den in seiner Ehre beschlossenen emphatischen Anspruch auf Selbstbehauptung aufrechterhalten, bleibt ihm keine andere Wahl, als sich zu töten. Die im Ehrbegriff enthaltene Forderung nach einer unbedingt konsistenten und durchgehend mit sich identischen Selbstdarstellung erzwingt schließlich die Selbstaufgabe der Person.

2 Rechtssoziologie des Duells

Kaum etwas belegt deutlicher das Archaische einer solchen Rechtsvorstellung. Daß sie im Falle einer Unterbrechung der Geltung von Normen, nachdem ein Kampf um diese nicht (mehr) möglich ist, den Suizid erzwingt, bezeugt, daß sie die Erscheinung der Person als Quelle von Recht und Wahrheit ansieht. Aus diesem Grund muß nach ihrer Auffassung mit dem Recht auch die Rechtsquelle verschwinden.

Hierin äußert sich die ungemein geringe Abstraktionsfähigkeit dieses Rechtsdenkens. Ihren sinnfälligsten Ausdruck findet sie in der fraglosen und vorgängigen Legitimation des Duells. Es wird als eine Institution der Rechtsfindung angesehen, bei der das personenbezogene Recht des jeweils einen dem des anderen zu weichen hat. Neutral begründete, differenzierte Urteilsformen sind ihm fremd.

Zwar hat sich Gustl wegen seiner Auseinandersetzung mit dem angeblich sozialdemokratischen Rechtsanwalt in einer förmlichen Anfrage an seinen Oberst gewendet, um dessen Erlaubnis zu einem Zweikampf einzuholen (S. 340). Dadurch aber wird sein Rechtsgefühl nicht in Frage gestellt, sondern eher bestätigt, das ihm das Duell als wichtigstes Rechtsmittel in Ehrenangelegenheiten nahelegt. Auch der Ehrenrat seines Regiments, an den er sich wenden möchte (S. 346), würde in seinem Fall primär die Funktion haben, darüber zu entscheiden, ob ein Duell stattfinden darf (oder gar muß), ohne die Ehrenstreitigkeit selbst einer materiellen Prüfung zu unterziehen.

Es gibt in Gustls Augen bei der Rechtsfindung in Ehrenangelegenheiten keine Variabilität der Bezugsgruppen. Die geringe institutionelle und soziale Differenzierung, mit der er lebt, fördert seine Neigung, sich auch in derartigen Rechtsfragen fast ausschließlich am Offizierskorps seines Regiments zu orientieren, ohne gesamtgesellschaftlich gültige Rechtsmittel in Anspruch zu nehmen. Gustl erkennt keine institutionalisierten Verfahren der Rechtsfindung an, die über konkret unbeteiligte Dritte abgewickelt werden. Für ihne regeln derlei Verfahren allenfalls die Voraussetzungen einer Entscheidung, ohne zu dieser selbst inhaltlich Stellung zu beziehen. Als Offizier vertritt Gustl seinen Anspruch auf subjektive Entscheidungsautonomie, ohne die Möglichkeiten objektivierbarer Prüfung von Sachverhalten berücksichtigen zu wollen oder zu müssen. Er besteht auf einer personalen Exekution seines Rechts; deren Ergebnis sieht er unumwunden als Urteil an.

Die geringe Abstraktionsfähigkeit, die sich in einem solchen Rechtsdenken ausdrückt, tritt vor allem an der Augenblicklichkeit und Unaufschiebbarkeit des Zweikampfs zutage. Jede Normverletzung und Erwartungsenttäuschung, die die Ehre berührt, muß ihm zufolge möglichst unmittelbar geahndet werden. Sofort soll die Fortgeltung einer Erwartung, die enttäuscht wurde, durch das Verhalten des Enttäuschten garantiert erscheinen. Allein aus diesem Grund kann die umweglose Direktheit der Rache zur sozialen Pflicht erhoben werden. Denn es soll nicht jene Langfristigkeit der Rechtsfindung sich herausbilden, wie sie durch förmliche Verfahren vor unbeteiligten Dritten unabweisbar wird. Die überläßt Gustl einem »Rechtsverdreher« (S. 340) wie dem Advokaten, den er (vielleicht auch aus Wut über dessen Profession) leichtfertig provoziert und zum Duell gefordert hat.

Das Mißtrauen gegenüber förmlichen Gerichtsverfahren, das Gustl zur Herabwürdigung des Rechtsanwalts genötigt haben mag, rührt her aus dem merkwürdig gebrochenen Verhältnis zum Recht und zur Wahrheit, das solche institutionalisierten Verfahren kennzeichnet. Sie erzwingen eine Selbstdarstellung, die die Erscheinung der Person nicht unbedingt mit Recht und Wahrheit identifiziert. Daher muß ein Mann wie Gustl, der sich selbst jederzeit aus solcher Unbedingtheit heraus darzustellen meint, sie als rechtsverdreherisch und ehrenrührig empfinden. Denn sie verlangen einen expressiven Verhaltensstil, für den die Darstellung anderer Meinungen gerade nichts Ehrenrühriges hat. »Daß ein Mensch sich selbst unbedingt aus der Wahrheit und dem Im-Recht-Sein versteht, kann im Verfahren nicht angemessen zur Sprache gebracht werden,« [8] weil über die Unbedingtheit einer solchen Selbstdarstellung nicht verhandelt werden kann. Vor Gericht ist eine Selbstdarstellung nur in Rollen zulässig. Durch sie wird dem jeweiligen Gegner nicht das Recht auf Selbstdarstellung bestritten. Es muß ihm vielmehr aufgrund von Verfahrensregeln ausdrücklich eingeräumt werden.

Bei einer ungeregelten bewaffneten Auseinandersetzung hingegen scheint dem Gegner vorab nicht nur das Recht, sondern darüber hinaus das Recht zum Streit bestritten zu werden. »Unter solchen Bedingungen diskreditiert das streitende Verhalten zugleich die Selbstdarstellungen ...und erzielt im Grenzfall nicht nur die physische, sondern auch die moralische Tötung. Die Gefährdung der physischen und sozialen Identität radikalisiert den Streit und entbindet letztlich von der Beachtung der Regeln. Im institutionalisierten Konflikt besteht dagegen über das Recht zum Streiten kein Streit und daher auch kein Streit über die Vertretbarkeit kontroverser Selbstdarstellungen.« [9] Gerade darauf beruht seine relative Abstraktheit gegenüber dem Duell.

Doch auch beim Duell konnte auf Verfahrensregelungen keineswegs verzichtet werden. Notwendig wurden derartige Regelungen wegen der hohen Plastizität und universellen Verwendbarkeit der physischen Gewalt, auf der das Duell beruhte. Aus der schier unerschöpflichen Vielgestaltigkeit der Arten von Gewaltanwendung erwuchs der Zwang zu einer strengen Reglementierung der im Duell zugelassenen Formen der Gewalt. Gustl lebt unter Verhältnissen, in denen sich dieser Zwang bereits vollständig durchgesetzt hat. Faktisch war das Duell um 1900 eine bis in kleinste Einzelheiten geregelte Institution der extralegalen Rechtsfindung. In seiner Reglementierung dokumentierte sich der Widerspruch, daß sie eine Rechtspraxis zu kodifizieren suchte, deren angeblicher Vorzug gerade darin bestand, durch ungeregelte und augenblickliche Gewaltsamkeit einen Rechtsstreit mit größtmöglicher Eindeutigkeit beizulegen. Rein technisch war das Duell um die Jahrhundertwende mithin eine weit weniger konkrete Form der Rechtsfindung, als seine Apologeten behaupteten.

Konkret blieb es allenfalls in bezug auf seine Resultate. Denn beim außergerichtlichen Zweikampf konnte es keine so (relativ) abstrakte Sanktion geben wie die staatlich organisierte Behinderung der Dispositionsfreiheit über den eigenen Körper durch eine Haft, sondern nur konkrete, ursprünglich für jedermann sichtbare Sanktionen wie eine Körperverletzung oder Tötung. Aus dieser Eindeutigkeit seiner Ergebnisse für jedermann ließ sich deren fraglose Gültigkeit für alle ableiten. Ihre nicht zu übertreffende Anschaulichkeit schien dem Duell als Form der Rechtsfindung in jedem Einzelfall von vornherein Recht zu geben.

Ohne den geringsten Zweifel an der Legitimation seines Handelns will denn auch Gustl seinen Duellgegner zu »Krenfleisch« (S. 366) schlagen. Die Attraktion, die das Duell für ihn besitzt, dürfte nicht zuletzt auf die Möglichkeit einer situativ legitimierten Selbsthilfe mittels physischer Gewaltanwendung zurückzuführen sein. Denn es scheint ihm keine eigenmächtigere und legitimationsunbedürftigere Art der Rechtsfindung zu geben als die von den unmittelbar Betroffenen direkt und wechselseitig herbeigeführte (und gerade deswegen sozial anerkannte) Anwendung physischer Gewalt im Falle eines Verstoßes gegen bestimmte Normen. Gustl muß an ihr um so brennender interessiert sein, als er sich der Gewaltanwendung, die sein Offiziersberuf im Ernstfall von ihm fordert, mitten im tiefsten Frieden contre coeur zu enthalten hat.

An seiner Lage wird ein militärpsychologisches Problem deutlich, das sich in der österreichischen ebenso wie in der preußischen Armee bereits im 18. und während des gesamten 19. Jahrhunderts gestellt hatte und das sich um 1900 entscheidend zu verschärfen beginnt. Nach der Einrichtung eines stehenden Heeres mußte der moderne Staat ein objektiv erscheinendes Interesse daran haben, auch in Friedenszeiten seine Soldaten und vor allem seine Offiziere zu einer Aggressionsbereitschaft anzuhalten, die jederzeit aktivierbar blieb, damit ihnen im Krieg der Einsatz ihres Lebens auch in Situationen und auch für Themen abverlangt werden konnte, die sie nicht (mehr) zu durchschauen und für sinnvoll zu halten vermochten. Wie sich an *Leutnant Gustl* zeigt, erfüllte das Offiziersduell zweifellos die Funktion, eine derartige Aggressionsbereitschaft in der militärischen Führungsschicht wachzuhalten.

Gleichwohl läßt es sich nicht auf die Funktion einer Ventilsitte reduzieren. Wenn seine Verteidiger geltend gemacht haben, es sei nichts weiter als »ein Krieg en miniature zwischen zwei einzelnen Menschen«, [10] so haben sie zu kurz gegriffen. Denn sie haben die historischen und gesellschaftlichen Dimensionen des Problems vernachlässigt. Für ein Verständnis der realen Bedeutung des Duells, wie sie sich in den erzählenden Schriften und Dramen Schnitzlers widerspiegelt, sind aber gerade diese Dimensionen von Belang.

3   »Freiwild«

Sie zeigen sich deutlicher noch als an der Erzählung *Leutnant Gustl* an dem Drama *Freiwild*. Seine Thema ist wie Schnitzler in der Antwort auf eine Rundfrage äußerte, weniger das Duell selbst als vielmehr der Duellzwang. Das Duell ließ Schnitzler gelten. Er fand es »nicht nur töricht, sondern sogar unverträglich mit dem Recht der Selbstbestimmung zwei Individuen, deren Beziehungen sich dahin entwickelt haben, daß sie das unabweisbare Bedürfnis empfinden, sich mit den Waffen in der Hand gegenüberzustehen oder einer den anderen zu töten, an der Ausführung dieses Vorsatzes zu hindern.« [11] Obwohl er nach Ausweis des Tagebuchs anläßlich eines Duells von Felix Salten »doch einen leichten Neid auf den, der sich geschlagen« hatte, empfand, [12] lehnte er für sich persönlich den Zweikampf rundheraus ab. Als ein Freund ihm sagte, er werde wegen *Freiwild* eine ganze Reihe von Duellen auszufechten haben, notierte er im Tagebuch: »Die Gefahren, die er mir persönlich in Aussicht stellte, verstörten mich anfangs riesig, obzwar ich es nicht glauben kann, daß man mich prociren wollte (anzunehmen denk ich entschieden kein Duell).« [13] Diesem Vorsatz ist Schnitzler auch späterhin treu geblieben. Nach der Veröffentlichung von *Leutnant Gustl* verlor er u. a. aufgrund seiner Weigerung, den Autor eines

Artikels der Zeitung *Reichswehr* wegen desssen persönlicher Angriffe zum Duell zu fordern, seine Charge als Reserveoffizier.[14] Damit wurde er selbst ein Opfer des Duellzwangs, den er einige Jahre zuvor mit seinem Drama *Freiwild* heftig kritisiert hatte.

Dieses Drama ist (wie viele Thesenstücke) künstlerisch von nur geringem Rang. Schnitzler meinte völlig zu Recht, es habe einen etwas »schattenhaften Helden«.[15] Wenn die folgenden Überlegungen ihm dennoch einige Aufmerksamkeit schenken, so geschieht das, weil sich an ihm die für das Verständnis anderer Texte Schnitzlers bedeutsamen sozialhistorischen Grundlagen des Duellproblems klarer explizieren lassen als an Werken, für die es konstitutiv ist, ohne im Detail entfaltet zu werden.

Der Held des Stückes, Paul Rönning, steht im Schatten seines Gegenspielers, des Oberleutnant Karinski. Dessen furioses, aggressiv-überschäumendes Temperament charakterisiert sein Freund Rohnstedt mit Worten, die (vielleicht etwas abgeschwächt) auch auf Leutnant Gustl hätte zutreffen können: »Was fängt so ein Mensch in ewiger Friedenszeit mit seinem Temperament an? Wo soll er hin damit? Es ist ja wahr, solche Leut' wie der Karinski sollen Soldaten sein, aber für solche Soldaten gehört der Krieg, sonst haben sie überhaupt keine Existenzberechtigung.« (DW I; S. 294) Sein habitueller Aggressionsüberschuß hat Karinski bereits vor Beginn der Handlung, die während seines Urlaubs in einem kleinen »Badeort nicht allzuweit von Wien« spielt (S. 265), in seiner entfernt gelegenen Garnisonsstadt in Schwierigkeiten gebracht. Er »hat einen Zivilisten im Kaffeehaus beinah zusammengehauen« (S. 273), bloß weil der ihn aus Versehen angestoßen hatte, ohne sich auf der Stelle zu entschuldigen. Darüber hinaus hat er siebentausend Gulden im Spiel verloren. Diese enorme Summe hat er sich bei einem Juden leihen müssen, der nun beim Regimentskommando Anzeige erstattet hat, weil er fürchtet, nicht wieder zu seinem Geld zu kommen. Zwar hofft Karinski (ähnlich wie Gustl), daß sein Onkel für seine Spielschulden gerade stehen werde, beim Regiment aber zweifelt man daran. Der Oberst legt ihm indirekt nahe, seinen Abschied zu nehmen, solange dies noch unter ehrenvollen Umständen möglich sei. Karinski lehnt diese Aufforderung, die ihm durch seinen Kameraden Rohnstedt überbracht wird, empört ab. Eher, so äußert er, werde er sich »eine Kugel durch den Kopf« jagen (S. 288), als den Dienst quittieren.

Unter dem Eindruck seiner mißlichen Lage, aber ohne sich eines Zusammenhangs mit ihr bewußt zu werden, provoziert Karinski den Helden des Stücks, Paul Rönning. Dieser ist ein gebüterter Rentier, der eben von einer schweren Krankheit genesen ist. Bevor er erkrankte, hat er als Maler dilettiert. Jetzt verspürt er »nicht die geringste« »Sehnsucht nach Arbeit« (S. 271). Einem Freund gegenüber, der ihm deshalb Vorhaltungen macht, sagt er »Was braucht man einen Beruf, wenn man ein Mensch ist!« (S. 272)

Rönning ist, noch ohne es ihr oder sich selbst (geschweige denn anderen) eingestehen zu wollen, in die Schauspielerin Anna Riedel verliebt. Sie hat am Sommertheater des kleinen Badeorts ihr erstes Engagement als jugendliche Naive. Rönning hat, wie er sagt, »eigentlich nur einen Wunsch in Hinsicht auf sie:« er »möchte sie in anderen Verhältnissen, unter anderen Menschen wissen.« (S. 273) Dies ist ihm ein um so größeres Bedürfnis, als er sieht, daß sie als Schauspielerin von ihrer geringen Gage und den wenigen Ersparnissen ihrer Eltern kaum längere Zeit würde leben können, ohne sich aushalten zu lassen. Das freilich will sie nicht, obwohl es allgemein von ihr erwartet wird. Rönning fände es »schrecklich, wenn dieses arme Ding so verkommen müßte wie hundert andere.« (S. 274) Aber sein Angebot, sie finanziell zu unterstützen, lehnt sie ab; denn sie will sich nicht an ihn binden.

Vor allem jedoch entzieht sie sich der Liebeswerbung des Oberleutnant Karinski. Der sieht in ihr wenig mehr als ein interessantes Abenteuer. Sie reizt ihn allein deshalb, weil er das Gefühl hat, sie einem Rivalen, eben Paul Rönning, »wegnehmen« zu können (S. 279). Nachdem ihm dies nicht zu gelingen scheint, nachdem sie es vielmehr abgelehnt hat, sich von ihm auch nur zum Souper einladen zu lassen, sieht er sich öffentlich bloßgestellt. In dieser Situation provoziert er Rönning, der seine Niederlage schweigend belächelt, mit der Andeutung, Anna Riedel habe ihn, Karinski, nur deshalb nicht bei sich empfangen und seine Einladung persönlich überbringen lassen, weil sie gerade einen anderen Liebhaber beherberge. Als Rönning diese Unterstellung mit der Bemerkung zurückweist, Anna wünsche sich lediglich vor Karinskis »Zudringlichkeit zu schützen« (S. 295), fragt dieser ihn: »Beliebt es Ihnen, damit zu behaupten, daß es eine Zudringlichkeit ist, wenn der Oberleutnant Karinski irgend ein Mensch vom Theater [i.e. irgendeine Schauspielerin, K. L.] zum Souper einladen will?« (S. 296) Rönning schlägt daraufhin Karinski vor aller Augen ins Gesicht. Mit dieser Tätlichkeit hat die Auseinandersetzung ihren Höhepunkt erreicht. Der Skandal ist perfekt, eine Duellforderung unausweichlich.

Analysiert man die Handlungssequenz, die zu ihr führte, sowie die Reaktionen der Beteiligten, so fällt zunächst auf, daß nach (fast) einhelliger Überzeugung Rönning mit der Ohrfeige, die er ihm gab, den Oberleutnant beleidigt hat. Dessen vorausgegangene, wiederholte und hartnäckige Provokationen fallen demgegenüber nicht als beleidigend ins Gewicht. Karinski kann offenbar ungestraft den Eindruck erwecken, jederzeit über die Schauspielerin verfügen zu dürfen. Sie scheint für ihn ebenso *Freiwild* zu sein wie der Zivilist, dem er sie auszuspannen sucht. Rönning begnügt sich damit, wortlos lächelnd festzustellen, daß dieser Eindruck den Tatsachen nicht entspricht. Gereizt wird er erst, als Karinski entgegen dem Augenschein und wider besseres Wissen unterstellt, daß es mit der Tugend der Schauspielerin nicht so weit her sein könnte, wie Rönning (und mit ihm alle anderen) annehmen. Erst in diesem Moment qualifiziert er Karinskis Verhalten als »Zudringlichkeit« (S. 295).

Mit seiner Reaktion versteht es Karinski, sich in die Position des Beleidigten zu bringen. Die Frage, die er Rönning stellt, dient einzig dem Zweck, eine Wiederholung und Bestätigung der von ihm als herabsetzend empfundenen Äußerung Rönnings zu erhalten, um ihn anschließend zum Duell fordern zu können. Es kommt ihm jetzt nicht im mindesten mehr darauf an, ob diese Äußerung der Wahrheit entspricht oder nicht. Er ist allein daran interessiert, die Bemerkung Rönnings, mit der dieser im Grunde vollkommen recht hat, er, Karinski, habe sich zudringlich verhalten, als ehrenrührig darzustellen. Der objektivierbare Wahrheitswert dieser Bemerkung gilt ihm nichts gegenüber der subjektiv empfundenen Ehrverletzung, die – einmal als solche angemahnt und bestätigt – auch ohne die nachfolgende Ohrfeige Rönnings ein Duell nach sich ziehen soll.

Damit wird deutlich, daß das Duell die Möglichkeit bot, die Feststellung einer Tatsache, die für den Herausforderer unangenehm war, dadurch zu verhindern,[16] daß er vorgab, durch die bloße Erwähnung eben dieser Tatsache beleidigt worden zu sein. Indem jemand sich selbst voll und ganz mit Recht und Wahrheit identifizierte, erhob er den Anspruch, seine Interpretation eines bestimmten Sachverhalts oder einer Situation notfalls auch kontrafaktisch und mit Gewalt gegen die offenkundig richtige Darstellung eines anderen durchzusetzen, dem seine abweichende Meinung als böswillige (und deshalb Sanktionen geradezu erzwingende) Fehlinterpretation angelastet werden konnte. Auch Verteidiger des Zweikampfes mußten am Ende des 19. Jahrhunderts einräumen, daß die Duelle in einem Drittel aller Fälle ausschließlich dem Zweck dienten, »eine schmutzige Affäre und unmoralische Handlung mit dem Nimbus des Rittertums zu umgeben.«[17] Man sprach von einem »›Sich-gesund-Schießen‹ nicht ganz einwandfreier Persönlichkeiten.«[18]

Treffend und angemessen war eine solche Redeweise nicht zuletzt deshalb, weil derjenige, der sich (wie Karinski) provokativ in die Position des Beleidigten bringen wollte, sich den Vorteil zunutze machen konnte, seinen potentiellen Gegner zuvor auf dessen Waffentauglichkeit hin abzuschätzen. Formell erwarb er sich nämlich, sobald er beleidigt worden war, nicht nur das Recht, die Waffen zu wählen, sondern er durfte bei schweren Beleidigungen, die in der Regel ein Pistolenduell zur Folge hatten, auch als erster schießen.

Rönning glaubt denn auch, gute Gründe zu haben, wenn er die Duellforderung Karinskis rundheraus ablehnt. »Mir ist einer über den Weg gelaufen, den ich gezüchtigt habe, wie er es verdient hat. Das war alles, was ich mit ihm zu schaffen hatte ... Ich kann ihm sowenig seine Ehre geben, als ich sie ihm nehmen konnte. Nicht dadurch, daß er den Schlag bekommen, dadurch, daß er ihn verdient hat, hat er sie verloren. Grade dieser Mensch, der soviel auf das hält, was sie Ehre nennen, hat die Ehre eines anderen Wesens leichtfertig besudelt.« (S. 310 f.) Die Weigerung Rönnings, sich zum Duell zu stellen, wird von ihm in einer Weise begründet, die deutlich werden läßt, daß er die ritualisierten Verhaltenserwartungen des Ehrenkodex nicht anzuerkennen vermag, nach denen seine Umgebung den Konflikt mit Karinski beurteilt. Seine Begründung läuft letztlich darauf hinaus, daß er keineswegs meint, den anderen beleidigt zu haben, sondern vielmehr der Auffassung ist, die Beleidigung einer ihm nahestehenden Person angemessen sanktioniert und folglich abgewehrt zu haben. Während also Rönning glaubt, der Oberleutnant habe seine Strafe bereits erhalten und der Konflikt sei damit wenn nicht beigelegt, so doch abgeschlossen, glaubt Karinski, auf seiner Duellforderung bestehen zu müssen. Er ist absolut überzeugt, sich entweder mit Rönning duellieren oder (ähnlich wie Leutnant Gustl es plante) umbringen zu müssen. An Rönning dagegen werden nicht die gleichen Verhaltenserwartungen herangetragen. Von ihm als Zivilisten erwartet man, daß er zwar nicht unbedingt voller Schande, wohl aber ohne Ehre würde leben können. Während Karinski in den Augen eines Kameraden nach Rönnings Duellverweigerung bereits ein toter Mann ist (S. 314), scheint keine der Figuren des Stücks davon auszugehen, daß sich auch Rönning unter ähnlichen Umständen würde töten müssen. Ihm droht allenfalls ein Leben auf der Flucht vor Karinski, der ihn, wenn er nicht sofort Selbstmord begeht, überall und jederzeit würde ausfindig zu machen suchen, um ihn doch noch zum Duell zu stellen.

Als man ihn mit dieser Drohung konfrontiert, beschließt Rönning nicht zu fliehen, sondern Karinski bewaffnet gegenüberzutreten. Er will sich, wie er sagt, nicht davonjagen lassen (S. 323). Als er schließlich dem Oberleutnant gegenübersteht und ihn auffordert, ihm den Weg freizugeben, weigert dieser sich. Rönning will zum Revolver greifen, aber Karinski ist schneller und erschießt ihn.

Obwohl er zunächst das Gegenteil zu tun beabsichtigte, hat damit Rönning letzten Endes auch seinerseits vor der Gewalt kapituliert und zum Zweikampf seine Zuflucht nehmen wollen. Als Zivilist hat er sich dem vom Militär ausgehenden Duellzwang unterworfen.

4   Duellzwang

Bei dieser Entscheidung dürfte eine Rolle gespielt haben, daß seine Freunde den Duellzwang auch für Zivilpersonen als verbindlich betrachten, wenn diese mit Offizieren in Konflikt geraten. Sie brechen aufgrund seiner Weigerung, sich zu duellieren, entweder die Beziehungen zu ihm ab oder drohen zumindest, es zu tun. Sie werfen ihm vor, sich »innerhalb des Kreises«, in dem er bisher gelebt habe, »rechtlos« gemacht zu haben (S. 300).

Ohne Vorbehalt erkennen sie damit das konkurrierende Nebeneinanderbestehen zweier Rechtsordnungen an, das für ein soziologisches Verständnis der österreichischen (ganz ebenso wie der preußischen) Gesellschaft des Fin de siècle überaus bedeutsam ist. Der Duellzwang, den Schnitzler nach eigenem Eingeständnis mit seinem Drama kritisieren wollte, ist dabei ein entscheidendes (wenn nicht das entscheidende) Durchsetzungsmittel der einen Rechtsordnung gegenüber der anderen.

Er sah vor, daß das innerhalb der herrschenden Klassen jedem Mann zustehende Recht, auf eine tätliche Beleidigung mit einer Duellforderung zu reagieren, »eine absolute Pflicht« wurde, »wenn der tätlich Insultierte ein Offizier« war, »da sich dieser gemäß der im Offizierskorps herrschenden Anschauungen der unzureichenden Verteidigung seines Ehrenkleides und somit der Offiziersehre schuldig machen würde, wenn er sich nicht der zuständigen Waffe bediente, um das Prestige seines Standes vor einem Schimpf zu bewahren und den Beleidiger zu züchtigen.«[19] Denn, so argumentierten die Apologeten des Duellzwangs, es liege »im Wesen der militärischen Standesehre, daß die Verletzung derselben an einem Standesgenossen nicht bloß die Ehre des einzelnen, sondern auch jene der Genossenschaft« berühre.[20] Dies gelte um so mehr, als das »Kleid des Offiziers« »das Kleid seines obersten Kriegsherrn« sei[21], dem man so wenig wie einem seiner höheren Gefolgsleute zumuten könne, im Falle einer Ehrverletzung auf das Urteil eines Strafgerichts zu warten und dessen Ehre deshalb jederzeit mit der blanken Waffe verteidigt werden müsse.

Derlei ideologische Scheinlegitimationen des Duellzwangs konnten freilich nicht darüber hinwegtäuschen, daß das Duell ursprünglich in einem unüberbrückbaren Gegensatz zum Herrschaftsanspruch des Staates stand. Denn es verstieß gegen dessen Monopol physischer Gewaltsamkeit und damit gegen den zentralen Anspruch staatlicher Machtentfaltung.[22]

Seit es Duelle gab, wurden sie denn auch staatlicherseits verboten. Bereits in einem der ältesten deutschen Duellverbote, einem Edikt des Kaisers Matthias von 1617, wird deutlich gesehen, daß sich die in Zweikämpfen freigesetzte Gewalt tendenziell gegen den Staat richtet. Es wird dort beklagt, daß Adelige und andere Personen »verbotene kämpfe, duell und balgereien anstellen, als wann sie über ihre oft von geringer ursache herrührende händel keine oberkeit erkenneten.«[23] Wenig später fand Richelieu die prägnanteste Formel für die Bedrohung der staatlichen Zentralgewalt durch das Duellwesen. Er sagte seinem König: »Il s'agit de couper la gorge aux duels ou aux édits de Votre Majesté.«[24]

Der historische Grund für die besondere Intensität (und Erfolglosigkeit), mit der seit dem ausgehenden 16. Jahrhundert in den meisten westeuropäischen Ländern von seiten des Staates durch zahllose Gesetze das Duellwesen bekämpft wurde, ist zweifellos darin zu suchen, daß das Duell als Reaktion auf die Durchsetzung eines zentralisierten staatlichen Machtapparats aufgefaßt wurde und interpretiert werden muß. Durch diesen neuentstandenen Machtapparat wurden dem Adel zugunsten der Fürsten Souveränitätsrechte entzogen, die zuvor im Recht zu jederzeitigem, eigenmächtigem und unkontrolliertem Waffengebrauch ihren deutlichsten Ausdruck gefunden hatten. Parallel dazu wurde mit der Einrichtung stehender Heere staatlicherseits der Versuch unternommen, ein unumschränktes Monopol physischer Gewaltsamkeit durchzusezten, das sich gegen die zünftlerische Autonomie der Regimenter des 17. Jahrhunderts richtete, deren Obristen nur in einem privaten Kontraktverhältnis zum jeweiligen Landesherrn standen und die insbesondere über eine eigene Gerichtsbarkeit verfügten. Die Duellverbote wendeten sich also einmal gegen die anarchische Tendenz des Feudaladels, seinen politischen Machtverlust durch gesellschaftliche Demonstration von Gewalt zu kompensieren[25], und zum anderen gegen die Aufsässigkeit von (zumeist adeligen) Offizieren, die ihre privaten Ehrenhändel ohne Billigung der staatlichen Zentralgewalt meinten austragen zu können.

Die Strafandrohungen sahen bei Zivilpersonen in der Regel längere Haft sowie eine Konfiskation des Vermögens vor, während Offizieren der Verlust ihrer Charge drohte. Diese Strafandrohungen wurden jedoch in der Rechtspraxis sehr unterschiedlich gehandhabt. Wahrscheinlich gab es in der Epoche der feudalabsolutistischen Gesellschaft sowie in der Zeit ihres Übergangs in die bürgerliche kaum Gesetzesbestimmungen, die weitherziger und weniger genau ausgelegt wurden als die Duellverbote.

»Das Haupthindernis für eine radikale Ausrottung des Duells« bildete dabei die seit Beginn des 18. Jahrhunderts aus Frankreich nach Deutschland eingedrungene »Anschauung, daß der Offizier ..., der sich nicht duelliere, aus seinem Verbande ausgestoßen werden müsse.« [26] Aus dieser ursprünglich gegen die staatlichen Duellverbote gerichteten Anschauung, die einen Rest von korporativer Gerichtsbarkeit durch den an bestimmte Bedingungen geknüpften Zwang zur Selbstjustiz zu bewahren vorgab, hatte sich am Ende des 19. Jahrhunderts in Preußen sowohl wie in Österreich ein staatlich weitgehend tolerierter, wenn nicht gar legitimierter Duellzwang herausgebildet. Während noch im 18. Jahrhundert mit dem Verlust seiner Charge, d. h. mit unehrenhafter Entlassung, nicht bloß *der* Offizier bestraft wurde, der zum Duell herausforderte, sondern auch der, der eine solche Herausforderung annahm, wurde Ende des 19. Jahrhunderts »nur die Unterlassung des Duells mit Chargenverlust bestraft.« [27] Während der staatliche Druck also ursprünglich gegen das Duell ausgeübt wurde, wurde er jetzt mehr oder weniger unumwunden zugunsten des Duells eingesetzt.

5   Konkurrenz zweier Rechtsordnungen

Es war im Österreich um 1900 durchaus üblich, daß maßgebende staatliche Organe »beredtes Zeugnis dafür« ablegten, »daß der vom ›Strafgesetz‹ *bedingungslos* verpönte Zweikampf unter gewissen sachlichen und persönlichen Voraussetzungen *unvermeidlich* erscheine und daher – nach der herrschenden Rechtsüberzeugung – straflos bleiben müsse.«[28] Obwohl also das Strafrecht den Zweikampf als gemeines Verbrechen betrachtete[29], konnte etwa der Reichskriegsminister, Graf Bylandt-Rheidt, in der XIX. Session der Delegation des österreichischen Reichsrats in einer Entgegnung auf die Rede eines Delegierten, der die Einhaltung der gesetzlichen Bestimmungen in bezug auf das Duell verlangt hatte, ungestraft erklären: »Ich bin nicht in der Lage, gegenwärtig in dieser Beziehung etwas zu veranlassen, weil ich ja in direkten Widerspruch mit den Begriffen und Anschauungen des ganzen Offizierskorps treten würde.«[30]

Nun wird man zwar nach gängigem Rechtsempfinden schwerlich geneigt sein, eine politische Ordnung, in der sich der zuständige Minister dem Parlament gegenüber außerstande erklärt, bestehenden Gesetzen Geltung zu verschaffen, als Rechtsstaat anzusehen; dessen soziologischer Begriff aber geht nicht mit der liberalen Fiktion konform, der zufolge »die Zwangsmittel der politischen Gemeinschaft faktisch gegenüber *jeder* anderen die stärkeren sind.«[31] Soziologisch ist vielmehr festzustellen, daß es in vielen Gesellschaften Ordnungen gibt, die im Widerspruch zum staatlichen Recht stehen. Es ist daher zu kurz gegriffen, »wenn man von ›Recht‹ nur da spricht, wo kraft Garantie der politischen Gewalt Rechtszwang« durchsetzbar erscheint. Man sollte »vielmehr überall da von ›Rechtsordnung‹ sprechen, wo die Anwendung irgendwelcher, physischer oder psychischer, Zwangsmittel in Aussicht steht, die von einem Zwangsapparat, d.h. von einer oder mehreren Personen ausgeübt wird ... wo also eine spezifische Art der Vergesellschaftung zum Zweck des ›Rechtszwanges‹ existiert.«[32]

Folgt man dieser Auffassung, so müssen soziologisch gerade die Punkte von Interesse sein, an denen sich das Recht des Staates den Zwangsmitteln anderer Verbände in den Weg stellt oder von ihnen gewohnheitsmäßig umgangen wird.

Eine derartige Konstellation liegt in Österreich um 1900 im Falle des Duells vor. Der Staat, der den Zweikampf auf dem Wege der Strafgesetzgebung seinen Bürgern verbot, hatte sich dort (wie in Preußen) nicht nur damit abgefunden, daß diese Rechtsvorschrift von einem Teil seiner Bürger regelmäßig durchbrochen wurde, daß also neben der zivilen Rechtsordnung und in direktem Widerspruch zu ihr eine militärische sich behauptete, sondern er war dazu übergegangen, entgegen dem Geist und Buchstaben seiner eigenen Gesetze die Durchführung der militärischen Rechtsordnung zu überwachen.

Das führte zu der Merkwürdigkeit, daß der »Staat den Duellzwang im Widerspruch mit den von ihm selbst erlassenen Verboten des Duells« durchsetzte.[33] Die Zweikampfbereitschaft war, trotz des Strafgesetzes, für den österreichischen Offizier um 1900 eine »staatliche *Rechts*pflicht [...], weil staatliche Rechtsfolgen an ihr Fehlen geknüpft« waren. [34] Denn »wer sich duellierte, wurde vom Staate eingesperrt, wer sich aber nicht duellierte, wurde von seinen Standesgenossen mit schlichtem Abschied davongejagt,«[35] was zwar nicht der Form, wohl aber der Sache nach einem staatlichen Hoheitsakt entsprach. Da ein Offizier, der sich duelliert hatte, in der Regel entweder freigesprochen oder zu Festungshaft verurteilt und binnen kurzem begnadigt wurde, mußte er diese Art der Verurteilung einem nicht wieder rückgängig zu machenden Verlust seiner Charge vorziehen. Starb er gar im Duell, so erhielt seine Witwe eine Pension, während er im Falle einer Duellverweigerung ohne jeden Versorgungsanspruch zu leben hatte.[36] All dies belegt, in welchem Umfang der Staat sich zum Ausführungsorgan einer Rechtsordnung gemacht hatte, die der seinen nicht nur nicht entsprach, sondern direkt entgegenarbeitete.

Für die Soziologie einer ihrem Selbstverständnis nach »bürgerlichen« Gesellschaft ist nun aber die Art der im Extremfall durch den Staat erzwingbaren Sanktionen von grundlegender Bedeutung. Denn an ihr zeigt sich das reale Kräfteverhältnis innerhalb dieser Gesellschaft. Am Beispiel der österreichischen Gesellschaft des Fin de siècle ist unter diesem Aspekt festzustellen, daß sich die von seiten des Staates betriebene Verrechtlichung der innergesellschaftlichen Gewaltverhältnisse, die als Legitimation der Herrschaft eines liberalen Bürgertums hätte gelten können, im Grenzfall nicht gegen die physische Gewaltförmigkeit der Rechtsfindung von seiten einer Militärkaste durchzusetzen vermochte. Mit dem illegalen Rechtsinstitut des staatlicherseits erzwingbaren und daher zum Schein legitimationsunbedürftigen Zweikampfs hatte sich das Militär einen Sonderstatus innerhalb der bürgerlichen Gesellschaft gesichert. Deren Militarisierung schlug sich nirgends deutlicher nieder als in der herrschenden Duellpraxis. Denn je rascher und unbedenklicher (auch außerhalb des Militärs) zum Duell als letztem Mittel eines Streitaustrags gegriffen wurde, desto schwächer stellte sich das staatlich garantierte Recht der bürgerlichen Gesellschaft gegenüber dem unmittelbaren und eigenmächtigen Rechtsanspruch einer ihrer entscheidenden Machteliten dar.

Das Duell war also zu einem bedeutenden Transmissionsinstrument der Militarisierung der Gesellschaft geworden. Dies ist darauf zurückzuführen, daß seine Ausbreitung mit der seit 1868 einsetzenden Einrichtung von Reserveoffiziersstellen in den Streitkräften einherging.[37] Denn der Duellzwang erstreckte sich um 1900 nicht mehr nur auf Berufsoffiziere, sondern schloß (wie nicht zuletzt die Verurteilung Schnitzlers aufgrund seiner Duellverweigerung in der Leutnant-Gustl-Affäre bezeugt) auch die Reserveoffiziere ein. Da deren Zahl infolge der neuen Armeeorganisation ständig zunahm und schließlich tendenziell alle männlichen Mitglieder der Oberschicht umfaßte, konnte ein zeitgenössischer Beobachter zu der Auffassung gelangen, »daß gegenwärtig der Versuch gemacht wird (wenn auch ganz gewiß nicht mit bewußter Absicht), die Deutschen zu Duellanten zu erziehen.«[38] In eine ähnliche Richtung weisen die folgenden Bemerkungen eines Journalisten aus dem Jahre 1896:

»Wir neigen, obgleich ohne statistische Angaben ein bestimmtes Urteil unmöglich ist, der ... Ansicht zu, daß unter den activen Offizieren der Zweikampf eher in der Abnahme als im Zunehmen ist, daß er verhältnismäßig häufiger unter den Reserveoffizieren vorkommt. Hierin liegt aber gerade die stärkste Verurteilung der Zustände, welche sich in den letzten Jahren herausgebildet haben; es bedeutet, daß das Duellwesen immer mehr in Volkskreise hineingetragen worden, denen die ihm zu Grunde liegenden Vorstellungen von Hause aus fremd sind, daß das Übel vermittelst eines moralischen Zwanges und der Erregung jener Eitelkeit, die im Bekenntnis zu einem besonderen Ehrencodex eine Befriedigung findet, geradezu gezüchtet worden ist.« [39]

Wenn sich Schnitzler in der Antwort auf die *Rundfrage über das Duell* gegen »die vielfachen Formen des uneingestandenen, unaufrichtigen, gefährlichen« Duellzwangs wendete, »der in unseren gesellschaftlichen Zuständen begründet ist«, [40] so übersah er, daß diese Zustände wesentlich durch eine politisch abgesicherte Vormachtstellung des Militärs bestimmt waren [41]; denn er konzedierte diesem die Berechtigung zum Duell, nicht ohne sie freilich mit einer Epidemie zu vergleichen. Der in Österreich-Ungarn um 1900 virulente deutsch-österreichische Militarismus scheint ihm nicht direkt, sondern nur am Duellzwang als einem seiner zentralen Symptome in den Blick getreten zu sein. Wenn er in seinen dramatischen Werken und erzählenden Schriften gegen diesen Zwang Stellung bezog, so mußte er im Verständnis seiner Zeitgenossen indirekt stets auch den Militarismus als das zugrunde liegende Syndrom angreifen.

Erst am Beispiel des Duellzwangs, mit dem zumal Zivilisten als Reserveoffiziere jederzeit kriegerische Leistungen abverlangt werden konnten, wird plausibel, warum eine zunächst wenig einleuchtende Bestimmung den Militarismus als »die Geistesverfassung des Nichtmilitärs« definiert. [42] Denn Militarismus besteht nicht schon dort, wo es eine zahlenmäßig starke Armee gibt [43]; er besteht vielmehr erst,

»wo ein Stand von Offizieren vorhanden ist, die sich nicht als Militärtechniker, als Funktionäre des ihnen übergeordneten politischen Willens fühlen, und ihren Militärberuf nicht als eine Dienstbeschäftigung auffassen, nach deren Erledigung sie Staatsbürger ... sind, sondern wo diese Offiziere ihren Beruf als den eines ›Kriegerstandes‹ begreifen, der eigene Ehre, eigenes Recht, eigene Gesinnung fordert, wo diese Auffassung des militärischen Berufes als eine der bürgerlichen Gesittung überlegene höherwertige Lebensform anerkannt wird, und ... wo diese Einschätzung des Militärs freiwillig von einem wesentlichen Teil des Bürgertums bejaht ... und eine Unterordnung unter diesen Militärstand willig vollzogen wird.« [44]

Im strengen Sinn dieser Definition scheinen Schnitzlers Bürger freilich eher halbherzig Militaristen zu sein. Denn sie schätzen weder rundheraus das deutsch-österreichische Offizierskorps positiv ein, noch unterwerfen sie sich allzu bereitwillig militärischen Normen.

Entscheidend aber bleibt, daß sie ihre abweichende Rechtsauffassung gegen die militärische nicht durchzusetzen vermögen. Das wird kaum irgendwo deutlicher als an ihrer Duellpraxis. Sie können sich ihre Einstellung zum militärisch-gesellschaftlichen Ritual des Zweikampfs zwar eingestehen, nicht aber diesem Eingeständnis entsprechend handeln. Daß sie das Duell als »lächerliche Eitelkeits- und Ehrenkomödie« ansehen (DW II, S. 312) und sich ihm gleichwohl nicht zu entziehen vermögen, sagt mehr über ihr gesellschaftliches Selbstbewußtsein, als sie selber darüber verlauten lassen. Wo immer Menschen wider bessere Einsicht einer Konvention folgen, wird eine soziologische Interpretation ihres Verhaltens annehmen dürfen, daß der Zwang, dem sie sich unterwerfen, groß genug ist, um sie fürchten zu lassen, im Falle einer Normverletzung von einer Sanktion bedroht zu sein, die ihnen gefährlich werden könnte. Die nur halbherzige Übernahme der militärischen Duellpraxis durch das Bürgertum in den Dramen und Erzählungen Schnitzlers läßt demnach Rückschlüsse zu auf dessen Einschätzung der realen Kräfteverhältnisse innerhalb der österreichischen Gesellschaft des Fin de siècle.

Sieht man von Leutnant Gustl ab, der darin eine Ausnahme bildet und läßt man darüber hinaus die späte Duellkomödie *Fink und Fliederbusch* beiseite, so sind es durchweg keine Anlässe, bei denen ein militärischer point d'honneur berührt oder gar verletzt wurde. Vielmehr geht es unterm Vorwand ritterlicher Auseinandersetzung um bürgerliche Probleme. Beinahe stets handelt es sich um eine Bedrohung der Familienehre aufgrund gebrochener Gattentreue. Daß über sie in einem Ehrenhandel militärisch entschieden wird, liegt zumeist daran, daß eine der beteiligten Figuren dem Offiziersstand angehört und damit dem Duellzwang unterliegt. So ist Fritz Lobheimer in *Liebelei* Leutnant der Reserve bei den gelben Dragonern, einem der vornehmeren Kavallerieregimenter, während Otto von Aigner in *Das weite Land* als Fähnrich bei der Marine Dienst tut. Beide wollen sich im Grunde nicht duellieren, werden aber durch ihre Herausforderer dazu gezwungen. Gegen beide verfügen die Ehemänner, die ihnen eine Duellforderung übermitteln, über eindeutige Beweise dafür, daß ein Ehebruch stattgefunden hat. Fritz Lobheimers Briefe an seine Geliebte sind von deren Mann gefunden worden, während Friedrich Hofreiter seinen Nebenbuhler des Nachts aus dem Schlafzimmerfenster seiner Frau hat steigen sehen. In *Liebelei* ist die Perspektive der Darstellung so gewählt, daß der herausgeforderte Liebhaber im Mittelpunkt der Handlung steht. *Das weite Land* dagegen ist um die Figur des betrogenen Ehemannes zentriert, der den Geliebten seiner Frau zum Duell fordert. Da im folgenden die Motivation dieser Forderung näher untersucht werden soll, bietet sich eine Analyse dieses Stücks im Blick auf die Duellproblematik an.

6   Das weite Land

Der dramatische Konflikt ist in ihm bereits vor Beginn der Handlung angelegt. Friedrich Hofreiter, ein Fabrikbesitzer, der mit seiner Frau Genia in Baden bei Wien lebt, hat zur Frau seines Bankiers, Adele Natter, eine Beziehung unterhalten, die er kurz zuvor abgebrochen hat. Von diesem Verhältnis haben im Laufe der Zeit fast alle an der Handlung beteiligten Personen, vor allem aber Natter und Genia, Kenntnis gewonnen. Hofreiters Frau hat wegen der Eifersucht Natters lange geglaubt, um ihren Mann fürchten zu müssen. Doch Natter verzichtet auf eine Duellforderung. Er weiß sich auf eine elegantere und für ihn ungefährlichere Art zu rächen. Ohne daß er selbst sich duelliert, hängt er seinem Nebenbuhler ein Duell an. Denn er setzt das Gerücht in Umlauf, Hofreiter habe sich in einem amerikanischen Duell eines Liebhabers seiner (Hofreiters) Frau entledigt. [45] Dabei macht er sich den Umstand zunutze, daß sich in der Tat ein Bekannter der Hofreiters, der in ihrer Villa wohnende Klaviervirtuose Korsakow, nach einer Billardpartie mit Hofreiter umgebracht hat.

Die Rache des Bankiers besitzt die Prägnanz und Klarheit einer gut verschleierten Bilanz. Sie ersetzt das Duell durch das bloße Gerücht von einem Duell. Dies Gerücht entbindet Natter von der Pflicht, sich mit Hofreiter zu duellieren, und lastet diesem ein Duell an, das nicht vorgefallen ist. Es entlarvt zum Schein den Betrüger als einen Betrogenen; es bezichtigt Hofreiters Frau eines Ehebruchs, der nicht stattgefunden hat, und lenkt damit von dem Ehebruch Hofreiters mit Adele Natter ab, der sehr wohl stattgefunden hat. Denn es verleitet zu der Folgerung, daß jemand, der sich für die verlorene Ehre seiner Frau schlägt, kaum gleichzeitig andere Verhältnisse unterhalten haben dürfte.

Hofreiter ist durch das Gerücht vom amerikanischen Duell so weit in die Defensive gezwungen, daß Natter kaum mehr zu leugnen braucht, dessen Urheber zu sein (DW II, S. 306). Zwar wäre der Fabrikant in der Lage seinen Bankier der üblen Nachrede zu überführen. Aber das kann ihm nur um den Preis gelingen, daß er selbst vor den Augen der Öffentlichkeit sein Gesicht verliert. Denn er besitzt einen Brief Korsakows an seine Frau, aus dem klar hervorgeht, daß Genia nicht dessen Geliebte war. Doch wenn Hofreiter mit diesem Brief dem Gerücht entgegentreten wollte, würde er sich lächerlich machen.

Der Triumph des Bankiers über den verflossenen Liebhaber seiner Frau ist prekär; denn Hofreiter ist zugleich sein Kunde. Doch Natter gelingt es perfekt, den Rivalen bloßzustellen, ohne dabei den Kunden zu verlieren. Hofreiter wird ihm gegenüber beinahe vollkommen handlungsunfähig. Er kann Natter nicht beweisen, das rufschädigende Gerücht in die Welt gesetzt zu haben; er kann der üblen Nachrede nicht entgegentreten; vor allem aber kann er Natter nicht seinerseits zum Duell fordern. Denn nach den Regeln des Duellkodex wäre eine solche Forderung unstatthaft. Die konventionalisierte Auffassung der Ehre behält das Recht (und die Pflicht) einer Duellforderung dem betrogenen Ehemann vor. In dieser Situation verzichtet Hofreiter darauf, sich zu rechtfertigen. Statt dessen fordert er Otto von Aigner scheinbar völlig unbegründet (und damit in den Augen aller Anwesenden nicht ohne Grund) zum Duell heraus. Er gibt damit öffentlich zu erkennen, daß seine Frau ein Ver-

hältnis mit dem Fähnrich hat und daß er von diesem Verhältnis Kenntnis gewonnen hat. Obwohl er, wie er sagt, weder Haß, Eifersucht, Wut noch Liebe
empfindet, tut er im nachhinein, was Natter ihm gerüchteweise unterstellt
hatte. Unbewußt handelt er in nachträglichem Gehorsam gegenüber dem
früheren Rivalen. Er begibt sich wirklich in die Gefahr, in die ihn Natter
durch die Verbreitung der Geschichte vom amerikanischen Duell fälschlich
versetzt hatte. Es ist, als wollte er Natter und sich selbst beweisen, in einer
bewaffneten Auseinandersetzung auf Leben und Tod seinen Mann stehen zu
können. Da sich Natter ihm gegenüber zu einer solchen Auseinandersetzung
nicht bereit findet, verschiebt er das Problem und duelliert sich ersatzweise
mit dem Geliebten seiner Frau, der ihm im Grunde sehr viel sympathischer ist.

7   Duell und eheliche Treue

Entzündet sich der dramatische Konflikt in dem Schauspiel »Das weite
Land« am Gerücht von einem Duell und endet mit einem vollzogenen Zweikampf, so gewinnt er in einem der anderen Stücke, in denen ein Duell thematisch wird, etwas Kasuistisches. In dem Nachlaßfragment »Ritterlichkeit«
[46] stellt sich zum einen die Frage, ob ein Ehemann seinen Nebenbuhler
auch dann zum Duell fordern muß, wenn er erfährt, daß dieser keineswegs
der erste Geliebte seiner Frau ist; zum anderen wird überlegt, ob eine Duellforderung nicht vollends unmöglich ist, wenn sich beweisen läßt, daß eine
Ehefrau für die Gewährung ihrer Gunst Geld entgegengenommen hat; das
führt schließlich auf das Problem, ob ein von einer Ehefrau mit einem anderen Geliebten hintergangener Liebhaber der Dame seines Herzens gegenüber
aus Ritterlichkeit sogar in dem Fall noch zur Diskretion verpflichtet ist, wenn
er weiß, daß diese sich von einem Konkurrenten hat aushalten lassen.

Aus derlei Quisquilien des Duellkodex läßt sich kaum ein dramatischer
Konflikt entwickeln. An ihnen erweist sich die geringe künstlerische Qualität
des Entwurfs, von dem man wohl sagen darf, daß er zu Recht Fragment geblieben ist. Sie belegen darüber hinaus die geringe Abstraktionsfähigkeit des
im Duell institutionalisierten Rechtsdenkens. Denn sie scheitern an dem Versuch, die Komplexität der Beziehungen zwischen den Geschlechtern in die
archaischen Rechtsvorstellungen des Zweikampfs zu übersetzen. Während
in dem Drama Das weite Land das bloße Gerücht von einem Duell weit besser dazu taugte, einen Eifersuchtskonflikt differenziert zu entfalten, als es ein
vollzogenes Duell vermocht hätte, bleiben die in dem Fragment Ritterlichkeit
angestellten Überlegungen, die allesamt lediglich nach der Legitimation eines
bevorstehenden Zweikampfs fragen, in reiner Kasuistik stecken. Die im Gerücht eröffnete bloße Möglichkeit eines Duells bietet einen weit größeren
Handlungsspielraum als diese auf einen Punkt konzentrierten Reflexionen.
Ein tatsächlich durchgeführtes Duell zwingt die gesamte Handlungsdimen-

sion unter eine einzige Entscheidung, durch die die vielschichtige Problematik der Beziehungen zwischen den Charakteren weder entfaltet, noch gar differenziert werden kann.

Entsprechend undifferenziert sind denn auch die Problemlagen, aus denen sich in den Stücken Schnitzlers Duelle entwickeln. Es wurde bereits darauf hingewiesen, daß es sich bei ihnen zumeist um Auseinandersetzungen wegen eines Verstoßes gegen die eheliche Treuepflicht handelt. Von entscheidender Bedeutung ist jedoch, daß nicht das Faktum des Ehebruchs, sondern seine Entdeckung den Zweikampf nach sich zieht. In den Augen der Beteiligten wiegt die Verletzung der Diskretion, die Durchbrechung des äußeren Scheins eines harmonischen Ehelebens und Familienglücks schwerer als dessen reale Zerstörung. Gilt es, unter allen Umständen, den Schein ehelicher Treue nach außen hin zu wahren, so bedeutet das zugleich, daß andere Liebesbeziehungen stillschweigend geduldet werden. Erst wenn sie vor der Öffentlichkeit nicht mehr verborgen gehalten werden können oder dies unmittelbar zu befürchten steht, muß zum Duell als letztem Mittel gegriffen werden, um die bedrohte Familienehre wiederherzustellen.

Erstaunlich bleibt, daß eine Auseinandersetzung zwischen den Eheleuten über die mangelnde eheliche Treue des Mannes oder der Frau kaum je dargestellt wird oder von den Charakteren auch nur in Betracht gezogen wird. Wie selbstverständlich scheinen sie einander zu unterstellen, daß sie außereheliche Beziehungen unterhalten, die sie voreinander verbergen. Auch wenn dies nicht mehr möglich ist, wahren sie im Blick auf die Folgen strengste Diskretion. So wird das Duell zuweilen vom Ehemann vor der Frau, deretwegen es ausgetragen werden muß, geheimgehalten *(Ritterlichkeit)*. In anderen Fällen wird sie zumindest über den genauen Zeitpunkt des Zweikampfs im unklaren gelassen *(Das weite Land)*. Undenkbar wäre es, wenn der Frau von seiten des Ehemannes wegen ihrer Untreue Vorhaltungen gemacht würden. Da es beiden stets allein darum geht, den Ruf zu wahren und nicht die Treue, könnten sich die Eheleute gegeneinander allenfalls zum Vorwurf der Ungeschicklichkeit hinreißen lassen. Aber auch den gestattet ihnen die Diskretion, der sie sich verpflichtet wissen, in aller Regel nicht.

Ihr uneingestandenes Ziel ist es, an der formalen Unauflösbarkeit der Ehe auch und gerade dort festzuhalten, wo libertinistisch Liebesverhältnisse neben ihr toleriert werden. War die Polygamie stets ein »Privileg der Besitzenden« [47], so mußten zugleich mit ihr Rechtsverhältnisse entwickelt werden, um den Besitz vor ihren möglichen Folgen zu schützen. Unter den Bedingungen der Oberschicht im Österreich der Jahrhundertwende galt der rechtliche Schutz, den die patriarchale Ehe gegen die in und neben ihr praktizierte Polygamie benötigte und gewährte, in erster Linie der Sicherung des Vermögens und der Erziehung der Kinder. Beidem wurde offenbar ein höherer Wert beigemessen als der ehelichen Treue. Damit schien eine gewisse (wenn auch jederzeit gefährdete) sexuelle Freizügigkeit möglich.

In den Dramen und Erzählungen Schnitzlers gestehen die Eheleute einander wechselseitig, aber unausdrücklich die Lizenz zum Ehebruch zu. Sie umfaßt jedoch ausdrücklich nicht dessen Veröffentlichung; denn mit der scheint die Stabilität der geordneten Vermögenssicherung und die Garantie der behüteten Kindererziehung nicht vereinbar. Sind sie gefährdet, so ist die Institution der Ehe in ihrem materiellen Kern bedroht und das Duell kann (oder muß) in sein Recht treten.

Geht die Ehefrau, die sich einen Geliebten hält, das Risiko ein, Familienschande auf sich zu ziehen, im Duell ihren Geliebten oder ihren Mann zu verlieren und im äußersten Fall verstoßen zu werden, so setzt sich der Liebhaber der Gefahr aus, vom Ehegatten seiner Geliebten zum Duell gefordert zu werden und dabei sein Leben aufs Spiel setzen zu müssen.

Diese permanente Gefährdung erzwingt eine Heimlichkeit der außerehelichen Liebesbeziehungen, die deren Reiz und Verlockung nurmehr erhöht. Gesteigert wird sie zumeist dadurch, daß in der Regel alle Beteiligten einander kennen und scheinbar ahnungslos gesellschaftlichen Verkehr miteinander unterhalten. So berichtet Fritz Lobheimer in *Liebelei*, daß er noch am Tag vor der Duellforderung nach dem Theater mit seiner Geliebten und deren nichtsahnendem Ehemann soupiert hat (DW I, S. 218 f. und 222 f.). Notwendige Folge solcher Heimlichkeit ist eine latente Hysterisierung der Liebesbeziehungen. Über sie beklagt sich Fritz bei Theodor, wenn er von seiner Geliebten sagt: »Sie hat Schreckbilder, wahrhaftig, förmliche Halluzinationen ... Da traut sie sich nicht fort, da bekommt sie alle möglichen Zustände, da hat sie Weinkrämpfe, da möchte sie mit mir sterben –« (S. 218). Die Angst, vom Ehemann entdeckt zu werden, führt zu einer übergroßen Emotionalisierung auf seiten der Frau. Sich selbst und dem Geliebten gegenüber versucht sie, diese Angst als gesteigertes Liebeserleben darzustellen. Aus der unvermeidlichen Ambivalenz dieser Darstellung resultieren dann die »ewigen Aufregungen und Martern«, die »großen Szenen« und »tragischen Verwicklungen«, vor denen Theodor seinen Freund warnt und gegen die er die unkomplizierte Liebe eines süßen Mädels empfiehlt.

Von seiten des Liebhabers wird die permanente Gefahr, entdeckt zu werden, anders wahrgenommen und verarbeitet. Nostalgisch läßt Schnitzler den Helden der späteren Erzählung *Der Sekundant* sich an sie erinnern. Sie gab, so meint er, »dem gesellschaftlichen Leben eine gewisse Würde oder wenigstens einen gewissen Stil. Und den Menschen dieser Kreise ... eine gewisse Haltung, ja den Schein einer immer vorhandenen Todesbereitschaft« (ES II, S. 882).

Geweckt und wachgehalten wurde diese Todesbereitschaft durch Aspirationen in bezug auf den Sozialstatus, die eine fortgesetzte Zugehörigkeit zur Oberschicht an ihr Vorhandensein banden. Aufgrund solcher Aspirationen glaubten die Bürger, mit jeder Duellforderung eine »ritterliche Genugtuung« (DW I, S. 300) zu erlangen. Der Zweikampf wurde in den zeitgenössischen

Ehrencodices, die als Duellhandbücher dienten, überwiegend als »ritterliche Aktion« bezeichnet. [48] Daran wird deutlich, daß die Bourgeoisie in ihrer Duellpraxis Mimikry an feudale Handlungsformen und Verhaltensnormen betrieb und jene Selbstnobilitierung fortsetzte, die bereits in den siebziger Jahren mit der Durchsetzung ihrer ökonomischen Macht abgeschlossen schien. Feudale Handlungsformen und Verhaltensnormen waren für sie Köder und Deckmantel eines Militarismus, den sie als solchen nicht erkannte. Bemäntelt wurde durch deren Übernahme die reale Schwäche des Bürgertums gegenüber dem Militär; geködert wurde es mit dem Versprechen seiner gesellschaftlichen Gleichstellung mit dem Adel. Die Bürger akzeptierten trotz aller Vorbehalte die Satisfaktionsfähigkeit als feudales Zugehörigkeitskriterium zur Oberschicht. Es scherte sie wenig, daß engagierte Gelehrte wie Georg von Below in zahlreichen Publikationen den Nachweis erbrachten, »daß die verbreitete Meinung von dem deutsch-ritterlichen Ursprunge des Duells als Legende zu bezeichnen ist.« [49] Wichtiger war es ihnen, sich in der ihrer Auffassung nach entscheidenden gesellschaftlichen Dimension persönlicher Machtentfaltung mit dem Adel auf eine Stufe gestellt zu sehen und an dessen angeblich bis aufs Rittertum zurückgehender Tradition bewaffneter Auseinandersetzung partizipieren zu dürfen. Obwohl also bereits »im 19. Jahrhundert das Duell nicht mehr als eine specifisch adlige Einrichtung« angesehen werden konnte [50], bestanden die Bürger darauf, es als eine solche wahrzunehmen.

Dieses Mißverständnis förderte in erheblichem Umfang die soziale Homogenisierung der österreichischen Oberschicht. Mehr noch als Abstammung, Besitz und Bildung fiel der Duellsitte die Aufgabe zu, die Distinktion und Abgrenzung der herrschenden Klasse zu markieren. Denn sie bot die Möglichkeit, den sozialen Raum dieser Klasse nach innen zu vereinheitlichen. Nur die, so schien es, die sich angesichts potentieller Duellforderungen jederzeit denselben Gefahren aussetzten, konnten wirklich einander gleich sein. Die Bereitschaft, ihre Ehre gegeneinander notfalls mit Waffengewalt zu verteidigen, vereinte sie über alle Schranken von Herkunft, Vermögen und Ausbildung hinweg. Nicht das Adelsdiplom, das Bankkonto oder die Ernennungsurkunde, sondern vielmehr die aus allen dreien sich herleitende Satisfaktionfähigkeit blieb im Selbstverständnis der österreichischen Gesellschaft der Jahrhundertwende das entscheidende soziale Distinktionsmerkmal einer Zugehörigkeit zur Oberschicht.

Was konnte es wunder nehmen, daß sich gerade auch Juden darum bemühten, durch eine Übernahme der Duellpraxis ihre Zugehörigkeit zur Oberschicht bestätigt zu sehen. In seiner Autobiographie berichtet Schnitzler, daß der bereits erwähnte Beschluß des Waidhofener Verbands [51] unter anderem darauf zurückging, daß sich jüdische Studenten zu ausgezeichneten Fechtern ausgebildet hatten, um der Diskriminierung, der sie unterlagen, entgegenzutreten. [52] Anekdotenhaft präsentiert er das Duell als Mittel der

Assimilierung der Juden in dem Roman *Der Weg ins Freie*. Es sind vor allem zwei Charaktere, an denen dieses Problem dargestellt wird.

Oskar Ehrenberg, Sohn eines jüdischen Fabrikanten und Offizier der Reserve, wird von seinem Vater in aller Öffentlichkeit geohrfeigt, als er, der nicht getauft ist, vor einer katholischen Kirche allein deshalb seinen Hut zieht, weil es, wie boshaft, aber zutreffend berichtet wird, derzeit »kaum eine Eigenschaft gibt, die für eleganter gilt als die Frömmigkeit.« (ES I, S. 808) Da der Sohn weder den Vater zum Zweikampf fordern kann, noch die Schande einer öffentlichen Ohrfeige ungesühnt lassen darf, handelt er als Reserveoffizier gemäß den Vorschriften des Duellkodex vollkommen korrekt, indem er sich umzubringen versucht. Doch der Selbstmordversuch schlägt fehl. Oskar Ehrenberg verliert ein Auge, behält aber die Leutnantscharge.

Anders liegen die Dinge in der zweiten Episode des Romans, in der von einem Duell berichtet wird, bei dem ein jüdischer Offizier den Beweis standesgemäßen Verhaltens antritt. Leo Golowski, eine Nebenfigur des Romans, hat während seiner Dienstzeit als Einjährig-Freiwilliger unter den Schikanen eines antisemitischen Oberleutnants so sehr gelitten, daß er diesen nach Ablauf seines Wehrdienstes [53] zum Duell provoziert und im Zweikampf tötet. Schnitzler läßt einen Bekannten Golowskis diesen Vorfall mit den Worten kommentieren: »es stände manches anders in Österreich, wenn alle Juden entsprechenden Falls sich so zu benehmen wüßten.« (S. 925) Doch ist dieser Kommentar nicht sein letztes Wort; denn er weiß nur zu gut, daß »die Judenfrage« keineswegs »durch eine Reihe von Zweikämpfen zu lösen« ist. (S. 925) Nicht zufällig beschließt er das Gespräch mit dem Votum eines Engländers, eines Angehörigen der Nation also, die um 1900 als einzige in Europa das Duell seit über fünfzig Jahren abgeschafft hatte. Dieser Engländer räumt ein, »daß das Duell in Österreich vorläufig nicht abzuschaffen wäre. Aber er erlaubte sich die Frage, ob das gerade für das Duell und nicht vielmehr gegen Österrich spräche.« (S. 925)

1 Soziale und geographische Distinktion

Das gleiche gesellschaftliche Panorama von Stadt, Vorstadt und Bohème, das *Anatol* oder die *Kleine Komödie* nur skizzenhaft boten, ist in *Der Weg ins Freie* in seinen Zusammenhängen ausgebreitet, aber unter die veränderten historischen Bedingungen gestellt, auf die der 1902–1907 geschriebene Roman reflektiert.[1] *Der Weg ins Freie* hat seine Besonderheit darin, daß er zugleich als Gesellschafts- und Künstlerroman konzipiert ist. Er unternimmt eine Diagnose der Wiener Gesellschaft, indem er seinen Helden gleichermaßen in der Stadt, in der Vorstadt und in der Bohème zu Hause sein läßt, doch ist diese Diagnose aus der Optik des Künstlers entworfen, der adlig ist. Zunächst sind die sozialen Bedingungen zu skizzieren, denen die Figuren des Romans unterliegen und ohne die etwa Georgs Liebe zu Anna und seine Liebe zur Kunst schwerlich gedeutet werden können.

Auch wenn die Personen des Romans einander an den verschiedensten Schauplätzen begegnen, sind die vier sozialen Räume, denen sie angehören, deutlich voneinander abgegrenzt. Aufs genaueste entspricht der sozialen die geographische Distinktion. Die Aristokraten, Georg und sein Bruder Felician, wohnen am Ring, genauer am Stadtpark (I.), die Familie des Kleinbürgers Rosner in der Paulanergasse auf der Wieden (IV.), die Familie des Großbürgers, des jüdischen Fabrikanten S. Ehrenberg in einer Nobelwohnung am Schwarzenbergpark (III.), Künstler wie Bermann und Nürnberger in der Vorstadt (VIII.) bzw. im heruntergekommenen Teil der Innenstadt (I. Bezirk). Im Mittelpunkt der Romanhandlung steht zunächst die Wohnung Rosners, später der großbürgerliche Salon Ehrenbergs (vgl. Karte II).

Das erste Kapitel konfrontiert den Helden in der Wohnung Rosners mit Dr. Berthold Stauber, einem jüdischen Abgeordneten der Sozialdemokratischen Partei, der nach antisemitischen Ausfällen gegen ihn resigniert sein Mandat niederlegen und nach Paris gehen will, um seine medizinischen Forschungen weiterzuführen. Damit ist vorläufig die politische Situation in Wien am Anfang des Jahrhunderts gekennzeichnet. Die an die Macht gelangten Christlichsozialen unter Lueger bekämpfen im Verein mit den Deutschnationalen zwei Feinde: die Juden, als Inbegriff auch des österreichischen Liberalismus, und die Sozialdemokraten, die bei den Reichsratswahlen 1897 erste Erfolge erzielt hatten.[2]

Bei Rosner begegnen sich Berthold Staubers Vater, der liberale, gebildete
jüdische Arzt Dr. Stauber, mit einer großen Praxis in »bürgerlichen Kreisen«,
[3] und der Baron, die beide für den Büroangestellten Rosner gesellschaftliche
Leitbilder sind; ihren Besuch versteht er als Ehrung, ihrer Unterhaltung folgt
er, wo nicht mit Unterwürfigkeit, so doch mit Respekt und Bewunderung. Ist
im Verhalten Rosners gegenüber dem alten Dr. Stauber und dem Baron das
Einverständnis eines eher biedermeierlichen Kleinbürgertums mit der politischen Ordnung der liberalen Ära angedeutet, so läßt sich an Josef Rosner wie
auch an Dr. Berthold Stauber erkennen, daß die nächste Generation diese
Ordnung längst verabschiedet hat. Berthold Stauber ficht, ohne daß der
Vater ihn noch verstünde, für sozialdemokratische Ziele. Josef Rosner
dagegen gibt die kleinbürgerliche Reserve auf und wird ein Opfer der
Demagogie der Christlichsozialen, die ihre Erfolge u. a. dem Antisemitismus
verdanken. Historisch gesehen ist damit im Roman der Weg beschrieben, den
seit den neunziger Jahren das Wiener Kleinbürgertum gegangen ist.

Anna Rosner, Georgs Geliebte, folgt den politischen Streitgesprächen,
die in der elterlichen Wohnung stattfinden, eher unbeteiligt. Sie war und
ist daran interessiert, der kleinbürgerlichen Enge wenn schon nicht durch
eine Karriere als Sängerin, für die ihre Stimme nicht ausreicht, so doch
durch Musikunterricht, der sie finanziell unabhängig macht, zu entgehen.
Was den Aristokraten Georg und Anna miteinander verbindet, ist nicht zuletzt ihre Musikalität. Darum wird Anna als Interpretin der Lieder Georgs
(freilich in der Privatsphäre der elterlichen Wohnung) eingeführt.

Wichtiger noch als die Wohnung Rosners ist für die Konflikte, die im
Roman entfaltet werden, der Salon Ehrenbergs, er bildet eine Zeitlang den
gesellschaftlichen Mittelpunkt des Romans. Die Soireen, die Frau Ehrenberg
bei sich oder auch im Waldsteingarten im Prater gibt, haben eine Gästeliste,
die anzuschauen sich lohnt: »Hofrat Wilt«, erinnert sich Georg an den Waldsteingarten, »wie in der Maske eines englischen Staatsmanns, mit vornehm
schlampigen Gebärden und mit dem gleichen, etwas wohlfeilen Ton der
Überlegenheit für sämtliche Dinge und Menschen; Frau Oberberger, die
mit dem graugepuderten Haar, den blitzenden Augen und den Schönheits-
pflästerchen auf dem Kinn einer Rokokomarquise ähnelte; Demeter Stanzides mit den weiß glänzenden Zähnen, und auf der blassen Stirn die Müdigkeit eines alten Heldengeschlechtes; Oskar Ehrenberg, mit einer Eleganz, die
viel vom ersten Kommis eines Modehauses, manches von der eines jugendlichen Gesangskomikers und auch einiges von der eines jungen Herrn aus
der Gesellschaft hatte; Sissy Wyner [...]; Willy Eißler, der heiser und fidel
allerlei heitre Geschichten aus seiner Militärzeit und jüdische Anekdoten er-
zählte; Else Ehrenberg [...]; Felician, kühl und liebenswürdig, mit hoch-
mütigen Augen, die zwischen den Gästen hindurch zu andern Tischen und
auch an diesen vorbei in die Ferne sahen; [...] Edmund Nürnberger, in den
bohrenden Augen und um den schmalen Mund jenes fast maskenhaft ge-

wordene Lächeln der Verachtung für ein Welttreiben, das er bis auf den Grund durchschaute, und in dem er sich doch manchmal zu seinem eigenen Erstaunen selbst als Mitspieler entdeckte; endlich Heinrich Bermann, in einem zu weiten Sommeranzug, mit einem zu billigen Strohhut, mit einer zu lichten Krawatte, der bald lauter sprach und bald tiefer schwieg als die andern.« (S. 663f.) Zwar erfolgt die Charakterisierung der Gäste hier durch den Helden des Romans, doch trifft sie sich mit der, die auch die Beteiligten voneinander geben. Vertreten sind bei den Ehrenbergschen »Jours« Ministerialbürokratie (Hofrat Wilt), Offizierscorps (Demeter Stanzides), Aristokratie (die Wergenthins) und Industrie (Ehrenbergs und Wyners); die größte Gruppe bilden die Künstler (Bermann, Nürnberger, die Eißlers), sie sind auch die häufigsten Besucher des Salons. So illuster sich die Gästeliste ausnimmt, sie spiegelt eher die Mißerfolge als die Erfolge der Bemühungen von Frau Ehrenberg, ihrem Haus die gesellschaftliche Geltung zu verschaffen, die dem Millionenvermögen des Patronenfabrikanten entspräche. Aristokraten wie Felician ziehen eine andere Gesellschaft vor, auch der Oberleutnant der Kavallerie und Gutsbesitzer von Stanzides läßt sich selten sehen. Der Grund wird oft genug genannt. Ehrenberg ist Jude, oder richtiger Zionist. Darum muß der Hofrat fürchten, mit seinen Besuchen seine Karriere zu gefährden. Der staatlich propagierte Antisemitismus hat so zugenommen, daß Frau Ehrenberg, um ihre gesellschaftlichen Ambitionen nicht zu gefährden, ihren Mann veranlaßt hat, die Identität wenigstens auf dem Türschild (S. statt Salomon Ehrenberg) zu verschweigen. Zu weiteren Zugeständnissen an die Assimilationsbestrebungen der Familie ist er allerdings nicht bereit. Demonstrativ bleibt er gelegentlich den Gesellschaften fern: »Aber wenn ich grad an einem Donnerstag ruhig zu Hause nachtmahlen möcht, und es sitzt in der einen Ecke ein Attaché, in der andern ein Husar, und dorten spielt einer seine eigenen Kompositionen zuguten vor, [...] so macht mich das nervös.« (S. 688) Schließlich führt er Therese Golowski in den Salon ein, eine führende Sozialdemokratin jüdischer Herkunft,[4] die wegen vermeintlicher Majestätsbeleidigung während einer Rede beim jüngsten Kohlestreik in Böhmen soeben zwei Monate Gefängnis abgesessen hat; eine Geste des alten Ehrenberg, die die Ambitionen seiner Frau aufs höchste gefährden muß: »Immerhin war zu bedenken, daß es kaum ein anderes Haus in Wien gab, wo Damen verkehrten, die kurz zuvor eingesperrt waren.« (S. 696) Darüber hinaus spendet er für Thereses Partei und stellt später eine hohe Kaution, um Leo Golowski, der wie er Zionist ist, wegen der bereits erwähnten Duellaffäre vor dem Gefängnis zu bewahren. Auf diese Weise begegnet Salomon Ehrenberg der doppelten Bedrohung, der er durch die Christlichsozialen ausgesetzt ist. Der jüdische Industrielle unterstützt die Sozialisten, die ihn bekämpfen, wie die Juden, weil beide von den Christlichsozialen unter Lueger bekämpft werden, letztere vor allem darum, weil ein Teil des Großkapitals in jüdischer Hand ist.

Anders als Salomon Ehrenberg, der die ganze »Feudalbande« haßt, ist dem Sohn Oskar nichts so wichtig wie seine jüdische Herkunft zu verleugnen, indem er den Umgang mit Aristokraten sucht und sich eines feudalen Habitus befleißigt. Ihm wird nachgesagt, daß er längst getauft wäre, stünde damit nicht das väterliche Erbe auf dem Spiel. Daß er im Eifer der Assimilation vor der Michaelerkirche den Hut zieht, wurde bereits erwähnt. Diese Geste ahndet sein Vater, Salomon Ehrenberg, mit einer Ohrfeige ohne Rücksicht auf die antisemitische Kampagne unter Führung der Christlichsozialen, die er auslöst. Der ›Christliche Volksbote‹ etwa verlangte, »daß beide Ehrenbergs wegen Religionsstörung oder gar Gotteslästerung vor die Geschworenen kommen« sollten. (S. 808) Oskar Ehrenberg überlebt den Selbstmordversuch, das Zerwürfnis zwischen Vater und Sohn ist irreparabel. Am Ende des Romans befindet er sich in Begleitung eines Prinzen von Guastalla auf einer Weltreise mit unbekanntem Ziel.

Betreibt Oskar Ehrenberg die Assimilation durch Übernahme des feudalen Habitus, so tun dies Mutter und Tochter Ehrbenberg sehr viel vermittelter durch die Führung des Salons: »Im erhöhten Erker auf dem grünsamtenen Sofa saß Frau Ehrenberg mit ihrer Stickerei; Else, ihr gegenüber, las in einem Buch. Aus dem tiefern und dunklern Teil des Zimmers, hinter dem Klavier hervor, leuchtete das weiße Haupt der marmornen Isis, und durch die offene Tür floß aus dem benachbarten Zimmer ein heller Streif über den grauen Teppich. Else sah von ihrem Buche auf, durchs Fenster zu den hohen Wipfeln des Schwarzenbergparkes [...]«. (S. 684) Buch, Klavier und marmorne Isis, die die erste Beschreibung des Ehrenbergschen Hauses hervorhebt, deuten auf den Bereich, dem Frau Ehrenbergs ganze Aufmerksamkeit gilt. Bildung und vor allem Kunst, kurz »junger Ruhm«, den sie »für ihren Salon einzufangen« weiß (S. 667), haben, wie es scheint, die Funktion, den mit der Fabrikation von Patronen erworbenen Reichtum, der nirgends im Haus zur Schau gestellt ist, zu verdecken oder doch wenigstens zu adeln. Darum ist der Familie die Abwesenheit des alten Ehrenberg erwünscht, dem man den emporgekommenen Patronenfabrikanten ansieht und, nach seinem Willen, auch ansehen soll und der nach Nürnbergers Urteil lediglich Glück gehabt hat, anders als der jüdische Fellhändler Golowski, der in Konkurs ging. Bildung, ästhetische Kultur zumal, verhält sich freilich zu Besitz nicht wie sein Ornament, wie Schorske annimmt.[5] Die Bildungsambitionen im Ehrenbergschen Salon, die musischen Erfolge der Tochter und die Versammlung von Komponisten, Literaten und Schauspielern vermögen gerade darüber zu belehren, daß sie, wiewohl sie zur Verbergung des Reichtums und seiner Herkunft gemeint sein mögen – denn von Geld und Patronen wird bei Ehrenbergs nicht gesprochen –, objektiv gerade seine symbolische Verdopplung bewerkstelligen. Indem das Großbürgertum im Salon den Reichtum, der es von den andern Schichten distanziert, aus dem Gebiet der Ökonomie auf das der Kultur verlegt, wird die soziale Distinktion, die der

Reichtum gewährt, bei aller Liberalität, die in der Auswahl der Gäste zum Vorschein kommt, nicht aufgehoben, sondern im Besitz symbolischer Güter (wie der Mamorbüste der Isis) oder in der Verfügung über die Künstler in Wahrheit noch einmal zur Anschauung gebracht. [6]

Zwar läßt Salomon Ehrenberg kaum eine Gelegenheit aus, die Ansprüche der übrigen Familie auf Bildung und »Vornehmheit« zu konterkarieren, zumal dadurch, daß er jiddische Wörter gebraucht. Daß sich der Parvenu dem kulturellen Obligo der Gründerjahre erfolgreich widersetzt, sichert ihm die Sympathien des Romans. Auch wenn er die vielfältigen Assimilationsversuche ablehnt, die im eigenen Hause unternommen werden, versteht er sich darum nicht weniger als Angehöriger des Großbürgertums. Objektiv Repräsentant der herrschenden Klasse, der ökonomisch wenig zu befürchten hätte, sieht er sich wegen seiner jüdischen Herkunft gezwungen, die Auswanderung nach Palästina zumindest zu erwägen. Die Ambivalenz des Großbürgers und Juden, die durch die politische Machtübernahme der Christlichsozialen verstärkt worden ist, wird sichtbar auch in der Sozialgeographie der Stadt. In der Auseinandersetzung, ob die Wohnung in einem der Mietpalais am Ring oder die Villa am Stadtrand nach dem Vorbild der englischen cottages dem Ideal großbürgerlich-feudaler Repräsentation besser gerecht werde, hat sich Ehrenberg augenscheinlich für die Nähe zum alten Aristokratenviertel im III. Bezirk entschieden. Diese Auseinandersetzung wurde in der Wiener Oberschicht geführt, seit die Ringstraße verbaut war, seit in den exklusivsten Vierteln, etwa um die Oper oder den Schwarzenbergplatz, keine weiteren repräsentativen Wohnungen gebaut werden konnten. [7] Wenn Ehrenberg am Schwarzenbergpark wohnt, mag dies einmal die Abneigung gegen jene protzige Repräsentation bezeichnen, in der sich vor allem am Opern- und Kärntner Ring alte Aristokratie und neues Industriebürgertum zusammenfinden, und mit ihr zugleich die mangelnde Zugehörigkeit des Juden zur Stadt. Doch weiß er sich zum andern auf eher verschwiegene Weise mit den gesellschaftlichen Ambitionen der Seinen auch wieder im Bunde; nicht zufällig nämlich trägt der Park, an dem die Wohnung gelegen ist, einen der erlauchtesten Namen: Schwarzenberg.

In der sozialen Geographie Wiens, die der Roman beim Leser voraussetzt, wo er sie nicht im einzelnen rekonstruiert, bildet neben der Wohnung Rosners in der Vorstadt und dem Salon Ehrenbergs am Schwarzenbergpark die Wohnung der Wergenthins am Ring, gegenüber dem Stadtpark, den dritten Ort, zu dem die Handlung immer wieder zurückkehrt. Daß sie dem sozialen Status der freiherrlichen Familie entspricht, geht auch daraus hervor, daß der Vater ihretwegen die Wohnung in der Innenstadt aufgibt, in der Habsburgergasse, die an der Hofburg beginnt und die nicht zufällig so heißt. Schnitzler läßt die Familie von Wergenthin den Umzug der Oberschicht mitvollziehen, der zwischen dem alten Aristokratenviertel der Inneren Stadt und der neuerbauten Ringstraße in den Gründerjahren vonstatten ging (vgl. Karte II). So standesgemäß wie die Wohnung und das Vermögen, das der Baron hinterlassen hat, ist die Gesellschaft, in der die Söhne verkehren; zu ihr gehören u. a. Graf Schönstein und der Attaché der englischen Botschaft, ihr bevorzugter Treffpunkt ist der Klub. Unbeschadet der gelegentlichen Besuche im Ehrenbergschen Salon verfolgt Felician zielstrebig eine Karriere, zu der ihn sein gesellschaftlicher Rang privilegiert, er geht später als Diplomat nach Athen. Der Held des Romans dagegen zieht der noblen Gesellschaft die der Literaten vor. Es ist bezeichnend, daß die Wohnung der Wergenthins schließlich aufgegeben wird, auch Georg verläßt Wien und geht an die Oper einer kleinen deutschen Residenzstadt. So verschieden die Karrieren, die die Aristokraten in Aussicht nehmen, zu sein scheinen, sie kommen darin überein, daß sie Wien als dem Zentrum der Monarchie den Rücken kehren. Ihr Weggang aus Wien deutet auf die historische Abdankung des österreichischen Adels, dessen marode Verfassung im Roman vor allem die an den *Grünen Kakadu* erinnernde Aristokraten-Satire des jungen Eißler illustriert – jene Abdankung, die der Erste Weltkrieg schließlich besiegelt hat.

Fühlt sich Georg von Wergenthin als Komponist am ehesten einer in ihren Lebensformen bürgerlich angepaßten Bohème zugehörig, Künstlern wie Eißler, Nürnberger, Bermann, so nicht, weil er sich von ihren künstlerischen Ambitionen Erfolge für die eigene Arbeit erhoffen könnte, sondern umgekehrt, weil ihre ästhetische Existenz so problematisch ist wie die seine. Eißler dilettiert als Maler und Schauspieler, sein Vater lebt von den lange zurückliegenden Erfolgen als Walzerkomponist wie vom gelegentlichen Handel mit Antiquitäten. Nürnberger wird als Zyniker charakterisiert, der sich trotz oder wegen eines erfolgreichen Romans seit Jahren weigert, sich noch einmal der literarischen Konkurrenz zu stellen. Von Bermann schließlich ist sicher, daß er, nach zwei gelungenen Stücken, niemals das Libretto einer Oper vollenden wird.

Überblickt man die geographischen und sozialen Orte, die die Welt des Romans bilden (vgl. Karte II), den Salon Ehrenberg, die Wohnungen Rosner auf der Wieden und von Wergenthin am Ring (Stadtpark), den Klub in der Innenstadt, die Wohnungen Nürnbergers und Bermanns, so wird anschaulich, welche Viertel und damit welche sozialen Schichten im Roman ausgespart sind: der Hof, die Zentren von Handel und Industrie am Ring und der Gürtel von Arbeitervierteln, der ähnlich wie der in Paris von Hernals über Ottakring, Neulerchenfeld, Fünfhaus, Margareten, Favoriten bis Simmering das Stadtzentrum umschließt (vgl. Karte III). Das ist um so bemerkenswerter, als der Held, der seine Geliebte in einem Vorort besucht, wo sie unbemerkt von der Öffentlichkeit ihre Niederkunft erwartet, diesen Gürtel immer wieden passieren muß. Der Weg vom Ring oder aus der Inneren Stadt nach Salmannsdorf führt an den Arbeiterbezirken vorbei, als wären sie Niemandsland. Damit ist weniger das Desinteresse des Autors bezeichnet als das

Wergenthins, um den der Roman zentriert ist. An der Abgeschiedenheit der gemieteten Villa außerhalb Wiens wird das Ausgeschlossensein der unverheirateten Kleinbürgerstochter, der seit der Schwangerschaft die gesellschaftliche Ächtung droht, ebenso sichtbar wie die Abgehobenheit der Wergenthinschen Künstlerexistenz.

Der *Weg ins Freie* handelt nicht vom Hof oder vom Reichsrat, auch nicht von den Ereignissen in den Arbeiterbezirken; allenfalls ist beim Abgeordneten Dr. Stauber vom Parlament und bei Therese Golowski von Arbeiterversammlungen die Rede, auch von »Wärmestuben, Suppen- und Teeanstalten, Asylen für Obdachlose und Arbeitshäusern« (S. 841), die Therese kennenlernen will. [8] Thema des Romans ist vielmehr die politische und psychische Verfassung des Wiener Bürgertums, vor allem seiner Juden, in den ersten Jahren christlichsozialer Herrschaft, die Situation der von Wergenthin, des jüdischen Fabrikanten Ehrenberg, des Kleinbürgers Rosner, der durch Bankrott deklassierten Familie Golowski (die aus der Innenstadt in die armselige Rembrandtstraße im II. Bezirk übersiedeln mußte) sowie der zumeist jüdischen Künstler und Literaten. Diese Verfassung expliziert der Roman, indem er seinen Helden an jedem der gesellschaftlichen Bereiche teilhaben läßt. Dabei wird die private Ziellosigkeit ebenso wie der Verlust der historischen Perspektiven, die die in den neunziger Jahren geschriebenen Dramen und Novellen eher unscharf bezeichneten, nunmehr für die verschiedenen Repräsentanten der österreichischen Gesellschaft konkretisiert. Baron Felician verläßt Wien um der standesgemäßen Karriere willen, doch ohne politische Ambition. Ehrenberg, der am meisten zu verlieren hat, schwankt zwischen Opposition und Auswanderung nach Palästina, der junge Dr. Stauber zwischen der Karriere eines Bakteriologen und der eines sozialdemokratischen Abgeordneten. Das läßt zunächst auf eine Vielfalt oder doch auf alternative soziale Möglichkeiten schließen, die dem einzelnen sich bieten. Doch dort, wo sie bestehen, auch bei Eißler, Bermann und Else Ehrenberg, hindern persönliche Disposition und historischer Augenblick daran, eine von ihnen zu ergreifen. Resignation oder Zynismus sind die Formen der Ohnmacht, die im Roman zutage treten. Eine Ausnahme bilden Josef Rosner, der zielstrebig auf eine Karriere bei den Christlichsozialen setzt, und Therese Golowski, deren Arbeit als Redakteur in einer sozialistischen Zeitung und deren Reden auf Arbeiterversammlungen in der Brigittenau ihr das Recht auf eine Liebesbeziehung mit einem Kavallerieleutnant augenscheinlich nicht streitig machen. Wenn Männer wie Dr. Stauber der emanzipierten Jüdin, der »jüdische Bankiers geradeso zuwider [sind] wie feudale Großgrundbesitzer, und orthodoxe Rabbiner geradeso zuwider wie katholische Pfaffen«, nachsagen, sie ende »entweder auf dem Schafott« »oder als Prinzessin« (S. 821), so weniger, weil Therese in der Tat zwischen derlei Möglichkeiten die Wahl hätte, sondern weil sie die eigene Ambivalenz auf sie projizieren.

Eine Sonderstellung nimmt in der sozialen und intellektuellen Welt des Romans Georg von Wergenthin insofern ein, als er das »Doppeldasein« (S. 731) eines Aristokraten und Künstlers führt. Dabei verübeln ihm die Aristokraten, so Felician, daß er Künstler, und die Künstler, Bermann etwa, daß er Aristokrat ist. Georg ist als Komponist seiner sozialen Herkunft entfremdet, doch so entfremdet wiederum nicht, daß er nicht in seiner Beziehung zu Anna mit Noblesse zu Werke ginge. Die Rendezvous mit ihr finden in einem »alten, zum Mietshaus gewordenen Palast« (S. 731) statt, und die Reise nach Italien erinnert an die grand tour. Aristokratischer Tradition entspricht auch, die Geliebte bis zur Niederkunft auf dem Lande zu verstecken. Zwar verläßt Georg Anna nicht sogleich, doch sein Recht, sie nicht zu heiraten, bleibt unantastbar, ein Recht, das er gegenüber einer Aristokratin schwerlich hätte durchsetzen können.

Die Themen, die die Gespräche sei's bei Rosners, sei's im Ehrenbergschen Salon beherrschen, der bedrohliche Vormarsch der Christlichsozialen und die Chancen des Sozialismus, lassen ihn weitgehend unbeteiligt. Nach einem Streitgespräch zwischen Ehrenberg und Therese Golowski über das Schicksal, das in den letzten Jahrzehnten nacheinander die Liberalen und die Deutschnationalen den Juden in Österreich haben zuteil werden lassen und das ihnen, wie Ehrenberg meint, auch bei den Sozialisten gewiß ist, heißt es: »Georg und Demeter blickten einander an, wie zwei Freunde, die gemeinsam auf eine Insel verschlagen worden sind.« (S. 697) Was um ihn her geschieht, nimmt Georg aus bequemer Distanz wahr, trotz oder vielmehr wegen der vielfältigen Beziehungen, die er zu allen Personen unterhält. Gerade der gleichzeitige Umgang mit armen Juden wie standesbewußten Aristokraten sichert ihm jene Einsamkeit in der Menge, auf die er angewiesen zu sein glaubt; allein in der Liebesbeziehung zu Anna Rosner ist sie aufgehoben.

2   L'amour pur und l'art pur

»Von allen Wesen, die jemals ihre Neigung ihm nicht verhehlt hatten, schien Anna ihm die beste und reinste. Auch war sie wohl die erste, die seinen künstlerischen Bestrebungen Teilnahme entgegenbrachte [...]«. (S. 680 f.) ›Rein‹ erscheint Georg Annas Liebe und zugleich seine eigene. Wie Anna ihn selbstlos liebt, ist auch seine Neigung zu ihr interesselos insofern, als er ihretwegen eine standesgemäße Partie nicht weiter in Betracht zieht – eine Heirat etwa mit Else, die ihn liebt und die einen Teil des Ehrenbergschen Vermögens erben wird, eine Heirat also, die ihm angesichts des geringen eigenen Vermögens gestatten würde, auch in Zukunft das Leben eines Rentiers zu führen. Indem er finanzielle Rücksichten ignoriert und über sie hinaus auch solche auf die eigene Arbeit – vor Beginn der Italienreise werden die Notenblätter im Pult verschlossen –, beweist Georg sich selbst ebenso wie Anna den absoluten Wert dieser Liebe. [9] Der Beweis ist um so dringender geboten, als jene Interesselosigkeit in der Beziehung zu Anna die Rationalisierung des handfesten Interesses an einer bequemen Geliebten darstellt. Gestört ist freilich Georgs Beziehung zu ihr insofern, als sie neben Else, Felician, Bermann u. a. zu denen gehört, die ihn fortwährend an eine bürgerliche Karriere erinnern. Sosehr er an ihr rühmt, daß sie ihn »zu zielbewußter und erwerbbringender Tätigkeit« (S. 681) anhält, so gewiß sind ihm derlei »bürgerliche Instinkte« zuwider.

Aufs engste sind im Roman Georgs Beziehung zu Anna und die zur Musik miteinander verknüpft. Darin erinnert Schnitzlers Held an Frédéric Moreau in der *Education sentimentale*, für den Bourdieu den Zusammenhang von »amour pur« und »art pur« nachgewiesen hat. Frédéric verhält sich zu Mme Arnoux, die er liebt, doch nie besitzt – so die These Bourdieus – wie im Urteil Flauberts der Künstler zur Kunst. [10] Die Reinheit seiner Liebe, ihre Interesselosigkeit, beweist sich Frédéric u. a. dadurch, daß er ihr ein Vermögen opfert, ohne einen Vorteil davon zu haben. Die Korrespondenz von Liebesbeziehung und Beziehung zur Kunst findet sich auch in Schnitzlers Roman ausgebildet. Läßt sich Georgs Liebe zu Anna als reine Liebe beschreiben, so die Musik, die er komponiert oder vielmehr zu komponieren sucht, als reine Kunst. Nicht so sehr Unfähigkeit hindert den begabten Komponisten daran, auch nur eins der Werke, die er in Angriff nimmt, zu vollenden, vielmehr ist ein prinzipieller Vorbehalt im Spiel, seine Schöpfungen den Anforderungen, die an eine bürgerliche Karriere zu stellen sind und die ihm andere immer wieder vorhalten, zu unterwerfen. Am Beginn des Romans erinnert sich Georg an eines der letzten Gespräche mit seinem Vater: »Er hatte wieder ein halbes Jahr oder länger nichts Rechtes gearbeitet; nicht einmal das schwermütige Adagio war niedergeschrieben, das er in Palermo, an einem bewegten Morgen am Ufer spazierengehend, aus dem Rauschen der Wellen herausgehört hatte. Nun spielte er das Thema seinem Vater vor, phantasierte darüber mit einem übertriebenen Reichtum an Harmonien, der die einfache Melodie beinahe verschlang; und als er eben in eine wild modulierende Variation geraten war, hatte der Vater, vom anderen Ende des Flügels her, lächelnd gefragt: Wohin, wohin?« (S. 635 f.) Die Musik, in der der »übertriebene Reichtum« an Harmonien die »einfache Melodie« zu verschlingen droht, bezeugt die Weigerung ihres Schöpfers, im ästhetischen Bereich zuzulassen, was ihm täglich an Zielgerichtetheit vor Augen geführt und abverlangt wird. Georg legt augenscheinlich Wert darauf, daß keins der Werke vollendet wird. Sooft er sich vornimmt, etwa das Quintett abzuschließen, so selten unternimmt er etwas zu seinem Gelingen. Freilich kommt er nicht ohne die Fiktion baldiger Vollendung aus. Zu Recht wird daher das Stück, das immer nahezu vollendet sein muß, das »mythische Quintett« genannt. Weder an der Vollendung neuer noch an der Aufführung der früher abgeschlossenen Kompositionen, der Lieder zu Gedichten des *West-*

östlichen Divan – es sei denn im privaten Zirkel im Ehrenbergschen Salon oder der eigenen Wohnung – ist Georg von Wergenthin interessiert, am wenigsten aber am Verkauf der eigenen Werke oder der beruflichen Nutzung seiner musikalischen Kompetenz. So verzögert er den Plan, Kapellmeister zu werden. Und als Dr. Stauber ihn mit Rücksicht auf seine Verpflichtungen gegenüber Anna darauf hinweist, wieviel ein Geiger in Boston verdient, heißt es: »Georg liebte es nicht, mit Violinspielern namens Schwarz verglichen zu werden und behauptete daher mit einer Bestimmtheit, die er selbst als übertrieben empfand, daß es ihm für den Anfang überhaupt nicht aufs Geldverdienen ankäme.« (S. 846) Indem er auf der Interesselosigkeit des Kunstwerks und der Unverkäuflichkeit ästhetischer Kompetenz insistiert, indem er strenggenommen »für nichts und für niemanden« komponiert, stellt der Künstler seine Distanz zum einfachen Produzenten unter Beweis, generell zum Bourgeois, der nichts als seine prosaischen Interessen kennt. [11]

Gilt die Kritik des »art pur«, wie sie Bourdieu exemplarisch an Flauberts *Education sentimentale* entwickelt hat, prinzipiell auch für den Helden des Schnitzlerschen Romans, so ist freilich das positive Moment zu berücksichtigen, das im Theorem von der Interesselosigkeit der Kunst seit ihrer Autonomisierung am Ende des 18. Jahrhunderts angelegt ist [12] und auch in Schnitzlers Roman noch mitgedacht wird; ein Moment, das Bourdieus Analyse entgeht. Historisch bezeichnet die Interesselosigkeit die ursprüngliche Weigerung der Kunst, für Verwertungsansprüche, wie sie der Feudalstaat oder die Kirche geltend machten, einvernommen zu werden. Und Spuren dieser Distanzierung haften auch dem Kunstbegriff noch an, auf den Schnitzlers Romanheld verpflichtet ist. Wergenthin nämlich weigert sich, die Kunst zum Vehikel einer bürgerlichen Karriere zu machen, seine Kompositionen – die wenigen aus früherer Zeit, die abgeschlossen sind – und sein Klavierspiel auf ihren Marktwert, auf ihre Verwendbarkeit hin feststellen zu lassen. Er zieht den Status des »Dilettanten« vor, der geschmäht wird, weil sein Talent ungenutzt bleibt, dafür aber nicht in die bürgerliche Pflicht genommen wird.

Deutlich aber ist an Wergenthin sichtbar, in welchem Maß die ›reine Kunst‹ als l'art pour l'art das Moment ihrer Interesselosigkeit pervertiert hat. Schnitzlers Held ist nicht Künstler, sondern Ästhet. Er ist nicht im Ehrenbergschen Salon, auch nicht bei Rosners oder in der Wohnung zu Hause, die er mit dem Bruder teilt; schon gar nicht in der Musik. Er versinkt wohl in ihr, wie bei der Aufführung des *Tristan*, genausogut aber kann er vergessen, daß er Künstler ist. (S. 711) Der Schriftsteller Bermann hat ihn darüber belehrt, was von seinen ästhetischen Ambitionen zu halten ist: »Sie müssen nicht schaffen, um zu sein, was Sie sind –! Sie brauchen nicht die Arbeit; – nur die Atmosphäre Ihrer Kunst...« (S. 861) Während der *Tristan*-Aufführung, die er vor seinem endgültigen Weggang aus Wien besucht, gesteht er sich schließlich ein, daß der Schriftsteller recht hatte.

»Wußte er denn, ob ihm gegeben war Menschen durch seine Kunst zu zwingen, wie dem Meister, der sich heute hier vernehmen ließ? Sieger zu werden über das Bedenkliche, Klägliche, Jammervolle des Alltags? Ungeduld und Zweifel wollten aus seinem Innern emporsteigen; doch rasch bannten Wille und Einsicht sie von dannen, und nun fühlte er sich wieder so rein beglückt wie immer, wenn er schöne Musik hörte, ohne daran zu denken, daß er selbst oft als Schöpfer wirken und gelten wollte. Von allen seinen Beziehungen zu der geliebten Kunst blieb in solchen Augenblicken nur die eine übrig, sie mit tieferem Verstehen aufnehmen zu dürfen, als irgendein anderer Mensch. Und er fühlte, daß Heinrich die Wahrheit gesprochen hatte [...]: nicht schöpferische Arbeit, – die Atmosphäre seiner Kunst allein war es, die ihm zum Dasein nötig war; kein Verdammter war er wie Heinrich, den es immer trieb zu fassen, zu formen, zu bewahren, und dem die Welt in Stücke zerfiel, wenn sie seiner gestaltenden Hand entgleiten wollte.« (S. 921) Die Preisgabe künstlerischen Schaffens zugunsten einer bestimmten Form der Liebe zur Kunst kann Georg verschmerzen, weil auch diese ihm Exklusivität zu gewähren verspricht. Es beruhigt ihn, Kunst »mit tieferem Verstehen aufnehmen zu dürfen, als irgendein anderer Mensch«. Während Bermann die »schöpferische Arbeit«, auch wenn sie erfolglos bleibt, unverzichtbar ist, genügt Georg der Genuß der Kunst oder vielmehr, er kann zwar aufs Komponieren, nicht aber auf die »Atmosphäre seiner Kunst« verzichten, weil sie ihm das Vergessen der jammervollen Wirklichkeit gestattet. »Von allen seinen Beziehungen zu der geliebten Kunst« ist Georg nur eine verblieben, eben die Liebe zur Kunst. Die reine Liebe und die reine Kunst sind im Roman so aufeinander bezogen, daß die reine Kunst, l'art pour l'art, sich als die reine Liebe zur Kunst zu erkennen gibt. An die Stelle des künstlerischen Schaffens »für nichts und für niemanden«, das zum Scheitern verurteilt ist – Georg bleibt als Komponist unproduktiv –, tritt die Liebe zur Kunst, das Sich-Vergessen in ihrer Atmosphäre.

Diese Form der Liebe zur Kunst ist von Kunstgenuß oder -liebhaberei zu unterscheiden. Ist diesen das Moment der Bildung in der Rezeption der Kunst nicht abzusprechen, so zeichnet den Helden Schnitzlers gerade die Folgenlosigkeit seiner Beziehung zur Kunst aus. Sie entrückt ihn aus der Wirklichkeit. Symbol dieser Funktion der Kunst ist Wagners *Tristan*. Georg liest in der *Tristan*-Partitur an dem Nachmittag, an dem Annas und sein Kind stirbt. Sinnfällig ist so der Zusammenhang hergestellt, in dem Georgs Liebe zur Kunst und die Liebe zu Anna sich wechselseitig deuten. Georg liebt Anna so, wie er die Kunst liebt. Er liebt sie, aber gerade in ihrer Fruchtbarkeit zeigt sich die unaufhebbare Distanz der Liebenden. Unfruchtbar war auch Grace, jene Amerikanerin, mit der eine aussichtslose Liebe Georg verband, bevor er Anna kennenlernte. Sein Verhältnis zu Anna bleibt am Ende so folgenlos wie das zur Kunst. Er schafft nicht die Vollendung eines Kunstwerks, und das Kind wird tot geboren. Daß dies Kind von bemerkens-

werter Schönheit ist, wie Georg wahrnimmt – er wußte, daß die Züge des
»schönen, stillen Kindergesichts« »das Ebenbild seiner eigenen waren«
(S. 874) – gibt Aufschluß auch über seine Beziehung zu Anna. Nicht nur
symbolisiert das tote Kind in seiner Schönheit den Ästhetizismus als jene
Liebe zur Kunst, die schöpferische Arbeit und Leben gleichermaßen aus-
schließt; es erklärt auch das Verhältnis zu Anna als ästhetisches. Die Liebe zu
Anna fällt mit der Liebe zur Kunst zusammen. Was ihn an die
Kunst bindet, Reinheit, bindet ihn auch an Anna. Er akzeptiert Anna als
Interpretin seiner Kunst – so führt sie der Roman auch ein –, nicht aber als
Mutter seines Kindes. Indem er Anna liebte, liebte er vor allem die Kunst.
Demnach sind die reine Liebe und die reine Kunst in Schnitzlers Roman auf
doppelte Weise aufeinander bezogen: Einmal gibt sich die reine Kunst, l'art
pour l'art, als die reine Liebe zur Kunst zu erkennen; zum andern erweist
sich die reine Liebe als die Liebe zur Kunst. [13] Wenn Georgs Liebe zur
Kunst und seine Liebe zu Anna gleichermaßen »rein«, interesselos im beschriebenen Sinne sind, hat seine Beziehung zu Anna ästhetizistischen
Charakter.

An entscheidender Stelle, am Beginn der Liebesgeschichte, als Georg eine
Äußerung Annas über die Zukunft ihrer Liebe eher befürchtet als erwartet,
hat sie keinen andern Wunsch als den, daß aus dem Geliebten »was sehr
Bedeutendes« wird: »Ein wirklicher, ein großer Künstler.« »Unwillkürlich
blickte er zu Boden, wie in Beschämung, daß ihre Gedanken um soviel reinere
Wege gegangen waren als die seinen.« (S. 707) Als ›rein‹ gilt Georg Annas
Liebe darum, weil sie sich selbst verleugnet und auf die Kunst sich richtet.
Auch Anna, deren Stimme eine Karriere als Sängerin, die den kleinbürger-
lichen Verhältnissen entgehen könnte, nicht erlaubte [14], anerkennt den
Primat der Kunst vor dem Leben. Insofern leistet sie Georgs Ästhetizismus
in gewisser Weise Vorschub.

Viel schwerer wiegt aber Georgs Eingeständnis, daß das ungeborene Kind
»an zu wenig Liebe gewissermaßen« gestorben sein könnte. (S. 956) Der
Primat der ästhetischen vor der prosaischen Existenz, die »reine« Liebe zur
Kunst, hat die Verweigerung von Liebe zur Folge wie zur Voraussetzung.
Georg erkennt, während eines Aufenthaltes am See nahe dem Auhof mit dem
Vergessen Annas und des Kindes dessen Tod verschuldet zu haben. Deut-
licher als je zuvor ist ihm dort die Kluft zwischen »der Sorge ums tägliche
Brot« »mit Weib und Kind« und der »Tollheit«, die das Abenteuerleben des
Künstlers verspricht, bewußt geworden. Die Affäre mit einer anderen Frau
inspiriert ihn zu der einzigen Komposition, die noch gelingt, zu einem
»Phantasiestück«, einem »heiterwiegenden« Lied, »ohne Worte, ›auf dem
Wasser zu singen‹«. (S. 860 f.) Doch die Erinnerung, er habe sich in jenen
Tagen »leben gefühlt, vielleicht das erste Mal«, täuscht. Das Lied, das doch
Leben zum Ausdruck bringen sollte, gelingt um den Preis der Abstraktion
von Leben. Daß Georg das Leben, die Liebesbeziehung zu Anna und das un-

geborene Kind, vergißt zugunsten einer Frau, die »nackt« und »bleich« ist wie eine Tote (S. 864), macht die Entstehungsbedingung des Liedes aus. Indem aber die Beziehung zu jener Frau nicht erzählt, sondern als Georgs Traum rekonstruiert wird, ist ihr irrealer Charakter kenntlich gemacht. Das Lied intoniert das Vergessen des Lebens. Mit dem Tod des Kindes wird Georg dies Vergessen bewußt.

Nicht zufällig sterben Georgs Kind und die Geliebte Bermanns am selben Tag. Die Probe auf das ästhetische Dasein, das Georg zufolge den Tod des Kindes verschuldet, unternimmt er an einem Ort, »wo andre Gesetze gegolten hatten, als die, denen er sich jetzt wieder fügen mußte.« (S. 863) Es ist derselbe Ort, an dem die Schauspielerin aus dem Leben geht, das der Zyniker Bermann, indem er wie alles auch sie haßte, ihr genommen hat. Darum nennt Bermann den See »unsern« See. – Das Urteil Bermanns über Nürnberger, »daß wohl dem Zorne, nicht aber dem Ekel Fruchtbarkeit beschieden sei«, betrifft auch ihn selbst. (S. 826) Zwar unterscheidet sich der Zyniker in seiner absoluten Illusionslosigkeit von Georgs Hoffnungen auf die Zukunft, auf den oder die ›Wege ins Freie‹, doch haben beide nicht nur künstlerische Unfruchtbarkeit, Unproduktivität gemeinsam. Vor allem ist ihr Habitus, als Habitus des Ästheten, dem Leben entgegengesetzt. Zum Habitus Bermanns gehören manifest sadistische Züge; das Leid der Schauspielerin, von der er sich betrogen fühlt, »jener kläglichen und in Qual gehaßten Person war sein einziger Besitz.« (S. 854) Das ästhetische Dasein Georgs hat dagegen die Verdrängung des Lebens zur Voraussetzung. Dem widerspricht nicht, daß er in Anna wie in der fremden Frau die Mutter zu sehen wünscht, in deren Schoß er den Kopf vergräbt. Auch die infantile Regression, die Weigerung, erwachsen zu werden, mag auf die Verdrängung von Leben deuten, die dem ästhetischen Habitus wesentlich ist. Die Verweigerung von Liebe, sei's im Vergessen oder im grenzenlosen Haß, macht Wergenthin und Bermann am Tod des Kindes und der Schauspielerin schuldig. Ihr Tod ist der Preis des ästhetischen Daseins. Es ist der gleiche Preis, den in Hofmannsthals *Der Tor und der Tod* Claudio für das schöne Leben entrichtet.

3   Elemente des Bildungsromans

Georgs Abreise nach Detmold bedeutet nicht etwa den Beginn einer bürgerlichen Karriere, die Übernahme der Pflichten eines Korrepetitors. In der andern Stadt geht Georg kein Engagement ein, auch kein musikalisches, er löst nur die Beziehung zu Anna. Der depressive Grundton des Romans, der in den *Tristan*-Motiven wie auch in Georgs eigenem keineswegs heiteren, sondern »leidenschaftlich-schwermütigen Stück« musikalische Gestalt annimmt, wird durch die Aussichten des Helden auf die wiedergewonnene

Freiheit an seinem Ende nicht verdeckt. Vorderhand schließt *Der Weg ins Freie* an den Bildungsroman an, namentlich an Goethes *Wilhelm Meister*, und nicht nur an dessen Optimismus scheint er zunächst teilzuhaben. Schnitzler selbst hat seinen Roman in dieser Tradition gesehen: »[...] geht es aber weiter wie bisher, so wird dieser Roman auf der großen Linie der deutschen Romane Meister, Heinrich, Buddenbrooks, Assy liegen«.[15] Bei näherem Hinsehen zeigt sich allerdings, daß *Der Weg ins Freie* Momente des Bildungsromans so aufgreift, daß dessen Unmöglichkeit vor Augen geführt wird. Zwar findet die eingangs vom Vater gestellte Frage nach dem Wohin eine vorläufige Antwort in der Abreise in eine andre Stadt, zwar fehlt es nicht an Instanzen, die Georg mahnen, die »Traumhaftigkeit und Zwecklosigkeit« (S. 677) seines Daseins aufzugeben und einem »Programm« zu folgen, doch die Erfahrungen, die der Held macht, bilden ihn nicht. Auch die Reise nach Italien vermittelt unbeschadet des Besuchs antiker Kunstdenkmäler keine neuen Erfahrungen, sie ist eher eine Rückkehr in die Kindheit, die er mit der Mutter dort verbrachte. Sie wird unternommen nicht so sehr, um Anna die soziale Ächtung zu ersparen, sondern weil sie die »freundliche Geborgenheit der Fremde« (S. 810) verspricht. Bezeichnenderweise aber steht an ihrem Beginn neben andern Werken Wagners *Tristan*: Georg und Anna »glaubten gern, daß die Menschen sie für Hochzeitsreisende hielten. Und sie hatten ihre Plätze nebeneinander in der Oper, bei Figaro, bei den Meistersingern, bei Tristan; und es war ihnen, als webte sich aus den geliebten Klängen ein tönend durchsichtiger Schleier um sie allein, der sie von allen andern Zuhörern abschied.« (S. 791 f.) Was sie verbindet und ihrer Beziehung Exklusivität, die Entrückung aus dem sozialen Kontext nicht nur des Zuschauerraumes, verleiht, ist die Musik. Als Georg am Tag, an dem das Kind stirbt, wieder in der *Tristan*-Partitur liest, zeigt sich, wie fremd sich Georg und Anna immer waren. Die Musik der Liebestragödie, die sie zum Zeugen ihrer Liebe aufgerufen hatten, offenbart deren illusionären Charakter. Nicht so sehr Liebe hat Georg mit Anna verbunden, sondern »ein tönend durchsichtiger Schleier« »aus den geliebten Klängen«. Die Liebe, die Georg für Anna empfand, war wesentlich die Liebe zur Kunst. Darum steht der Beginn der Italien-Reise im Zeichen des *Tristan*. Und wenn Georg am Ende des Romans die *Tristan*-Aufführung allein besucht und Anna sich weigert mitzukommen, so deshalb, weil Anna der »Atmosphäre der Kunst«, die Georg braucht und die für ihn herzustellen vor allem die Musik Wagners geeignet ist, allenfalls am Rande zugehört hat.

Wie Anna »im Bürgerlichen« zu enden, ist eine Gefahr, von der sich Georg gefeit weiß. Wenn Bermann über ihn urteilt, er müsse nicht schaffen, um zu sein, was er ist, er brauche nicht die Arbeit, nur die Atmosphäre seiner Kunst, so entläßt er Georg explizit aus eben der Selbstdefinition des Bürgers, die Wilhelm Meister für ihn gefunden und zugleich für sich selbst abgelehnt hat: zu »leisten« und zu »schaffen«; das zu sein, was er produziert.[16]

Ersichtlich ist überdies in Schnitzlers Roman die Konstellation der Figuren Wilhelm – Mariane – Felix wiederholt, um verkehrt zu werden. Das Kind Georgs und Annas, das stirbt, sollte zwar nicht den Namen Felix, aber Felician tragen, den Namen dessen, der mit der Beziehung Georgs zu Anna am wenigsten einverstanden war. Wilhelm Meister ist schuld am Tod Marianes, doch eröffnet ihm das Kind mit seinem Namen ein Glücksversprechen für die Zukunft. Schnitzlers Held dagegen ist schuld am Tod des Kindes; und nicht nur seine Beziehung zu Anna bleibt ohne Zukunft. Die Gewißheit des Helden am Ende des klassischen Bildungsromans: »die Zeiten waren gut«, ist Georg von Wergenthin fremd, auch wenn sein Autor ihm »ein Grüßen unbekannter Tage, die aus der Weite der Welt seiner Jugend entgegenklangen«, zugesteht. (S. 958) Daß er frei sei, muß Georg sich um so nachdrücklicher einreden, je schwerer es ihm fällt, den Blick von dem Friedhof abzuwenden, der ihn an den Tod des Kindes und das Ende der Liebesbeziehung erinnert. Schnitzler entläßt seinen Helden mit Illusionen über seinen Weg, die der zeitgenössische Leser nicht teilen kann. Der Geschichtsoptimismus des ersten Bildungsromans, der seinem Helden Handlungsmöglichkeiten in der sozialen Welt zu eröffnen vermag, ist ein Jahrhundert später unmöglich geworden. Die Gründe, die Hofmannsthal 1893 in einem Feuilleton über d'Annunzio dafür angibt, sind bemerkenswert, selbst wenn sie im Namen einer intellektuellen Elite »von ein paar tausend Menschen in den großen europäischen Städten« vorgetragen sind, die das eigene Bewußtsein mit dem der Epoche verwechselte. »Heute scheinen zwei Dinge modern zu sein: die Analyse des Lebens und die Flucht aus dem Leben. Gering ist die Freude an Handlung, am Zusammenspiel der äußeren und inneren Lebensmächte, am wilhelm-meisterlichen Lebenlernen und am shakespearischen Weltlauf. Man treibt Anatomie des eigenen Seelenlebens oder man träumt. Reflexion oder Phantasie, Spiegelbild oder Traumbild.« So larmoyant wie schön hatte es zuvor geheißen: »Wir haben nichts als ein sentimentales Gedächtnis, einen gelähmten Willen, und die unheimliche Gabe der Selbstverdopplung. Wir schauen unserem Leben zu […]«. [17] Was den Bildungsroman konstituiert, wenn nicht der Glaube, so doch die geschichtsphilosophisch begründete Aussicht auf die Versöhnbarkeit von Individuum und Gesellschaft, [18] sie ist am Ende der liberalen Epoche historisch widerlegt.

Zwar schildert Schnitzlers Roman »ein Lebensjahr des Freiherrn von Wergenthin […], in dem er über allerlei Menschen und Probleme und über sich selbst ins klare kommt,« wie Schnitzler gegenüber Brandes bemerkt hat, [19] doch tut er dies unter eher unauffälliger Preisgabe der »epischen Fiktion eines geschlossenen Handlungs- und Daseinszusammenhanges« [20], jener Fiktion, die später etwa durch Rilkes *Malte* und den *Ulysses* von James Joyce radikal zerstört worden ist. Wohl stellt der Roman den Anfang und das Ende einer Liebesgeschichte dar, doch gibt er keine Auskunft über die Zukunft des Helden. Zwar gewinnt Georg gelegentlich Klarheit über sein Scheitern als Komponist, doch hindert ihn das nicht, weiter an die Vollendung etwa der Violinsonate zu glauben. Dabei ist ausgemacht, daß Georgs Lebensgeschichte wie seine musikalischen Phantasien mit »wild modulierender Variation« ohne Finalität bleiben. Und Schnitzler läßt seinen Helden zwar die Verletzbarkeit der Juden verstehen, ihre Wendung zum Zionismus wie auch die Formen der Überanpassung, aber dies Verständnis bleibt folgenlos. *Der Weg ins Freie* führt den Helden zu nichts oder vielmehr aus Wien nach Detmold, an eine feudale, trostlos rückständige Provinzbühne. Er ist kein Ausbruchsversuch, kein Akt der Selbstverwirklichung, sondern Rückzug, nicht in die Kunst, vielmehr in ihre »Atmosphäre«, ins ästhetische Dasein, das durch Annas ebenso bürgerliche wie legitime Ansprüche zunehmend bedroht war.

4   Identitätskrise als Signatur des Wiener Fin de Siècle

Bei aller Eigentümlichkeit, die der Roman seinem Helden vorbehält, stimmt Wergenthins psychische Verfassung doch mit der der wichtigsten andern Figuren überein. »Doppeldasein« ist der Terminus, mit dem die psychische und soziale Identitätskrise des Helden bezeichnet wird. Georg schwankt zwischen der »Traumhaftigkeit und Zwecklosigkeit des Daseins«, in die ihn vor allem musikalisches Phantasieren versetzt, und »zielbewußter und erwerbbringender Tätigkeit«, die unabweisbar ist, da sein Vermögen bald aufgezehrt ist. Er führt das Doppelleben eines verbürgerlichten Aristokraten und Komponisten, ohne das eine oder andre zu sein. Nicht nur in seiner poetischen, auch in seiner prosaischen Existenz ist er »Dilettant«, gerade darum aber der Fiktion der Erfüllung ästhetischer Ambitionen bedürftig, die das »mythische Quintett« symbolisiert.

An der Unfähigkeit des Schnitzlerschen Helden zur Bildung einer Identität, an seinem »Doppeldasein«, lassen sich Züge beobachten, wie sie Erik H. Erikson als Entwicklungsstörungen zwischen Jugend und Erwachsenenalter beschrieben hat.[21] Georg wird in einem Gespräch mit seinem Bruder bewußt, »daß es nun in wenigen Monaten mit der langjährigen brüderlichen Gemeinschaft, [...] ja gewissermaßen mit der Jugend unwiederbringlich vorbei sein mußte. Er sah das Leben ernst, beinahe drohend vor sich liegen.« (S. 777) Der Romanheld ist einer Situation nicht gewachsen, die Erikson zufolge u. a. von Heranwachsenden gleichzeitig die Verpflichtung »zur Berufswahl, zu energischer Teilnahme am Wettbewerb und zu einer psychosozialen Selbstdefinition« fordert.[22] Auf sie reagiert er mit dem »Doppeldasein« des »Dilettanten«. Gewährt sich Georg eine bestimmte Zeitspanne, in der »der Mensch durch freies Rollen – Experimentieren sich in irgendeinem der Sektoren der Gesellschaft seinen Platz sucht«, eine Zeitspanne, für die Erikson den Terminus »psychosoziales Moratorium« vorgeschlagen hat,[23] so augenscheinlich nicht mit der Absicht, in ihr die von der Gesellschaft geforderte Selbstdefinition zu leisten, sondern um sie zum Dauerzustand zu machen. Nur ein ausgeprägtes Illusionsvermögen bewahrt den Helden Schnitzlers vor dem Leiden, das aus der Identitätsdiffusion resultiert.

Identitätsschwäche kennzeichnet neben dem Helden auch die übrigen Figuren des Romans. Therese Golowski, die einmal Schauspielerin werden wollte und der Dr. Stauber voraussagt, sie ende entweder als führende Sozialistin auf dem Schafott oder als Prinzessin, überlegt schließlich, ob alles, was sie tut, am Ende nur eine Flucht vor sich selbst ist (S. 938). Bermann glaubt daran, »daß es nur gewisser quantitativer, wenn auch ungeheurer Veränderungen« seines Wesens bedürfte, um ihn zu befähigen, »in der Welt eine Akrobaten-, eine Königs-, eine Bankdirektorsrolle zu spielen.« (S. 741) Das aus dem frühen Œuvre Schnitzlers geläufige Motiv des Statuswechsels als Signum der Identitätskrise des Individuums kehrt hier wieder. Bermann scheitert als Schriftsteller, weil er »fast ausschließlich mit sich selbst beschäftigt« ist. Seine »politische Tragikomödie«, die aktuelle Fragen behandelt, muß Nürnberger zufolge mißlingen, weil in ihr die Objektivität, um die der »schauerliche Egoist« sich bemüht, nicht einzulösen ist. »›Ich stehe auch nicht über den Parteien‹, erklärt Bermann, ›sondern ich bin gewissermaßen bei allen oder gegen alle. Ich hab nicht die göttliche Gerechtigkeit, sondern die dialektische. Und darum...‹ er hielt sein Manuskript in die Höhe, ›ist da auch so ein langweiliges und unfruchtbares Geschwätz herausgekommen.‹« Auf Nürnbergers Kritik antwortet Bermann mit der Ankündigung, über ihn (Nürnberger) ein Stück zu schreiben. »Nürnberger lächtelte. ›Ich? Das heißt, Sie werden einen Menschen hernehmen, den zu kennen Sie sich einbilden, werden diejenigen Seiten seines Wesens zu schildern versuchen, die Ihnen gerade in den Kram passen – andre unterschlagen, mit denen Sie nichts anfangen können, und am Ende ...‹ ›Am Ende‹, unterbrach ihn Heinrich, ›wird es ein Porträt sein, aufgenommen von einem irrsinnigen Photographen durch einen verdorbenen Apparat, während eines Erdbebens und bei Sonnenfinsternis. Einverstanden oder fehlt noch was?‹« (S. 929 f.) Die Anmaßung dessen, der »fast ausschließlich mit sich selbst beschäftigt« ist, über andere nach Belieben zu verfügen, wird Bermann von Nürnberger in ihren fatalen Konsequenzen vorgehalten, von Bermann allerdings eher in ihren ästhetischen eingestanden. Die Selbstbezichtigung Bermanns als »irrsinniger Photograph«, die Nürnbergers Einwand dementieren soll, hebt gerade hervor, in welchem Maße Bermann sich selbst und ihm die Wirklichkeit fremd geworden ist. Diese Erfahrung teilt Bermann unbeschadet aller Differenzen mit seinem Kritiker. Nürnberger hat ein »fast maskenhaft gewordenes Lächeln der Verachtung für ein Welttreiben, das er bis auf den Grund durchschaute, und in dem er sich doch

manchmal zu seinem eigenen Erstaunen selbst als Mitspieler entdeckte.«
(S. 664) Die soziale Ubiquität Nürnbergers und Bermanns offenbart eher
als daß sie verschweigt, daß beide im Grunde an keinem Punkt der Stadt
ihren sozialen Ort haben, auch nicht im Ehrenbergschen Salon, wo bereits
seine Garderobe Bermann deplaziert aussehen läßt.

Auch die Identität Nürnbergers, dessen Weitsicht und Urteilsfähigkeit
die aller andern übertrifft, ist problematisch. Das erklärt das Bild, das Georg
sich von Bermann und Nürnberger macht, »ein Bild, das er ähnlich irgend-
einmal in einem Traum gesehen zu haben glaubte. Die zwei saßen sich gegenüber; jeder hielt dem andern einen Spiegel vor, darin sah der andere sich
selbst mit einem Spiegel in der Hand, und in dem Spiegel wieder den andern
mit dem Spiegel in der Hand und so fort in die Unendlichkeit. Kannte da
einer noch den andern, kannte einer noch sich selbst? Georg wurde schwind-
lig zumute.« (S. 934) Nürnberger und Bermann sehen sich nicht an, was
doch naheläge, sondern sehen in den Spiegel, den der andere hält. In ihm
sieht der eine sich selbst mit dem Spiegel abgebildet, erst in diesem Spiegel
den andern usw. Die gestörte Kommunikation, die gelegentlich in den *Anatol*-Szenen zutage trat, hat fünfzehn Jahre später in Schnitzlers Roman,
nimmt man Georgs Urteil über Bermann und Nürnberger beim Wort, eine
bemerkenswerte Radikalisierung erfahren. Beide sind sich selbst und einander so fremd, daß sie sich nur im Spiegel und den andern nicht direkt, sondern nur im Spiegel des Spiegels wahrzunehmen vermögen. Die Banalität
dieses Effekts, der keine neue Wahrnehmung zuläßt, sondern ein und dieselbe
erkenntnislos ins Unendliche verlängert, darf nicht übersehen lassen, daß
die Identitätskrise an dieser Stelle des Romans ihre größte Anschaulichkeit
gewinnt. Verweist das Spiegel-Motiv in der Literatur des Fin de siècle auf
den Versuch der bürgerlichen Subjektivität, sich ihrer historisch in Frage
gestellten Identität zu versichern, kann Schnitzlers Bild von der Anordnung
zweier Spiegel, zwischen denen menschliche Kommunikation stattfindet,
Auskunft darüber geben, daß dieser Versuch ebenso dringlich wie aussichts-
los ist. [24]

Unübersehbar ist der Identitätskonflikt auch bei Salomon Ehrenberg, der
Widerspruch zwischen der Rolle des Zionisten, der auswandern möchte,
und des Fabrikherrn. Verschont von der Krise scheinen neben Felician lediglich der alte Eißler und der alte Dr. Stauber zu sein, Repräsentanten des
Ancien régime des Liberalismus, denen Bewunderung zuteil wird in der Einsicht, daß sie der Vergangenheit angehören.

Daß der Verlust der psychischen mit dem der sozialen Identität einher-
geht, wird vor allem am Schicksal Bermanns und Therese Golowskis ersichtlich, doch gilt dies nicht minder für die übrigen Figuren. Ausführlich
ist der Niedergang beider Familien beschrieben. Bermanns Vater, einst-
mals in einer böhmischen Kleinstadt Reichsratsabgeordneter der deutsch-
liberalen Partei, hat im Zuge antisemitischer Kampagnen nach dem Mandat

auch die Anwaltspraxis verloren und endet im Wahnsinn. Sein Sohn muß die verarmte Familie unterstützen. Das Schicksal der Depossedierung der Familie trägt bei zu einer psychischen Beschädigung, in der das Leid der Geliebten als einziger Besitz festgehalten wird. Ein Bankrott verursacht die soziale Deklassierung der Familie Golowski, sie findet im Umzug aus dem vornehmen Rathausviertel in die armseligen Verhältnisse der Rembrandtstraße, ins alte Judenviertel jenseits des Donaukanals, sichtbaren Ausdruck. Auf dem Spiel steht, wenngleich weniger offensichtlich, auch die soziale Identität Ehrenbergs und Georgs von Wergenthin. Zwar gehen Ehrenbergs Geschäfte nicht schlecht, doch ist er politisch durch den Antisemitismus vor allem der Christlichsozialen bedroht. Der Konflikt Oskars zwischen dem Status des jüdischen Fabrikantensohns und dem Habitus des assimilierten Aristokraten führt zum irreparablen Zerwürfnis mit dem Vater. Ob der Sohn, der für unbestimmte Zeit mit einem in Ungnade gefallenen Aristokraten auf eine Weltreise geht, das väterliche Erbe übernehmen kann und will, steht dahin. Auch die Familie Ehrenberg ist im Niedergang begriffen. Was die soziale Identität Georgs angeht, so ist deutlich, daß die Vermögensverhältnisse dem Aristokraten nicht mehr das Leben des Rentiers gestatten, sondern ihn zu einer wenig einträglichen bürgerlichen Karriere als Musiker zwingen.

Identitätsschwäche und Identitätsverlust, die nicht – wie der Roman auf den ersten Blick zu suggerieren scheint – der Künstler als Held stellvertretend für andere erleidet, sondern umgekehrt: von denen auch der Künstler nicht ausgenommen bleibt, charakterisieren Schnitzler zufolge die psychische Verfassung des Wiener Bürgertums in den ersten Jahren nach 1900. *Der Weg ins Freie* läßt die Künstler ihre Identitätskrise vor allem als Krise künstlerischer Produktivität erfahren. Wergenthin ist unproduktiv, unter Bermanns gestaltender Hand zerfällt »die Welt in Stücke«, der alte Eißler zehrt vom vergangenen Ruhm als Walzerkomponist, Nürnberger hat nach einem Roman nie wieder etwas geschrieben. Durch ständige Verweise auf ihre Schaffenskraft machen sich Wergenthin und Bermann ihre Unproduktivität nur erträglich. Georgs »mythisches Quintett« bezeichnet mit der fortdauernden Geltung der ästhetischen Ansprüche zugleich ihre Unerfüllbarkeit. Indem der Roman das Schicksal der Künstler als ihr soziales Schicksal entfaltet, lastet er ihre Unproduktivität nicht so sehr individuellem Versagen an. Er erweist sich gerade darin als Künstler – und Gesellschaftsroman, daß er in der Krise der künstlerischen Produktivität zugleich die Krise des Bürgertums zur Anschauung bringt.

Wenn die Identitätskrise, mag auch ihr Erscheinungsbild differieren, den Komponisten aristokratischer Provenienz, dessen Liebesgeschichte im Mittelpunkt steht, und die jüdischen Schriftsteller oder Fabrikanten gleichermaßen erfaßt, wird der Einwand gegenstandslos, den vor allem Georg Brandes gegen den Roman geltend gemacht hat, daß er zwei heterogene

Teile zu verknüpfen suche. »Leider kenne ich nicht Österreich oder Wien gut genug«, schreibt er Schnitzler im Juni 1908, »um im Stande zu sein, eine Ansicht darüber zu haben, wie ähnlich das Bild ist, das Sie geben. Es scheint ähnlich. Aber haben Sie nicht zwei Bücher geschrieben? Das Verhältnis des jungen Barons zu seiner Geliebten ist Eine Sache, und die neue Lage der jüdischen Bevölkerung in Wien durch den Antisemitismus eine andere, die mit der ersteren, scheint mir, in nicht notwendiger Verbindung steht. Die Geliebte ist nicht Jüdin.« [25] Die »notwendige Verbindung«, die Brandes vermißt, ist im Roman dadurch hergestellt, daß die Figuren der gleichen historischen Situation ausgesetzt sind; sie wird weniger in einzelnen Ereignissen vermittelt als an ihren Auswirkungen erkennbar, die in den sozialen Beziehungen und der psychischen Struktur der Personen zutage treten. Politisch ist die historische Situation vor allem als Herrschaft der Christlichsozialen beschrieben, die ihre Erfolge namentlich antisemitischer Demagogie verdanken. In ihr hat das liberale, zumal das jüdische Bürgertum nicht nur kaum noch etwas zu erwarten, sondern – ausgenommen die industriebürgerliche Elite – vor allem seine soziale Deklassierung zu befürchten.

Bei der Rückkehr nach Wien, vor seiner endgültigen Übersiedlung nach Detmold, wohnt Georg im Hotel Impérial, einem zu Beginn der Gründerzeit gebauten Palais des Herzogs von Württemberg. Der Aristokrat, der verhinderter Künstler ist, »Dilettant« zwischen prosaischem und ästhetischem Dasein, kehrt zeitweilig zurück an die Wiener Ringstraße, der er zugehört hat, wenngleich immer schon nur als Fremder. Er ist Gast im exklusivsten Hotel am Ring wie in dem ihm angeschlossenen Café, dem Treffpunkt von Künstlern und Literaten. Beide, Hotel und Café, tragen den Namen der Epoche.

Anmerkungen

Einleitung

1 Vgl. Helmut *Kreuzer*, Eine Epoche des Übergangs (1870–1918), in: Jahrhundertende – Jahrhundertwende (I. Teil), hg. Helmut *Kreuzer*, Wiesbaden 1976, S. 1–32,
S.22 ff. (Neues Handbuch der Literaturwissenschaft Bd. 18, hg. Klaus von See).

2 Jost *Hermand*, Vorschein im Rückzug. Zum Sezessionscharakter des Jugendstils,
in: Ein Dokument Deutscher Kunst, Darmstadt 1901–1976, 22. Oktober 1976
bis 30. Januar 1977, Bd. 1–5, Bd. 1, S. 12–20.

3 Der Vorschlag Helmut Kreuzers, zusammen mit dem Naturalismus auch die anderen literarischen Richtungen der Jahrhundertwende in erster Linie als Abwendung
von der Gründerzeit zu deuten, hat gegenüber der älteren Praxis der Literatur-
geschichtsschreibung, Impressionismus, Symbolismus, Neuromantik etc. als
Gegenbewegung zum Naturalismus zu fassen, wie dies auch bei Erich Ruprecht
geschieht, den Vorzug, die offensichtlichen und mitunter auch eingestandenen
Gemeinsamkeiten zwischen dem Naturalismus und den neueren literarischen
Strömungen mit Rücksicht auf einen historischen Epochenbegriff festzuhalten.
Erich Ruprecht in: Literarische Manifeste der Jahrhundertwende 1890–1910,
hg. Erich *Ruprecht* und Dieter *Bänsch*, Stuttgart 1970, Einleitung, S. XVII f.,
Helmut *Kreuzer*, Eine Epoche des Übergangs, S. 22 f.

4 Ebd. S. 5 f.

5 Vgl. Theodor W. *Adorno*, Vorlesungen zur Ästhetik, 15. 2. 1968, o. O., o. J.,
S. 91.

6 Als einer der ersten hat Samuel *Lublinski* das uneingeschränkte Interesse der
Naturalisten an der »sozialen Frage« skeptisch beurteilt. S. L., Die Bilanz der
Moderne. Mit einem Nachwort neu hg. von Gotthart *Wunberg*, Tübingen 1974,
(Deutsche Texte 29), S. 5 ff.

7 Klaus *Berchtold*, Österreichische Parteiprogramme, München 1967, S. 137–144.
Vgl. auch Ludwig *Brügel*, Geschichte der österreichischen Sozialdemokratie,
5 Bde., Wien 1923, Bd. 3, S. 400 ff.

8 Hugo von *Hofmannsthal*, Gabriele d'Annunzio, in: Gesammelte Werke in Einzelausgaben, hg. Herbert *Steiner*, Prosa I, Frankfurt a. M. 1956, S. 149, 148.

9 Angesichts der u. a. von E. Ruprecht beschriebenen Schwierigkeit, impressionistische, symbolistische, neuromantische und andere Stilelemente im einzelnen zu
unterscheiden, wird im folgenden auf stilgeschichtliche Begriffe nach Möglichkeit
verzichtet und von der Wiener Literatur um 1900 gesprochen. Erich *Ruprecht* in:
Literarische Manifeste der Jahrhundertwende, S. XVII ff.

10 Hermann *Bahr*, Zur Überwindung des Naturalismus, hg. Gotthart *Wunberg*,
Stuttgart, Berlin, Köln, Mainz 1968, S. 60, 55.

11 Ebd. S. 59.

12 Richard *Hamann*/Jost *Hermand*, Naturalismus, 2. Aufl. München 1973,
S. 14–28.

13 Bezeichnend für das ambivalente Verhältnis der Naturalisten zur Gründerzeit ist ihr Urteil über das Bismarcksche Reich wie auch über Nietzsche und Wagner.

14 Hermann *Broch*, Hofmannsthal und seine Zeit, Frankfurt a. M. 1974, S. 10.

15 Hans *Hautmann*/Rudolf *Kropf*, Die österreichische Arbeiterbewegung vom Vormärz bis 1945, Wien 1974, S. 83 ff.

16 Hans *Rosenberg* hat den Terminus »Große Depression« als Epochenbegriff für den Zeitraum 1873–96 vorgeschlagen und in einzelnen auch deren Auswirkungen in Österreich untersucht. H. R., Wirtschaftskonjunktur, Gesellschaft und Politik in Mitteleuropa, 1873–1896, in: Moderne deutsche Sozialgeschichte, hg. Hans-Ulrich *Wehler*, 2. Aufl., Köln, Berlin 1968, S. 225–253.

17 *Hautmann/Kropf*, Die österreichische Arbeiterbewegung, S. 81 f.

18 Hans-Ulrich *Wehler*, Das Deutsche Kaiserreich 1871–1918, Göttingen 1973. S. 110. Zum Antisemitismus in Österreich, der sich mit der großen Zuwanderung von Juden zwischen 1869–1879 verstärkt und nach dem Bankkrach 1873 einen ersten Höhepunkt erreicht, vgl. Hugo *Gold*, Geschichte der Juden in Wien, Tel Aviv 1966, S. 32 ff.; Hans *Tietze*, Die Juden Wiens, Leipzig – Wien 1933, S. 237 ff.

19 Zit. nach *Wehler*, Das Deutsche Kaiserreich, S. 113 f.

20 Georg von *Lukacs*, Die Seele und die Formen, Essays, Berlin 1911, S. 235, 237.

21 Einen Überblick über die neuere Schnitzler-Literatur gibt Herbert *Seidler*, Die Forschung zu Arthur Schnitzler seit 1945, in: ZfdPh 95/1976, S. 567–595.

22 *Hamann/Hermand*, Impressionismus, 2. Aufl., München 1974, S. 47 f.

23 Elisabeth *Lichtenberger*, Wirtschaftsfunktion und Sozialstruktur der Wiener Ringstraße, Wien, Köln, Graz 1970, S. 91. (Die Wiener Ringstraße. Bild einer Epoche, hg. Renate *Wagner-Rieger*, Bd. VI).

24 Der Begriff des Imperialismus ist in der jüngeren Geschichtswissenschaft als Kennzeichnung der Epoche zwischen 1885 und dem Ersten Weltkrieg kaum mehr strittig. Darunter wird im folgenden, im Anschluß an H.-U. Wehler, »diejenige direkt-formelle oder indirekt-informelle Herrschaft verstanden, die von Industrieländern auf Grund ihrer sozialökonomisch-technologisch-militärischen Überlegenheit in unentwickelten Regionen ausgeübt wurde« und zu der wesentlich eine Strategie der Stabilisierung in der Innenpolitik gehörte. Hans-Ulrich *Wehler*, Das Deutsche Kaiserreich 1871–1918, Göttingen 1973, S. 171 f. (Deutsche Geschichte, hg. Joachim *Leuschner*, Bd. 9). Ders., Bismarck und der Imperialismus, 3. Aufl., Berlin, Köln 1972. Vgl. auch Wolfgang J. *Mommsen*, Das Zeitalter des Imperialismus, Frankfurt a. M. 1969, S. 152 ff. (Fischer Weltgeschichte, Bd. 28).

25 Peter *Szondi*, Die Theorie der bürgerlichen Trauerspiels im 18. Jahrhundert, hg. Gert *Mattenklott*, Frankfurt a. M. 1973, S. 200.

26 Vgl. auch Allan *Janik*, Stephen *Toulmin*, Wittgenstein's Vienna, New York 1973, S. 63 f.

27 Hugo von *Hofmannsthal*, Prosa II, hg. Herbert *Steiner*, Frankfurt a. M. 1959, S. 83.

28 Ernst *Mach*, Die Analyse der Empfindungen und das Verhältnis des Physischen zum Psychischen, 8. Aufl., Jena 1919, S. 19 f.

29 Ebd. S. 290 f.

Anmerkungen zu Kapitel I

1 ›Anatol‹ wird im folgenden, unter Angabe der Seitenzahl, zitiert nach: Arthur *Schnitzler*, Die Dramatischen Werke, 2 Bde., Frankfurt a. M. 1962, Bd.1 , S. 28–123, S. 44; die Novelle »Die kleine Komödie«, ebenfalls nur unter Angabe der Seitenzahl, nach: Arthur *Schnitzler*, Die Erzählenden Schriften, 2 Bde., Frankfurt

a. M., 1961, Bd. 1, S. 176–207. Eine ausführliche Kommentierung sowie ein Abdruck bis dahin unveröffentlichter Teil des ›Anatol‹ findet sich in: Arthur *Schnitzler*, Anatol. Texte und Materialien zur Interpretation besorgt von Ernst L. *Offermanns*, Berlin 1964, (Komedia 6). Die letzte, von Offermanns vorgelegte Monographie (Arthur Schnitzler, Das Komödienwerk als Kritik des Impressionismus, München 1973) geht auf ›Anatol‹ und die übrigen frühen Stücke nur einleitend ein. Die auch im Titel formulierte Hauptthese des Buchs ist überzeugend am œuvre nach 1900 expliziert, doch unterschätzt sie, in welchem Maße bereits das impressionistische Frühwerk Schnitzlers eine Kritik des Impressionismus entfaltet. *Offermanns*, a. a. O. S. 12, 13, 23, 25 u. ö.

2 Walter *Benjamin*, Charles Baudelaire, hg. und mit einem Nachwort versehen von Rolf *Tiedemann*, Frankfurt a. M. 1974, S. 35 ff., 125 f.

3 Der Große Brockhaus, 14. Aufl. 1895, »Wien«.

4 Veblen hat bereits 1899 diesen Sachverhalt unterm Begriff der »conspicuous consumption« analysiert. Thorstein *Veblen*, The Theorie of the Leisure Class, New York, London 1899, Reprints of Economic Classics, New York 1965, S. 68–101.

5 Vgl. Theodor W. *Adorno*, Veblens Angriff auf die Kultur, in: Th. W. *Adorno*, Prismen, München 1963, S. 83.

6 Vgl. die Regieanweisung zu ›Denksteine‹.

7 Sigmund *Freud*, Gesammelte Werke, Bd. VIII, 5. Aufl., Frankfurt a. M. 1969, S. 85 f.

8 Vgl. hierzu Blumenbergs Interpretation der Simmelschen ›Philosophie des Geldes‹. Hans *Blumenberg*, Geld oder Leben, in: Ästhetik und Soziologie um die Jahrhundertwende: Georg Simmel, hg. Hannes Böhringer und Karlfried Gründer, Frankfurt a. M. 1976, S. 121–134, S. 132.

9 Bislang unveröffentlichte Anatol-Notizen, die mir freundlicherweise Prof. Heinrich Schnitzler und Dr. Reinhard Urbach zugänglich gemacht haben, bestätigen diese Interpretation: Anatol hat die Portraits aller seiner Geliebten in einem Zimmer versammelt und führt sie seinen Freunden vor. Zur Vorsicht sagt er jedem, er habe sie alle besessen – bis auf eine.

10 Helmut *Koopmann*, Gegen- und nichtnaturalistische Tendenzen in der deutschen Literatur zwischen 1880 und 1900, in: Helmut *Kreuzer* (Hg.), Jahrhundertende – Jahrhundertwende (I.) Wiesbaden 1976, S. 189–224, S. 214 ff.

11 Anders *Koopmann*, ebd.

12 In solchen Zügen erweist sich die Subkultur der Bohème als Komplement der bürgerlichen Gesellschaft. Vgl. Helmut *Kreuzer*, Die Bohème, Stuttgart 1971, S. 45.

13 Carl E. *Schorske*, Schnitzler und Hofmannsthal. Politik und Psyche im Wien des Fin de siècle, in: Wort und Wahrheit 17, 1962, S. 367–381, S. 372.

14 Vgl. dazu Manfred *Diersch*, Empiriokritizismus und Impressionismus. Über Beziehungen zwischen Philosophie, Ästhetik und Literatur um 1900 in Wien, Berlin 1973.

15 So problematisch es auch wäre, schon von dieser Passage auf den Kunstbegriff des frühen Schnitzler schließen zu wollen, so nötig scheint es, hier festzuhalten, daß Schnitzlers Kritik offensichtlich nicht einer wie immer auch zu definierenden Funktionslosigkeit der Kunst gilt, sondern der Verwandlung des Lebens in ein Kunstwerk. Zur Diskussion steht hier nicht ein Begriff autonomer Kunst, dem seit seiner Ausbildung Ende des 18. Jahrhunderts in Deutschland die Distanz zur Realität wesentlich ist, sondern der Ästhetizismus.

Den Versuch einer Darstellung des Ästhetizismus in den europäischen Literaturen des Fin de siècle bietet Arnold *Hauser*, Sozialgeschichte der Kunst und Literatur, München 1967, S. 942 ff.

16 Peter *Szondi*, Das lyrische Drama des Fin de siècle, hg. Henriette *Beese*, Frankfurt a. M. 1975, S. 182

17 Franz *Patzer*, Die Pioniere des Sozialismus im Wiener Rathaus. Die Entwicklungsgeschichte der Wiener Sozialdemokratischen Gemeinderatsfraktion von ihren Anfängen bis zum Ausbruch des Ersten Weltkriegs (1900–1914), Wien 1949, S. 7.

18 Carl E. *Schorske*, Schnitzler und Hofmannsthal, S. 371.

19 K. *Kraus*, Die Fackel 1, April 1899, S. 15.

20 Hermann *Bahr*, Zur Überwindung des Naturalismus, S. 148.

21 Ausführlicher als Schnitzlers ›Anatol‹ handeln vom Ästhetizismus die gleichzeitig geschriebenen dramatischen Versuche des jungen Hofmannsthal, der für Schnitzlers Werk unterm Pseudonym Loris das Einleitungsgedicht schrieb. Im Unterschied zu ›Anatol‹ gewinnt in ›Gestern‹ und ›Der Tod des Tizian‹ die Kritik des Ästhetizismus größere Schärfe, weil sie in der Konfrontation mit der Kunst entwickelt wird. Vgl. dazu zuletzt Peter *Szondi*, Das lyrische Drama des Fin de siècle, S. 160–251.

22 S. 185. Auch Josefine fährt und spaziert um den Ring, ein Indiz dafür, daß sie den gleichen sozialen Rang wie Alfred wenn schon nicht hat, so doch beanspruchen möchte. S. 178 f.

23 *Schorske*, Schnitzler und Hofmannsthal, S. 370.

24 Elisabeth *Lichtenberger*, Von der mittelalterlichen Bürgerstadt zur City. Sozialstatistische Querschnittsanalysen am Wiener Beispiel, in: Beiträge zur Bevölkerungs- und Sozialgeschichte Österreichs, hg. Heimold *Helczmanosvki*, München, Wien 1973, S. 297–331, S. 319.

25 Hans *Bobek*/Elisabeth *Lichtenberger*, Wien. Bauliche Gestalt und Entwicklung seit der Mitte des 19. Jahrhunderts (Schriftenreihe der Kommission für Raumforschung der österreichischen Akademie der Wissenschaften. Bd. 1), Graz, Köln 1966, S. 81 f., 123.

26 *Urbach*, Schnitzler-Kommentar S. 98.

27 Josefine hat ihre Karriere im Theater an der Wien begonnen, für »fünfzig Gulden monatlich«, S. 181 f.

28 Peter *Szondi*, Das lyrische Drama des Fin de siècle, S. 239.

29 Felix *Czeike*, Liberale, christlichsoziale und sozialdemokratische Komunalpolitik (1861–1934), dargestellt am Beispiel der Gemeinde Wien, München 1962, S. 30–60.

30 *Schorske*, Schnitzler und Hofmannsthal, S. 370 f.

31 Zu den Entwürfen und Bauten Heinrich Ferstels an der Ringstraße vgl. Norbert *Wibiral* und Renate *Mikula*, Heinrich von Ferstel, Wiesbaden 1974. (Die Wiener Ringstraße. Bild einer Epoche, hg. Renate *Wagner-Rieger*, Bd. VIII, 3).

32 Der Historismus etwa des 1869 eröffneten Opernhauses ist seinen Architekten in Jahre dauernden Attacken angelastet worden:
»Der Siccardsburg und van der Nüll,
Die haben beide keinen Styl!
Griechisch, Gotisch, Renaissance,
Das ist denen alles ans!«
Zitiert nach: Jugend in Wien. Literatur um 1900. Eine Ausstellung des Deutschen Literaturarchivs im Schiller-Nationalmuseum Marbach a. N., Stuttgart 1974, S. 42.

33 Neue Freie Presse, 28. 4. 1879. Zitiert nach: Jugend in Wien, (Kat.) S. 46.

34 Ebd. S. 47, 50.

35 Ebd. S. 49

36 Ebd. S. 44

37 Ebd. S. 53 f.

38 Jost *Hermand*, Der gründerzeitliche Parvenü, in: Aspekte der Gründerzeit. Ausstellung in der Akademie der Künste vom 8. September bis zum 24. November [Berlin] 1974, S. 7–15, S. 10.

39 Vgl. Horst Albert *Glaser*, Arthur Schnitzler und Frank Wedekind – Der doppelköpfige Sexus, in: H. A. G. (Hg.), Wollüstige Phantasie, München 1974, S. 148–184, S. 164 ff.

»Anderswo in Europa bedeutete l'art pour l'art den Rückzug ihrer Anhänger aus einer Gesellschaftsschicht; in Wien allein verlangte sie tatsächlich die Anhängerschaft einer ganzen Klasse, von der die Künstler nur ein Teil waren. Das Leben der Kunst bot Ersatz für das tätige Leben. Tatsächlich wurde die Kunst beinahe zur Religion, zur Quelle der Bedeutung und zur Speise der Seele, je enger der politische Aktionsradius des Bürgertums zusammenschrumpfte«, schreibt Schorske (Schnitzler und Hofmannsthal, S. 371). Diese Überlegungen gehen zwar – abgesehen von der Frage, auf wen und welche Werke die Formel »l'art pour l'art« zutrifft – darauf ein, daß das Bürgertum seit dem Verlust der Macht in Wien politisch auf dem Rückzug war, lassen aber unerwähnt, daß seine Repräsentanten dadurch keineswegs daran gehindert wurden, ihre ökonomische Macht, die vor allem in der weitgehenden Kontrolle des österreichischen Kapitalmarktes bestand, in der Konjunktur nach 1895, der »dritten Gründerzeit« auszudehnen. (Vgl. E. *März*, Österreichische Industrie- und Bankpolitik in der Zeit Franz Josephs I. am Beispiel der k. k. priv. Österreichischen Credit-Anstalt für Handel und Gewerbe, Wien 1968, S. S. 375). In einem späteren Aufsatz bezeichnet Schorske zwar die Lage des Wiener Großbürgertums als paradox: »The position of the Liberal ›haute bourgeoisie‹ thus became paradoxical indeed. Even as its wealth increased, its political power fell away. Its preeminence in the professional and cultural life of the Empire remained basically unchallenged while it became politically impotent«. Carl E. *Schorske*, The Transformation of the Garden: Ideal and Society in Austrian Literature, in: Dargestellte Geschichte in der europäischen Literatur des 19. Jahrhunderts, hg. Wolfgang *Iser* und Fritz *Schalk*, Frankfurt a. M. 1970, S. 117–157, S. 139. Auch hier aber bleibt unberücksichtigt, daß das liberale Großbürgertum seine Politik auch gegen Lueger mit ökonomischen Mitteln fortgesetzt hat. *Czeike*, S. 64.

40 Karl *Kraus*, Die Demolirte Literatur, Wien 1897, S. 15.

41 *Glaser*, Arthur Schnitzler und Frank Wedekind, S. 165
In welchem Maße dem Bürgertum an der ästhetischen Bildung im allgemeinen und an der künstlerischen Karriere der eigenen Kinder im besonderen gelegen war, hat Schorske u. a. an den Familien Wertheimstein, Meynert, Hofmannsthal und Andrian belegt. *Schorske*, The Transformation, S. 134 ff.

Anmerkungen zu Kapitel II

1 Einige soziologische Bestimmungen des adolescent bourgeois hat Pierre *Bourdieu* an Frédéric Moreau, dem Helden der Flaubertschen ›Education sentimentale‹ erläutert. P. B., L'invention de la vie d'artiste, in: Actes de la recherche en sciences sociales, 2, 1975, S. 67–93.

2 Arthur *Schnitzler*, DW I, S. 217. ›Liebelei‹ wird nach dieser Ausgabe nur unter Angabe der Seitenzahl zitiert.

3 Arthur *Schnitzler*, Liebelei. Erstes Bild, in: Widmungen zur Feier des siebzigsten Geburtstages Ferdinand von Saar's (Hg. von Richard *Specht*), Wien 1903, S. 175 – 196. Große Teile des Volksstücks befinden sich in Schnitzlers Nachlaß. Vgl. Reinhard *Urbach*, Arthur Schnitzler, Velber bei Hannover 1968, S. 43.

4 Vgl. dazu Pierre *Bourdieu*, Zur Soziologie der symbolischen Formen, Frankfurt a. M. 1970, S. 193 ff.
5 *Schorske*, The Transformation, S. 132 ff.
6 Christines Wohnung scheint den Interieurs bei einer Geliebten Schnitzlers nachgebildet; vgl. Tagebuch, 25. und 29. 9. 1893.
7 Gerhard *Kapner*, Ringstraßendenkmäler, Wiesbaden 1973. (Die Wiener Ringstraße. Bild einer Epoche, hg. Renate *Wagner-Rieger*, Bd. IX, 1). Das Zitat S. 32.
8 Ebd. S. 30.
9 Ebd. S. 32.
10 Ernst L. *Offermanns* in Arthur *Schnitzler*, Anatol, S. 164.
11 Vgl. Hermann *Kienzl*, Dramen der Gegenwart, Graz 1905, S. 357–359; Rudolf *Franz*, Kritiken und Gedanken über das Drama, Eine Einführung in das Theater der Gegenwart, München 1915, S. 126–129. (Passagen daraus sind abgedruckt in *Urbach*, Schnitzler-Kommentar, S. 152 f.); Paolo *Chiarini* L'Anatol di Arthur Schnitzler e la cultura viennese fin de siècle, in: studi germanici 1963, S. 208–227, 240.
12 Vgl. zum folgenden R. P. *Janz*, Schillers »Kabale und Liebe« als bürgerliches Trauerspiel. In: Jb. der Dt. Schillergesellschaft XX,1976, S. 208–227.
13 Karl S. *Guthke*, Das deutsche bürgerliche Trauerspiel, Stuttgart 1972, S. 1, 97.
14 Peter *Szondi*, Die Theorie des bürgerlichen Trauerspiel im 18. Jahrhundert, Gert *Mattenklott*, Frankfurt a. M. 1973, S. 68, 90.
    Zu Recht hat L. Pikulik darauf verwiesen, daß der Terminus »bürgerlich« in der Bezeichnung »Bürgerliches Trauerspiel« nicht in erster Linie den sozialen Rang, sondern zunächst den Bereich des Privaten, Häuslichen meint. Doch verkennt er, daß die Entstehung und Ausbildung dieser Gattung im 18. Jahrhundert in der Emanzipation des Bürgertums die Bedingung ihrer Möglichkeit hat. Wenn es adlige Protagonisten im bürgerlichen Trauerspiel gibt, so beweist das nichts gegen seinen bürgerlichen Charakter. Vielmehr kommt in ihm der Anspruch zur Geltung, daß bürgerliches Denken Verbindlichkeit auch für den Feudaladel gewinnen soll. Lothar *Pikulik*, »Bürgerliches Trauerspiel« und Empfindsamkeit, Köln, Graz 1966 (Literatur und Leben 9), S. 172–175.
15 Hätte Schnitzler Georges ›Becher am boden‹ aus ›Algabal‹ gekannt, die das Herabregnen von Rosen als Ausdruck gründerzeitlichen bzw. spätantiken Lebensgenusses deuten, es wäre leicht, Schnitzlers Szene, in der Mizi Theodors Vorschlag ausführt und Rosen auf die Tafeln fallen läßt, als deren Parodie zu deuten.
16 *Schiller*, Kabale und Liebe I, 3.
17 Ebd. V, 1.
18 Vgl. den frühen Entwurf Schnitzlers zu ›Liebelei‹, *Urbach*, Schnitzler-Kommentar, S. 149.
19 Walter *Benjamin*, Deutsche Menschen. Eine Folge von Briefen, in: W. B., Gesammelte Schriften IV, 1, Frankfurt a. M. 1972, S. 198.
20 ES I, S. 789.
21 Scheibles Interpretation, Christines Schicksal sei »nicht mehr tragisch«, sondern »nur traurig, weil es vom Zufall bewirkt« werde; alles »konnte anders sein«, verkennt, das Schnitzlers Stück aufgrund der »käthchenhaften« Liebe der Heldin ebenso wie aufgrund der Disposition Lobheimers von Beginn an mit Notwendigkeit auf die Katastrophe hin angelegt ist. Hartmut Scheible, Arthur Schnitzler, Reinbek bei Hamburg 1976, S. 63 (Rowohlts Monographien 235).

Anmerkungen zu Kapitel III

1 *Urbach*, Arthur Schnitzler, S. 40 f.
2 Arthur *Schnitzler*, Jugend in Wien. Eine Autobiographie, hg. Therese *Nickl* und Heinrich *Schnitzler*, München 1971, S. 133.
3 Vgl. Franz *Blei*, Erzählung eines Lebens, Leipzig 1930, Kap. 15, S. 153–168; 153–157. Blei hat hervorgehoben, wie wenig das süße Mädel als Wunschgebilde von Wiener Poeten der Wirklichkeit der Kleinbürger- oder Arbeitertöchter in den Vorstädten entsprach. Der Vorwurf der romantischen Verklärung dieses Typus soll auch Schnitzler treffen. Blei verkennt dabei, daß Schnitzler das süße Mädel gerade als Wunschbild der jungen Herren in seinem Widerspruch zur Realität der Vorstadtmädchen dargestellt hat.
   Einen unzuverlässigen Abdruck dieses Kapitels bietet Hansjörg *Gräf* (Hg.), Der kleine Salon. Szenen und Prosa des Wiener Fin de siècle. Mit Illustrationen von Gustav Klimt. Stuttgart 1970, S. 131–146. Wo etwa Blei von der »erotischen und poetischen Unergiebigkeit der Strichmädchen« (S. 155 f.) für die Wiener Poeten spricht, erscheint bei Gräf nur die »erotische Unergiebigkeit« (S. 133). Blei schreibt von der »Unzugänglichkeit«, nicht »Unzulänglichkeit« (ebd.) anderer Mädchen. Überdies erscheint das von Blei mit »Das süße Mädel – Erwartung – Erfüllung – Steffi« überschriebene Kapitel bei Gräf unter dem Titel »Das süße Mädel«; ersichtlich ist Steffi aber kein süßes Mädel, sondern aus Ottakring übers Karltheater zur mit Luxus verwöhnten Maitresse eines »reichen, älteren Herrn« aufgestiegen, S. 166.
4 *Schnitzler*, Die kleine Komödie, ES I, S. 185 f.
5 *Urbach*, Arthur Schnitzler, S. 40.
6 Arthur *Schnitzler*, Süßes Mädel. Eine bisher unveröffentlichte Anatol-Szene, in: Forum IX, Mai 1962, S. 220–222.
7 DW I, S. 226. ›Liebelei‹ wird weiter mit Seitenzahl im Text zitiert.
8 Jugend in Wien, S. 134, 100, 250.
9 Ebd. S. 250.
10 Ebd. S. 274.
11 Ebd. S. 131 ff.
12 *Schnitzler*, Süßes Mädel, S. 221.
13 Jugend in Wien, S. 256.
14 Ebd. S. 131.
15 Eine Ausnahme ist Anni, das süße Mädel aus den Drei-Engel-Sälen. Jugend in Wien, S. 132.
16 So Schnitzler in einer ›Antikritik‹, geschrieben um 1911, die er nicht veröffentlichte. In ihr setzt er sich mit jenem Teil der Kritik auseinander, der in seinen Werken unablässig »süße Mädel« entdecken wollte. Die ›Antikritik‹ ist aus dem Nachlaß mitgeteilt von R. *Urbach*, Arthur Schnitzler, S. 41 f.
17 Sigmund *Freud*, Über einen besonderen Typus der Objektwahl beim Manne, in: Beiträge zur Psychologie des Liebeslebens. Gesammelte Werke, Bd. VIII, 5. Aufl., Frankfurt a. M. 1969, S. 66–77.
18 Vgl. *Urbach*, Arthur Schnitzler, S. 36.
19 *Schnitzler*, Süßes Mädel, a. a. O.
20 Jugend in Wien, S. 100 f.
21 Emile *Littré*, Dictionnaire de la langue française, Bd. 4, Paris 1964, S. 285.
22 ES I, S. 215.
23 Hermann *Bahr*, Zur Überwindung des Naturalismus, S. 148. Von der Beziehung eines Wiener Malers in Paris zu einer Grisette handelt auch Bahrs eigener Roman »Die gute Schule«.

24 Siegfried *Kracauer*, Jacques Offenbach und das Paris seiner Zeit. S. K., Schriften, hg. Karsten *Witte*, Bd. 8, Frankfurt a. M. 1976, S. 80.

25 *Urbach*, Arthur Schnitzler, S. 40.

26 Jugend in Wien, S. 133.

27 Tagebuch, 3. 12. 1898: »Abends ›Lumpen‹ von Leo Hirschfeld, Carltheater. Mz. I. [Marie Glümer, P. J.] hatte darin so etwas wie einen Abklatsch des süßen Mädels zu spielen. Spielte außerordentlich und wirkte ungemein. Sonderbarer Eindruck auf mich: wie die, welche das Urbild des süßen Mädels in einer schlechten Komödie eines Nachahmers, als Abklatsch ihres eigenen Wesens spielt und Erfolg erringt.« Vgl. auch die Tagebucheintragungen vom 13. 7. 1889 u. 19. 6. 1897.

28 Tagebuch, 26. 2. 1891.

29 Tagebuch, 20. 4. 1891.

30 Tagebuch, 16. 11. 1891.

31 Tagebuch, 7. 5. 1891.

32 Tagebuch, 8. 6. 1897.

33 Schnitzler erwähnt gelegentlich Marie Glümers »kindischen Vorstadtantisemitismus«, der zum Streit führt. Damit ist angedeutet, daß im Verständnis des liberalen jüdischen Bürgertums in erster Linie die Vorstadt als Hochburg des Antisemitismus gilt. (7. 5. 1891) Ähnlich die Klage am 27. 4. 1891 über Marie Glümers »antisemitische Vorstadtweisheit«.

34 Tagebuch, 12. 4. 1891.

35 Tagebuch , 8. 8. 1893. Vgl. auch die Notiz vom 19. 9. 1890, die festhält, daß in Salzburg die Offiziere seit Jahren daran gewöhnt seien, das Theater als Bordell zu benutzen.

36 Tagebuch, 26. 5. 1891.

37 Vgl. Franz *Blei*, Erzählung eines Lebens, S. 156.

38 »Es ist gewiß kein Zufall, daß sich hier die Ernüchterung nach dem Akte, hinter der wir ein Schuldgefühl vermuten, das der Todesangst nahesteht, diese Form der Infektionsfurcht gewählt hat. Bei den Zwangsneurotikern kann die Analyse zeigen, daß ihre ständige Berührungs- und Ansteckungsangst auf das Schuldgefühl wegen sexueller Berührung und Impulse zu solcher zurückgeht«. Theodor *Reik*, Arthur Schnitzler als Psycholog. Minden o. J. (1913), S. 80.

39 Jugend in Wien, S. 259 f.

40 DW I, S. 875.

41 A. *Schnitzler*, ›Antikritik‹. Zitiert nach *Urbach*, Arthur Schnitzler, S. 41.

42 Wien und Umgebung. Griebens Reiseführer Bd. 8, Berlin 1912–13, S. 52.

43 Tagebuch 16. 6. 1895.
   Vgl. auch die nachträglichen Aufzeichnungen Schnitzlers zur Entstehungsgeschichte von ›Liebelei‹ und zur Rezeption im Programmheft der Wiener ›Liebelei‹-Inszenierung Heinrich Schnitzlers am Theater in der Josefstadt vom 12. 9. 1968. Abgedruckt bei *Urbach*, Schnitzler-Kommentar, S. 149 f.

44 Briefwechsel Schnitzler – Brahm, S. 21.

45 Renate *Wagner*/Brigitte *Vacha*, Wiener Schnitzler-Aufführungen 1891–1970, München 1971, S. 15.

Anmerkungen zu Kapitel IV

1 *Urbach*, Arthur Schnitzler, S. 54.

2 *Glaser*, Arthur Schnitzler und Frank Wedekind, S. 158.

3 Vgl. u. a. Deutsch-Österreichische Literaturgeschichte, hg. Eduard *Castle*, Bd. 4,

Wien 1937, S. 1758. Richard *Alewyn*, Nachwort zu: Arthur *Schnitzler*, Liebelei. Reigen. Frankfurt a. M. 1960, S. 158 f. Dieter *Borchmeyer*, ›Reigen‹ in: Kindlers Literatur Lexikon, Zürich 1965, Bd. VI, Sp. 94–97. »[...] before the force of physical desire«, heißt es bei Swales, »all social and moral distinctions evaporate.« Und: »the dance of lust is a variation on the dance of death.« Martin *Swales*, Arthur Schnitzler. A critical study. Oxford 1971, S. 234.

4 Heinz *Politzer*, Diagnose und Dichtung, in: Forum IX, 1962, S. 217–219, S. 266–270; S. 219.

5 Vgl. die grundlegende Arbeit von Richard *Alewyn*, Über Hugo von Hofmannsthal, 3. Aufl. Göttingen 1963, S. 51. Zu den wichtigsten Darstellungen dieses Themas gehört Beer-Hofmanns Roman ›Der Tod Georgs‹.

6 *Glaser*, Arthur Schnitzler und Frank Wedekind, S. 1633.

7 Erna *Neuse*, Die Funktion von Motiven und sterotypen Wendungen in Schnitzlers ›Reigen‹, in: Monatshefte für deutschen Unterricht, 64, 1972, S. 356–370, 367, 358. Tadelnd bemerkt E. Neuse: »Bedenken moralischer oder hygienischer Art werden von keiner Figur erwähnt, wodurch diese Menschen als eigener Werte bar und als rein gesellschaftsorientiert charakterisiert werden.« S. 361.

8 *Glaser*, Arthur Schnitzler und Frank Wedekind, S. 159.

9 Max *Weber*, Die protestantische Ethik und der Geist des Kapitalismus, in: M. W., Die protestantische Ethik I. Eine Aufsatzsammlung. hg. Johannes *Winckelmann*, 3. Aufl., Hamburg 1973, S. 168.

10 DW I, S. 353.

11 Lotte S. *Couch*, Der Reigen: Schnitzler und Sigmund Freud, in: Österreich in Geschichte und Literatur 16, 1972, S. 217–227, S. 223.

12 Sigmund *Freud*, Über die allgemeinste Erniedrigung des Liebeslebens, in: Beiträge zur Psychologie des Liebeslebens. Gesammelte Werke, Bd. VIII, 5. Aufl., Frankfurt a. M. 1969, S. 85 f.

13 Richard *Alewyn*, Nachwort zu: Arthur Schnitzler, Liebelei, Reigen, S. 158.

14 Briefwechsel Schnitzler – Brahm, S. 203.

15 Vgl. dazu Kap. V dieser Untersuchung.

16 Vgl. Marianne *Kesting*, Entdeckung und Destruktion, München 1970, S. 138.

17 Hogarth's Graphic Works. First Complete Edition, compiled and with a commentary by Ronald *Paulson*. 2 vols., New Haven and London, 1965, Vol. I, Plates 152, 153; vol. II, S. 171 f.

18 Um die Prätention des Dichters zu illustrieren, läßt Schnitzler ihn hier Helena zitieren: »Ich fühle mich so fern und doch so nah,/Und sage nur zu gern: Da bin ich! da!« (Faust II, V. 9411 f.)

19 Pierre *Bourdieu*, L'invention de la vie d'artiste, a. a. O. – Vgl. R. P. *Janz*, Zum sozialen Gehalt der »Lehrjahre«, in: Literaturwissenschaft und Geschichtsphilosophie. Festschrift für Wilhelm Emrich. Berlin 1975, S. 320–340.

20 Steinamanger, ungarisch Szombathely, ist Komitatshauptstadt in Westungarn. *Urbach*, Schnitzler-Kommentar, S. 161.

21 E. *Neuse*, Die Funktion von Motiven, S. 364.

22 Ebd. S. 359.

23 Ebd. S. 368.

24 *Glaser*, Arthur Schnitzler und Frank Wedekind, S. 157.

25 Vgl. vor allem Reinhold *Grimm*, Pyramide und Karussell, in: R. G., Strukturen. Essays zur deutschen Literatur, Göttingen 1963, S. 29 f. Mit Grimms Versuch ist wenig gewonnen, weil er die Entgegensetzung von Inhalt und Form voraussetzt und sich auf die Deskription der letzteren beschränkt: »Jahrzehntelang hat man [den Reigen] fast nur vom Inhaltlichen her betrachtet; es gab begeisterte Zustimmung, es gab Verbote und wüste Skandale. Dabei liegt die Bedeutung des

Werkes natürlich völlig im formalen Bereich.« S. 28. Vgl. auch *Bayerdörfer*, Vom Konversationsstück, S. 532, 571.
26 *Offermanns*, Arthur Schnitzler. Das Komödienwerk, S. 13 f.
27 Zur Diskussion um einen möglichen Einfluß Nietzsche auf Schnitzler vgl. Herbert W. *Reichert*, Nietzsche and Schnitzler, in: Studies in Arthur Schnitzler, Chapel Hill 1963, S. 95–107; Peter *Pütz*, Friedrich Nietzsche, 2. Aufl., Stuttgart 1975, S. 82.
28 *Offermanns*, Arthur Schnitzler. Das Komödienwerk, S. 13.

Anmerkungen zu Kapitel V

1 Peter *Szondi*, Theorie des modernen Dramas, 3. Aufl., Frankfurt a. M. 1963. (Von der 7. Aufl. an unter dem Titel: Theorie des modernen Dramas, 1880–1950). Vgl. auch Walter *Höllerer*, Warum dieses Buch gemacht worden ist. Nachwort zu: Spiele in einem Akt. 35 exemplarische Stücke, hg. Walter *Höllerer*, Frankfurt a. M. 1961.
2 Hans-Peter *Bayerdörfer*, Vom Konversationsstück zur Wurstelkomödie. Zu Arthur Schnitzlers Einaktern, in: Jb. der Deutschen Schillergesellschaft, 16, 1972, S. 516–575, S. 519.
3 Ebd., S. 520 f. Die Vernachlässigung des Gehalts macht sich als methodischer Mangel besonders bemerkbar in Bayerdörfers Spekulationen über die kritische Funktion der Kreisform. Grundsätzlich sei die zyklische Form »als Kritik zu verstehen, da sie die unbelehrbare Illusionsbereitschaft Anatols entlarvt. Doch ist die zyklische Anlage in sich so unbestimmt, daß sie die Auffassung ›unterhaltender Bilderbogen aus dem Leben eines sympathischen Lebemannes‹ zumindest nicht ausschließt. Dingfest und unumstößlich wird die kritische Funktion der Kreisform erst im ›Reigen‹. Die Wirkungsgeschichte von ›Anatol‹ und die Skandalgeschichte des ›Reigen‹ könnte die schwächere und stärkere gesellschaftskritische Bedeutung der Kreisform genauer belegen.« (S. 533) Sie kann es nicht. Daß die Wirkungsgeschichte des ›Reigen‹ anders verlaufen ist als die des ›Anatol‹, ist nicht auf das Prinzip der Wiederholung an sich, sondern auf die zehnmalige Wiederholung des Sexualaktes im ›Reigen‹ zurückzuführen. Inwiefern bereits die These von der Kreisform problematisch ist, wurde im IV. Kapitel erörtert. – Die Einwände bestreiten nicht die Notwendigkeit typologischer Untersuchungen, sie betreffen Schlußfolgerungen, die deren Geltungsbereich verlassen.
Gerhard *Kluge* nimmt Bayerdörfers verkürzte Darstellung des Zusammenhangs zwischen historischer Situation und Dramenform zum Anlaß, diesen Zusammenhang überhaupt zu bestreiten. G. K., Die Dialektik von Illusion und Erkenntnis als Strukturprinzip des Einakters bei Arthur Schnitzler. In: Jb. der Deutschen Schillergesellschaft 18, 1974, S. 482–505, S. 483.
4 Briefwechsel Schnitzler – Brahm, S. 203.
5 Jürgen *Habermas*, Nachwort zu: Friedrich *Nietzsche*, Erkenntnistheoretische Schriften, Frankfurt a. M. 1968, S. 243 ff.
6 Bernhard *Blume*, Das nihilistische Weltbild Arthur Schnitzlers, Diss. Stuttgart 1936. Blume selbst hat seine Nihilismus-These später revidiert. Vgl. *Offermanns*, Arthur Schnitzler, Das Komödienwerk S. 207. Offermanns selbst scheint in diesem späteren Buch (S. 9 ff.) von seiner Blume folgenden ›Anatol‹-Darstellung abzurücken.
7 Ernst L. *Offermanns* in: Arthur *Schnitzler*, Anatol, S. 165.
8 DW I, S. 83.
9 *Offermanns* in: Arthur *Schnitzler*, Anatol, S. 165.

10 Hugo von *Hofmannsthal,* Gedichte und Lyrische Dramen, hg. Herbert *Steiner.*
   Frankfurt a. M. 1963, S. 161.
11 Peter *Szondi,* Das lyrische Drama des Fin de siècle, S. 181.
12 Schnitzler hat Burckhardts ›Die Kultur der Renaissance in Italien‹ (zuerst 1860)
   und Ludwig Geigers ›Renaissance und Humanismus in Italien und Deutschland‹ (1882) im Sommer 1898 gelesen, vor der Reise nach Oberitalien. Hugo von
   Hofmannsthal – Arthur Schnitzler, Briefwechsel, hg. Therese *Nickl* und Heinrich
   Schnitzler, Frankfurt a. M. 1961, S. 105. Unter dem Eindruck der Lektüre und der
   Reise ist das Schauspiel ›Der Schleier der Beatrice‹ entstanden. Die Figuren in
   Hofmannsthals ›Gestern‹ hat Richard Alewyn als »lebende Bilder« bezeichnet,
   »aus denen man erraten soll, welches Kapitel der ›Kultur der Renaissance‹ sie
   illustrieren.« R. *Alewyn,* über Hugo von Hofmannsthal, S. 48.
13 Hugo *Licht,* Die Architektur Berlins. Sammlung hervorragender Bauten der
   letzten zehn Jahre. Berlin 1877. Zitiert nach: Aspekte der Gründerzeit, S. 151 f.
14 Reclams Kunstführer Österreich I, hg. Karl *Oettinger,* 3. Aufl., Stuttgart 1968,
   S. 582 ff.
15 Aspekte der Gründerzeit, S. 150, 152.
16 »Das Bürgertum richtet sich jetzt ein. Im alten Hause. Es schmeichelt ihm, der neue
   Herr zu sein. Aber wie? Es glaubt: indem man dem alten gleicht. Dies wird sein
   Ehrgeiz, es macht sich zum Affen der Vergangenheit. In den Möbeln jene Münchner Renaissance.« Hermann *Bahr,* Josef Kainz, Wien 1906, S. 3 f.
17 J. Hart, der neue Gott, Leipzig 1899, S. 73–116, S. 77. Zitiert nach: Walter *Rehm,*
   Der Renaissancekult um 1900 und seine Überwindung, (zuerst 1929), in: W. R.,
   Der Dichter und die neue Einsamkeit, Göttingen 1969, S. 34–77, S. 35. Dort sind
   zahlreiche Belege für die Renaissance-Begeisterung der Jahrhundertwende zu-
   sammengestellt, auf die im folgenden Bezug genommen wird.
18 *Rehm,* Der Renaissancekult, S. 54.
19 Ebd. S. 49
20 Zu den Premierenbesuchern von ›Monna Vanna‹ in Berlin gehörte A. Schnitzler.
   Briefwechsel Hofmannsthal – Schnitzler, S. 162. Aufschlußreich für die Maeter-
   linck-Rezeption in Berlin ist die begeisterte Darstellung von Johannes *Schlaf,* Maurice Maeterlinck, in: Die Literatur, hg. Georg Brandes 22. Bd., Berlin o. J. (1906).
21 Richard Hamann und Jost Hermand haben im ersten Kapitel ihres Impressionis-
   mus-Buches den Zusammenhang von impressionistischer Dichtung und Imperialismus eher behauptet als begründet. *Hamann/Hermand,* Impressionismus, S. 22,
   23, 25 f.
22 Stefan Zweig skizziert den mit dem 1. Weltkrieg besiegelten Untergang des alten
   Österreich, das Schnitzler dargestellt habe: »Die Typen, die unvergeßlichen, die er
   [sc. Schnitzler] geschaffen, die man gestern, die man an seinem fünfzigsten Geburtstag noch auf der Straße, in den Theatern, in den Salons von Wien, seinem
   Blick fast schon nachgebildet, täglich sehen konnte, sie sind plötzlich weg aus der
   Wirklichkeit, sind verwandelt. Das ›süße Mädel‹ ist verhurt, die Anatols machen
   Börsengeschäfte, die Aristokraten sind geflüchtet, die Offiziere Kommis und
   Agenten geworden – die Leichtigkeit der Konversation ist vergröbert, die Erotik
   verpöbelt, die Stadt selbst proletarisiert. Manche der Probleme wiederum, die er
   geistig so bewegt und klug abgewandelt, haben eine andere Vehemenz bekommen,
   das Judenproblem und das soziale.« Stefan Zweig, Arthur Schnitzler zum 60.
   Geburtstag, in: St. Z., Europäisches Erbe, Frankfurt a. M. 1960, S. 183–186,
   S. 184.
23 Vgl. etwa die Regieanweisung zu ›Episode‹.
24 Vgl. *Offermanns* in: Arthur *Schnitzler,* Anatol, S. 160.
25 Ebd. S. 160 f.

26 Ebd. S. 172–174.

27 Auf die Erhebung der französischen Tragödie und der Dramen Schillers und Goethes zur idealtypsichen Norm des Dramas unter Vernachlässigung etwa Shakespeares in Szondis ›Theorie des modernen Dramas‹ hat Thomas *Metscher* aufmerksam gemacht. T. M., Dialektik und Formalismus. In: Das Argument 49/ 1968, S. 466–492, S. 474.

28 *Szondi*, Theorie des modernen Dramas, S. 17, 18, 29. u. ö.

29 DW I, S. 62.

30 *Szondi*, Theorie des modernen Dramas, S. 77 ff.

31 Bayerdörfer hat gezeigt, daß »allen Einakter-Varianten« bei Schnitzler die Lösung vom Handlungsprinzip gemeinsam ist. Weniger überzeugend ist die These, daß sich Schnitzlers Einakter ausnahmslos aus dem Repertoire des Konversationsstücks ableiten lassen. (*Bayerdörfer,* Vom Konversationsstück, S. 522 ff.)
Die Außerachtlassung des Handlungsgebots teilt das impressionistische Drama mit dem naturalistischen. Autoren wie Arno Holz und Gerhart Hauptmann haben sich zugunsten der Milieu- und Charakterdarstellung im Anschluß an Zola gegen das Handlungsgebot, das etwa Spielhagen im Namen der klassichen Tradition ihnen vorhielt, vehement zur Wehr gesetzt. Die Belege dazu bei Reinhold *Grimm*, Naturalismus und episches Drama, in: R. G. (Hg.), Episches Theater, Köln, Berlin 1966, S. 13–35, S. 19 ff.

32 ES I, S. 186.

33 Briefwechsel Hofmannsthal – Schnitzler, S. 41.

34 ES I, S. 188; vgl. S. 21 f. dieser Untersuchung.

35 Ebd. S. 188.

36 Hugo von *Hofmannsthal*, Gedichte und Lyrische Dramen, S. 182.

37 Karl *Pestalozzi*, Die Entstehung des lyrischen Ich. Studien zum Motiv der Erhebung in der Lyrik, Berlin 1970, S. 287.

38 Ebd. S. 287 f.

39 DW I, S. 702–718, S. 702. ›Die Frau mit dem Dolche‹ wird im folgenden im Text nur unter Angabe der Seitenzahl zitiert.

40 *Bayerdörfer*, Vom Konversationsstück, S. 554.

41 Theodor W. *Adorno*. Minima Moralia, Frankfurt a. M. 1962, S. 197, 203.

42 *Bayerdörfer*, Vom Konversationsstück, S. 554–556.

Anmerkungen zu Kapitel VI

1 Oscar *Wilde*, The Picture of Dorian Gray, Harmondsworth 1974 (Penguin Modern Classics 616), S. 27. Die Seitenzahlen im Text beziehen sich auf diese Ausgabe.

2 Epifanio *San Juan*, The art of Oscar Wilde, Princeton 1967, S. 60.

3 Oscar *Wilde*, The Decay of Lying, in: O. W., De Profundis and Other Writings, Harmondsworth (Penguin Books) 1973, S. 78. Als aufmerksamer Leser des ›Decay‹ gibt sich Andrea in Hofmannsthals ›Gestern‹ zu erkennen. *Alewyn*, Über Hugo von Hofmannsthal, S. 49.
Es muß dahingestellt bleiben, inwieweit zu Zeiten Wildes ästhetische Bilder auf die Wirklichkeit zurückgewirkt haben, solange darüber nicht empirische Erhebungen vorliegen. Vgl. Gert *Mattenklott*, Bilderdienst. Ästhetische Opposition bei Beardsley und George, München 1970, S. 23. Festzuhalten ist allerdings, daß Wildes Roman das Problem selbst thematisiert. Indem er das Bild Dorian zum Verhängnis werden läßt, ergeht ein Verdikt über das Leben, das die Kunst imitiert.
Für Wien scheint die Duse die These von der Nachahmung der Kunst durch das Leben bestätigt zu haben. In der Gestalt der Cameliendame avanciert sie mit ihren

»mattweißen Prachtroben« nicht nur zum Modevorbild der Damen der Gesellschaft; zugleich gilt sie dank ihrer Spielkunst als Typus der genialen Frau, der nachzueifern sich lohnt. Vgl. die »Zeit«, 2. Oktober 1897, zit. nach: Jugend in Wien (Kat.), S. 132.

4 Das Motiv des magischen Bildes verweist u. a. auf Benjamin Disraelis ›Vivian Grey‹ und auf Balzacs ›La Peau de chagrin‹. So u. a. Edouard *Roditi*, Oscar Wilde, Dichter und Dandy, München 1947, S. 98 ff. Vgl. auch Mario *Praz*, Liebe Tod und Teufel, 2 Bde., München 1970 (zuerst 1930), Bd. 2, S. 308. Was Pater im Leonardo – Kapitel der Medusenschönheit nachsagt, »Fascination of corruption«, soll auch von Dorians Bildnis ausgehen. Vgl. *Praz*, Bd. 1, S. 44.

5 Unter den literarischen Vorlagen, auf die sich ›Dorian Gray‹ offen oder uneingestanden beruft, ist an erster Stelle Huysmans ›A Rebours‹ zu nennen; daneben Paters ›The Renaissance‹, Charles Robert Maturins ›Melmoth the Wanderer‹ und Théophile Gautiers ›Mademoiselle de Maupin‹. Vgl. dazu im einzelnen Walther *Fischer*, ›The Poisonous Book‹ in Oscar Wildes ›Dorian Gray‹, in: Englische Studien 51, 1917/18, S. 37–47; Bernhard *Fehr*, Das gelbe Buch in Oscar Wildes ›Dorian Gray‹, in: Englische Studien 55, 1921, S. 237–256, 238 ff.; *Roditi*, Oscar Wilde, S. 97 ff. Vgl. auch Philippe *Jullian*, Oscar Wilde, Paris 1967, S. 218.

6 Inwieweit Basils Insistieren auf dem privaten Charakter des Bildes in Homosexualität begründet ist, hat zuletzt Hans *Mayer* untersucht. H. M., Außenseiter, Frankfurt 1975, S. 260–267. Seine Feststellung, die Beziehung Basils und Lord Henrys zu Dorian sei nicht explizit als homosexuelle ausgewiesen, bedürfte der Überprüfung in einer Interpretation der Symbolik, die nicht ohne psychoanalytische Mittel zu leisten wäre.

Mayers These, Wildes Roman als »homosexuelle Schöpfung« zu verstehen, insofern in ihm ein ästhetisches »Zwischenreich« beschrieben ist, »wo man weder die Maske der Respektabilität tragen muß noch sich zum Skandal bekennt«, kommt nicht ohne problematische Schlüsse aus. So deutet Mayer die ersten Sätze der Vorrede zu ›Dorian Gray‹: »The artist is the creator of beautiful things. To reveal art and conceal the artist is art's aim«, im Kontext des Romans so, als gälten sie einzig dem Verbergen der verbotenen Empfindungen des Malers. S. 263.

7 Beinah aufs Wort folgt Dorian Gray hier den Thesen von Walter *Paters* ›Conclusion‹. W. P., The Renaissance. Studies in Art and Poetry, (zuerst 1873) London 1913, S. 237 f. Einen genauen Kommentar der ›Conclusion« bietet Wolfgang *Iser*, Walter Pater, Die Autonomie des Ästhetischen, Tübingen 1960, S. 38–49.

8 Pierre *Bourdieu*, Zur Soziologie der symbolischen Formen, Frankfurt a. M. 1970, S. 197.

9 Theodor W. *Adorno*, Gesammelte Schriften 7, Ästhetische Theorie, Frankfurt a. M. 1970, S. 31.

Schon Roditi hat im 11. Kapitel des »Dorian Gray« die »langweiligen« Beschreibungen von »Juwelen, antiken Gegenständen, Nippes und objets de vertu« gerügt, »durch die sich einige Teile des Romans wie die Reklameanzeigen eleganter Geschäfte in einer snobistischen Zeitschrift lesen, in der sich der vollendete Dandy in der Auswahl aller Einzelheiten seiner Garderobe, seiner Innenausstattung und seiner Liebhabereien beraten lassen kann.« (Edouard *Roditi*, Oscar Wilde, S. 87 f.) Der Sachverhalt ist freilich weitaus prosaischer. Die Passagen über Edelsteine und Stickereien lesen sich in der Tat als das, was sie sind – poetisierte Auszüge aus dem Edelsteinkatalog von A. H. *Church*, Precious Stones, considered in their scientific and artistic relations with a catalogue of the Townshend collection of Gems in the South Kensington Museum (London 1883), oder aus Lefébures Broderie et Dentelles (Paris 1887) bzw. der Rezension, die Wilde selbst darüber verfaßt hat. Vgl. Bernhard *Fehr*, Das gelbe Buch in Oscar Wildes ›Dorian Gray‹, S. 243–248.

10 Den gleichen Eindruck vermitteln die mit Exotica überladenen Salons der Sarah Bernhardt, Richard Wagners u. a.

11 Aspekte der Gründerzeit, S. 152 – 157.

12 Genauer als frühere Darstellungen hat Erwin Koppen den Décadent am Beispiel von Des Esseintes aus Huysmans' »A Rebours« als »Gegentypus zum Bürger« bestimmt: »Er ist die verkörperte Negation aller bürgerlichen Ideale: Sein Ästhetizismus und seine esoterische Geistigkeit erklären sich nicht aus privaten Marotten oder persönlichen Neigungen, sondern sind als Komplementärhaltung zum bürgerlichen Utilitarismus und zur Kommerzialisierung der Kunst und des Geistes zu verstehen. Statt Leistung und Aktivität – Indolenz, statt Gesundheit – physischer Verfall, Neurose und Hypochondrie, statt der Banalitäten und Konventionen des bürgerlichen Geschmacks – hermetischer Ästhetizismus, statt liberalen Fortschrittsdenkens – aristokratisches Bekenntnis zur Décadence.« Erwin *Koppen*, Décadence und Symbolismus in der französischen und italienischen Literatur. In: Jahrhundertende – Jahrhundertwende I, hg. Helmut *Kreuzer*, S. 69 – 102, S. 79. Vgl. auch E. K., Dekadenter Wagnerismus, Studien zur europäischen Literatur des Fin de siècle, Berlin 1973, S. 39, 66 ff.

13 Gelegentlich schätzt Dorian die Gefahr, die von ihm selbst ausgeht, höher ein als die Gefährdung durch Lord Henry: »Basil would have helped him to resist Lord Henry's influence, and the still more poisonous influences that came from his own temperament.« S. 133.

14 Vgl. die Belege bei *Fehr*, Das gelbe Buch, S. 239.

15 In den ersten Sätzen von ›Sebastian Melmoth‹ nennt Hofmannsthal diesen Namen »die Maske, mit der Oscar Wilde sein vom Zuchthaus zerstörtes und von den Anzeichen des nahen Todes starrendes Gesicht bedeckte«. Hugo von *Hofmannsthal*, Prosa II, hg. Herbert *Steiner*, Frankfurt a. M. 1959, S. 133. Das folgende Zitat S. 135.

16 Hönnighausen sieht mit den Spätviktorianern, die sich zeitweilig ein gewisses Maß an Frivolität und an Koketterie mit dem Ästhetizismus gestattet hatten, auch deren Spaßmacher Wilde »am Schluß von ›The Picture of Dorian Gray‹ zur Moral der viktorianischen Väter zurückkehren.« Lothar *Hönnighausen*, Die englische Literatur 1870 – 1890. In: Jahrhundertende – Jahrhundertwende I, S. 359–400, S. 384. Anders Hans *Mayer*, Außenseiter, S. 262.

17 Zum Ästhetizismus als Problem der frühen Dramen Hofmannsthals vgl. auch Gerhardt *Pickerodt*, Hofmannsthals Dramen. Kritik ihres historischen Gehalts, Stuttgart 1968. Zu ›Der Tor und der Tod‹ vgl. vor allem Hinrich C. *Seeba*, Kritik des ästhetischen Menschen. Hermeneutik und Moral in Hofmannsthals ›Der Tor und der Tod‹, Bad Homburg, Berlin- Zürich 1970. Seebas Buch kommt das Verdienst zu, auch die kontroverse Rezeption dieses Werks dargestellt und kommentiert zu haben.

18 Erwin *Koppen*, Décadence und Symbolismus, S. 79.

19 Erwin *Koppen*, Dekadenter Wagnerismus, S. 67. Zum »Bürgerstereotyp«, den sich die Bohème zum Vorwurf nimmt, vgl. Helmut *Kreuzer*, Die Bohème, S. 141 ff.

Anmerkungen zu Kapitel VII

1 Dies und die folgenden Zitate sind entnommen aus: Otto P. *Schinnerer*, Schnitzler and the Military Censorship. Unpublished Correspondence, in: The Germanic Review 5, 1930, S. 238 – 246.

2 Vgl. Hartmut *Scheible*, Arthur Schnitzler in Selbstzeugnissen und Bilddokumenten, Reinbek 1976, S. 80.

3 Vgl. für Preußen-Deutschland: Eckart *Kehr*, Zur Genesis des Königlich Preußischen Reserveoffiziers, in: Der Primat der Innenpolitik. Gesammelte Aufsätze zur preußisch-deutschen Sozialgeschichte im 19. und 20. Jahrhundert, 2. Aufl., Berlin 1970, S. 53 – 63, insbes. S. 54.

4 Vgl. zu dieser Identitätsnorm: Erving *Hoffman*, Stigma. Über Techniken der Bewältigung beschädigter Identität, Frankfurt a. M. 1967, S. 158.

5 Vgl. *Urbach*, Schnitzler-Kommentar, S. 104.

6 Vgl. Niklas *Luhmann*, Rechtssoziologie, Bd. I, Reinbek 1972, S. 33.

7 Georg Wilhelm Friedrich *Hegel*, Vorlesungen über die Ästhetik II, in: Werke in zwanzig Bänden, hg. Eva *Moldenhauer* und Karl Markus *Michel*, Bd. 14, Frankfurt a. M. 1970, S. 180.

8 Seitenzahlen im Text beziehen sich auf die Seiten der Ausgabe von »Leutnant Gustl« in: Arthur *Schnitzler*, Die Erzählenden Schriften, Bd. I, Frankfurt a. M. 1961, S. 337 – 366.

9 Vgl. Erving *Goffman*, Das Individuum im öffentlichen Austausch, Frankfurt a. M. 1974, S. 43 ff.

10 Ebd. S. 65, Anm. 12.

11 Vgl. Thomas C. *Schelling*, The Strategy of Conflict, Cambridge (Mass.) 1960, S. 30: »If one party has a ›public‹ and the other has not, the latter may try to neutralize his disadvantage by excluding the relevant public; or if both parties fear the potentialities for stalemate in the simultaneous use of this tactic, they may try to enforce an agreement on secrecy.«

12 Vgl. Anm. 7.

13 Vgl. Jürgen *Habermas*, Strukturwandel der Öffentlichkeit, Neuwied 1962, S. 17 ff.

14 Erving *Goffman*, Interaktionsrituale. Über Verhalten in direkter Kommunikation, Frankfurt a. M. 1971, S. 280.

15 Vgl. hierzu und zum Folgenden: Pierre *Bourdieu*, Le sens de l'honneur, in: Esquisse d'une théorie de la pratique précédé de trois études d'ethnologie Kabyle, Genf (Liberairie Droz) 1972, S. 13 – 45. Ich zitiere nach der englischen Ausgabe: Pierre *Bourdieu*, The Sentiment of Honour in Kabyle Society, in: Honour and Shame. The Values of Mediterranean Society, hg. J. G. *Peristiany*, London 1965, S. 193 – 241, vgl. hier S. 211 f.

16 Vgl. Otto *Fenichel*, The Psychoanalytic Theory of Neurosis, New York 1945, S. 520 f.

17 Vgl. hierzu den Begriff einer »Immunisierung durch Positionsmanöver« bei Anselm *Strauss*, Spiegel und Masken. Die Suche nach Identität, Frankfurt a. M. 1974, S. 155.

18 Vgl. Manfred *Jäger*, Schnitzlers »Leutnant Gustl«, in: Wirkendes Wort 15, 1965, S. 311 f.

19 Vgl. *Bourdieu*, The Sentiment, S. 212.

20 Vgl. *Urbach*, Schnitzler-Kommentar, S. 105: 160 Gulden entsprachen dem durchschnittlichen Monatslohn eines Arbeiters bzw. dem halben Monatseinkommen eines kleinen Beamten.

21 Kaution ist » das kleine Kapital, das der junge Offizier sicherstellen mußte, um die Erlaubnis zur Ehe zu haben.« Franz Carl *Endres*, Soziologische Struktur und ihr entsprechende Ideologien des deutschen Offizierskorps vor dem Weltkriege, in: Archiv für Sozialwissenschaft und Sozialpolitik, 58, 1927, S. 305.

22 Erik H. *Erikson*, Identität und Lebenszyklus, 2. Aufl., Frankfurt a. M. 1974, S. 210.
   Anm. 21.

23 *Erikson*, Identität, S. 210, Anm. 21.

24 Sigmund *Freud*, Über einige neurotische Mechanismen bei Eifersucht, Paranoia

und Homosexualität, in: Ges. Werke, Bd. XIII, 6. Aufl., Frankfurt a. M. 1969, S. 196.

25 Sigmund *Freud,* Psychoanalytische Bemerkungen über einen autobiographisch beschriebenen Fall von Paranoia (Dementia paranoides) in: Ges. Werke, Bd. VIII, 5. Aufl., Frankfurt a. M. 1969, S. 301. Vgl. die verkürzte Darstellung bei: Theodor *Reik,* Arthur Schnitzler als Psycholog, Minden o. J., S. 108.

26 Sigmund *Freud,* Das Unheimliche, in: Ges. Werke, Bd. XII, 3. Aufl., Frankfurt a. M. 1966, S. 243.

27 Vgl. Otto *Fenichel,* The Psychoanalytic Theory of Neurosis, New York 1945, S. 37 (dt.: Psychoanalytische Neurosenlehre, Bd. I, Olten und Freiburg 1974, S. 59). Vgl. dazu ferner: Siegfried *Bernfeld,* Über Faszination, in: Imago 14, 1928.

28 Otto *Fenichel,* Schautrieb und Identifizierung, in: Internationale Zeitschrift für Psychoanalyse 21, 1935, S. 577; vgl. zu einer anderen literarischen Darstellung dieses Vorgangs in Georges Batailles Roman »Histoire de l'oeil« Klaus *Laermann,* Georges Bataille – Das Auge als Fetisch, in: Wollüstige Phantasie. Sexualästhetik der Literatur, hg. H. A. *Glaser,* München 1974, S. 62 – 102, insbes. S. 86 ff.

29 Emilio *Servadio,* Die Angst vor dem bösen Blick, in: Imago 22, 1936, S. 401; vgl. ähnlich: Géza *Roheim,* The Evil Eye, in: The American Imago 9, 1952, S. 358 f.

30 Vgl. Otto *Fenichel,* The Counter – Phobic Attitude, in: International Journal of Psychoanalysis, 20, 1939, zit. nach: ders.: The Collected Papers, Bd. II, New York 1954, S. 163 – 173.

31 Michael *Balint,* Angstlust und Regression, Stuttgart 1959, S. 21.

32 Vgl. Otto *Fenichel,* The Counter – Phobic Attitude, S. 170 f.

33 Vgl. Michael *Balint,* Angstlust, S. 73.

34 Der Wehrdienst der Einjährig-Freiwilligen war eine zuerst in der preußischen Armee eingeführte Einrichtung. Sie beruhte auf § 11 des Gesetzes betr. die Verpflichtung zum Kriegsdienste vom 9. November 1867: »Junge Leute von Bildung, welche sich während ihrer Dienstzeit selbst bekleiden, ausrüsten und verpflegen, und welche die gewonnenen Kenntnisse in dem vorschriftsmäßigen Umfang dargelegt haben, werden schon nach einjähriger Dienstzeit im stehenden Heere [...] zur Reserve beurlaubt. Sie können nach Maßgabe ihrer Fähigkeiten und Leistungen zu Offiziersstellen der Reserve und Landwehr vorgeschlagen werden.« In Österreich-Ungarn ist der Einjährig-Freiwilligen-Dienst per Gesetz vom 5. Dezember 1868 fast ganz nach preußischem Muster eingeführt worden. Vgl. im übrigen: Eckart *Kehr,* Zur Genesis des Königlich Preußischen Reserveoffiziers, a. a. O.

35 *Erikson,* Identität, S. 158.

36 Michael *Balint,* Angstlust, S. 92.

37 *Jäger,* Leutnant Gustl, S. 312.

38 *Goffman,* Stigma, S. 162.

39 Arthur *Schnitzler,* Brief an Theodor v. Sosnosky vom 26. 5. 1901, zitiert nach: Theodor v. *Sosnosky,* Unveröffentlichte Schnitzler-Briefe über die »Leutnant-Gustl«-Affäre. Eine Sensation vor dreißig Jahren, in: Neues Wiener Journal vom 26. 10. 1931.

Anmerkungen zu Kapitel VIII

1 Gustav *Ristow,* k. u. k. Oberstleutnant im Infanterieregiment Freiherr von Rheinländer Nr. 24, Ehrenkodex, Wien 1909, S. 2. Eine weniger prägnante Definition, die die Satisfaktionsfähigkeit lediglich an die Homogenität der Oberschicht bindet, gibt: Friedrich Treppner, Hauptmann des k. k. Landwehr-Infanterie-Regimentes Graz Nr. 3, Duell-Regeln für Officiere und Nachschlagebuch in Ehrenangelegen-

heiten, Graz (Im Selbstverlage des Verfassers) 1898, S. 9: »Im übrigen entscheidet Lebensstellung und sociale Bildung über die Satisfaktionsfähigkeit von Civilpersonen.«

2 Karl *Demeter,* Das deutsche Offizierskorps in seinen historisch-soziologischen Grundlagen, Berlin 1930, S. 119.

3 Waidhofener Verband der Wehrhaften Vereine Deutscher Studenten in der Ostmark, Beschluß vom 11. März 1896, zit. nach: Jugend in Wien, S. 138, Anmerkungen von Therese Nickl und Heinrich Schnitzler; vgl. S. 321.

4 Dr. Karl *Lueger,* Dringlichkeitsantrag an den Minister für öffentliche Erziehung, Gautsch, zit. nach: Fremden-Blatt (Morgen-Blatt) Wien, 50. Jg., Nr. 148 vom 30. 5. 1896, S. 2.

5 Dr. Stanislaus Ritter von *Korwin-Dzbański,* k.u.k Major-Auditor, Der Zweikampf, 2. Aufl., Wien 1900, S. 42.

6 Niklas *Luhmann,* Rechtssoziologie, Bd. I, Reinbek 1972, S. 59, Anm. 63.

7 Johann Wolfgang *Goethe,* Wilhelm Meisters Lehrjahre, Hamburger Ausgabe, Bd. VII, 4. Aufl., Hamburg 1959, S. 290.

8 Niklas *Luhmann,* Legitimation durch Verfahren, 2. Aufl., Darmstadt und Neuwied 1975, S. 105.

9 Ebd.

10 Karl *Demeter,* Das deutsche Offizierskorps, S. 119.

11 Arthur *Schnitzler,* Rundfrage über das Duell, in: Aphorismen und Betrachtungen, hg. Robert O. *Weiss,* Frankfurt a.M. 1967, S. 321.

12 Arthur *Schnitzler,* Tagebuch vom 29. 5. 1896.

13 Arthur *Schnitzler,* Tagebuch vom 16. 9. 1896.

14 Vgl. oben S. 110.

15 Arthur *Schnitzler,* Tagebuch vom 18. 6. 1896.

16 Vgl. Georg von *Below,* Das Duell in Deutschland. Geschichte und Gegenwart, Kassel 1896, S. 31.

17 *Ristow,* Ehrenkodex, S. XXIX.

18 *Demeter,* Das deutsche Offizierskorps, S. 144.

19 *Ristow,* Ehrenkodex, S. 15.

20 Josef Edler von *Seidel,* k.k. Hauptmann-Auditor des zeitlichen Ruhestandes, Der Zweikampf und dessen Beurtheilung in der österreichischen und preußischen Armee. Kritische Vergleichung der einschlägigen Normen mit den Grundzügen für Verfahren vor den einheimischen Ehrengerichten bei Ehrensachen zwischen Offizieren und für die Behandlung des Duells, Laibach 1896, S. 6.

21 *Ristow,* Ehrenkodex, S. 16.

22 Max *Weber,* Wirtschaft und Gesellschaft, Köln und Berlin 1964, S. 1042 f.

23 Zit. nach *Below,* Das Duell, S. 15.

24 Zit. nach Norman A. *Benneton,* Social Significance of the Duel in Seventeenth Century French Drama, Baltimore, London, Paris 1938, S. 140.

25 Vgl. die literatursoziologischen Belege bei *Benneton,* Social Significance, S. 56, 76 sowie seine Bemerkung: »The State legislated against the duel because it was one of the phases of feudal anarchy which had to be crushed to prepare the way for feudal absolutism.« (S. 135).

26 *Below,* Das Duell, S. 23.

27 *Below,* Das Duell, S. 24.

28 Dr. Stanislaus Ritter von *Korwin-Dzbański,* Der Zweikampf, S. 64.

29 Vgl. §§ 158–165 des Gesetzes vom 27. Mai 1852, R.G.Bl. Nr. 117.

30 Graf Bylandt-Rheidt laut Stenograph. Protokoll der 2. Sitzung der XIX. Session der Delegation des österreichischen Reichsrats vom 12. November 1884, zit. nach: Ristow, Ehrenkodex, S. XXVI.

31 Max *Weber,* Wirtschaft und Gesellschaft, S. 237.

32 *Weber,* Wirtschaft und Gesellschaft, S. 238.

33 *Below,* Das Duell, S. 42.

34 *Weber,* Wirtschaft und Gesellschaft, S. 239.

35 Franz Carl *Endres,* Soziologische Struktur und ihr entsprechende Ideologien des deutschen Offizierskorps vor dem Weltkriege, in: Archiv für Sozialwissenschaft und Sozialpolitik, 58, 1927, S. 306.

36 *Below,* Das Duell, S. 71.

37 Vgl. oben S. 125.

38 *Below,* Das Duell, S. 54.

39 National-Zeitung, Nr. 260, Jg. 1896, zit. nach *Below,* Das Duell, S. 54, Anm. 2.

40 Arthur *Schnitzler,* Rundfrage über das Duell, S. 322.

41 Die Machtposition des Militärs hatte sich deutlich im Wiener Stadtbild niedergeschlagen. An strategisch wichtigen Punkten führten z.T. monumentale militärische Anlagen der Bevölkerung sinnfällig vor Augen, daß sich die Monarchie in der Hauptstadt gegenüber ihren Untertanen auf die Armee glaubte verlassen zu müssen. Vor allem wohl aufgrund der Erfahrungen des Jahres 1848, als kaiserliche Truppen unter Fürst Windischgrätz die Revolution in der Stadt niederschlugen und die Monarchie vor den Arbeitern und Bürgern retteten, hatte die Staatsmacht auch nach der Niederlage gegen Preußen 1866 an der Präsenz des Militärs im Zentrum Wiens festgehalten. Die Rossauer Kaserne an der Augartenbrücke im Norden, die »Hof Gendarmerie« gegenüber dem Justizpalast, die Militärakademie (heute Stiftskaserne) an der Mariahilfer Straße, die Infanteriekaserne sowie die Kriegsschule an der Gumpendorfer Straße und die Infanteriekaserne an der Schwarzenbergbrücke im Süden umschlossen in einem Halbring die Innere Stadt. (Vgl. Karte II).

42 *Endres,* Soziologische Struktur, S. 292.

43 Die Volkszählung von 1880 verzeichnet in den damals noch zehn Bezirken Wiens 704756 »Anwesende Civilpersonen« und 20902 »Active Militärpersonen«. Zit. nach: Plan der K.K. Reichs Haupt- und Residenzstadt Wien, R. Lechner's K.K. Hof- und Universitäts Buchhandlung, Wien 1887.

44 Kehr, Reserveoffizier ..., S. 54.

45 Ein amerikanisches Duell war (juristisch gesprochen) Anstiftung zum Selbstmord. Die beiden Gegner losten um das Leben. Der Verlierer hatte sich selbst zu töten. Das amerikanische Duell stellte eine absolute Gleichheit der Waffen her. Es wurde bei schwersten Beleidigungen gewählt, um eine unangemessene Überlegenheit eines der Teilnehmer auszugleichen. Es bot mithin einen gewissen Schutz gegen Provokateure. Vgl. L. v. Bar, Das Überhandnehmen der Duelle, in: Deutsche Revue 11 (1886) 3. Quartalsband Juli-September, S. 55 – 63, hier S. 62.

46 vgl. Arthur *Schnitzler,* Ritterlichkeit, hg. Rena R. *Schlein,* Bonn 1975.

47 Max *Weber,* Wirtschaft und Gesellschaft, S. 292.

48 Vgl. außer den bereits erwähnten Duellhandbüchern von Ristow und Treppner das Buch von Luigi *Barbasetti,* Ehren-Codex, 2. Aufl., Wien und Leipzig 1901 sowie Gustav *Hergsell,* Duell-Codex, 2. Aufl., Wien/Pest/Leipzig 1897, der seine Duellregeln als »Ausfluss der Cultur und ritterlichen Gesittung« betrachtet sehen möchte. (S. 4)

49 Georg von *Below,* Zur Entstehungsgeschichte des Duells, in: Index lectionum quae auspiciis augustissimi ac potentissimi imperatoris regis Guilelmi II in academia theologica et philosophica Monasteriensi per menses hibernos A. MDCCCXCVI/ VII inde a die XV mensis octobris publice privatimque habebuntur, Münster 1896, S. 3.

50 Georg von *Below,* Das Duell ..., S. 56.

51 Vgl. S. 133f.

52 Jugend in Wien, S. 137.
53 Duellforderungen gegen militärische Vorgesetzte wegen dienstlicher Auseinandersetzungen waren vom Duellkodex verboten.

Anmerkungen zu Kapitel IX

1 Vgl. zur Entstehungsgeschichte Giuseppe *Farese*, Individuo e societa nel romanzo
  ›Der Weg ins Freie‹, Rom 1969, S. 215.
2 Hans *Hautmann*/Rudolf *Kropf*, Die österreichische Arbeiterbewegung vom Vormärz bis 1945, Schriftenreihe des Ludwig-Boltzmann-Instituts für Geschichte der
  Arbeiterbewegung, Bd. 4, Wien 1974, S. 95.
3 ES I, S. 660. Die im Text folgenden Seitenzahlen beziehen sich auf diesen Band.
4 Politisch läßt Schnitzler Therese Golowski den Weg zur »Sozialdemokratischen
  Arbeiterpartei« gehen, den in Österreich viele Juden nach dem Zusammenbruch
  des Liberalismus in den neunziger Jahren gegangen sind. Vgl. Hans Tietze, Die
  Juden Wiens, Leipzig, Wien 1933, S. 255.
5 Carl E. *Schorske*, The Transformation of the Garden, S. 134.
6 Vgl. Pierre *Bourdieu*, Zur Soziologie der symbolischen Formen, S. 197. Pierre
  Bourdieu et Alain *Darbel*, L'amour de l'art. Les musées d'art européens et leur
  public, Paris 1969, S. 164 f.
7 Hans *Bobek*/Elisabeth *Lichtenberger*, Wien. Bauliche Gestalt und Entwicklung seit
  der Mitte des 19. Jahrhunderts, S. 92 f.
8 Vgl. dazu Max *Winter*, Das goldene Wiener Herz. Großstadt-Dokumente, hg.
  Hans *Ostwald*, Bd. 11, Berlin und Leipzig, o. J. Ders., Im unterirdischen Wien,
  Großstadt-Dokumente Bd. 13, 3. Aufl., Berlin und Leipzig 1905. Beide Titel bieten
  weniger Berichte als Stimmungsbilder des sozialen Elends in Wien.
9 Vgl. Pierre *Bourdieu*, L'invention de la vie d'artiste, S. 89.
10 Ebd., S. 88 f. Zu seiner Flaubert-Verehrung hat sich Schnitzler ausdrücklich bekannt. Aphorismen und Betrachtungen, hg. Robert O. *Weiss*, Frankfurt a. M.
   1967, S. 195.
11 Pierre *Bourdieu*, L'invention, S. 89.
12 Vgl. R. P. *Janz*, Autonomie und soziale Funktion der Kunst. Studien zur Ästhetik
   von Schiller und Novalis, Stuttgart 1973, S. 3 ff., 56 ff.
13 *Bourdieu*, L'invention, S. 89.
14 Auf die autobiographischen Züge des Romans ist gelegentlich hingewiesen worden. Anna Rosner ist der Gesangslehrerin Marie Reinhard nachgebildet, mit der
   Schnitzler eine Zeitlang zusammenlebte. Ihr Kind kam tot zur Welt. Vgl. Tagebuch, 3. 5. 1903; zudem die Aufzeichnungen vom 5. 9., 24. 9. und 30. 9. 1897.
   Auch wenn der Roman nicht als Fortsetzung der Autobiographie gelesen werden
   kann, ist die Rücksicht auf seine lebensgeschichtlichen Grundlagen unerläßlich, die
   seinen Figuren und deren sozialer Welt Authentizität verbürgt.
15 Tagebuch, 6. 1. 1906. Zitiert nach: *Scheible*, Arthur Schnitzler, S. 91. Schnitzler
   hat ›Wilhelm Meister‹ während der Niederschrift des Romans gelesen. Tagebuch,
   20. 1. und 25. 3. 1907.
16 *Goethes* Werke, Hamburger Ausgabe, Bd. 7, 4. Aufl. 1959, S. 291.
17 Hugo von *Hofmannsthal*, Prosa I, hg. Herbert Steiner, Frankfurt a. M. 1959,
   S. 148 f.
18 Unter diesem Gesichtspunkt hat Lukács ›Wilhelm Meister‹ in der ›Theorie des
   Romans‹ gedeutet und Goethes Werk einer geschichtsphilosophischen Konstellation zugewiesen, die für den Desillusionsroman des 19. Jahrhunderts nicht mehr
   gegeben ist.

19 Briefwechsel Brandes – Schnitzler, S. 97.
20 Wilhelm *Emrich,* Die Erzählkunst des 20. Jahrhunderts und ihr geschichtlicher Sinn, in: W. E., Protest und Verheißung, Frankfurt a. M. 1960, S. 185.
21 Erik H. *Erikson,* Das Problem der Ich-Identität, in: E. H. E., Identität und Lebenszyklus, 2. Aufl., Frankfurt a. M. 1974, S. 123 – 212, S. 153 ff.
22 Ebd. S. 155.
23 Ebd. S. 137.
24 Schnitzlers Romanheld wird im Traum seiner eigenen prekären Verfassung in der Verzerrung seines Spiegelbilds ansichtig: »seine eigene Gestalt war ihm so gespenstisch erschienen, wie sie zu beiden Seiten neben ihm in den langgedehnten, schiefen Spiegeln, hundertmal vervielfacht einhergeschlichen war.« (S. 858)
25 Briefwechsel Brandes – Schnitzler, S. 95.

Literaturverzeichnis

1. Quellen

Abkürzungen:

	Schnitzler, Arthur: Gesammelte Werke:
ES I, II	Die Erzählenden Schriften, 2 Bde., Frankfurt a. M. 1961.
DW I, II	Die Dramatischen Werke, 2 Bde., Frankfurt a. M. 1962.
	Aphorismen und Betrachtungen, hg. Robert O. Weiss, Frankfurt a. M. 1967.
Jugend in Wien	Schnitzler, Arthur: Jugend in Wien. Eine Autobiographie, hg. Therese Nickl und Heinrich Schnitzler, München 1971. (Zuerst Wien-München-Zürich 1968).
Jugend in Wien (Kat.)	Jugend in Wien. Literatur um 1900. Eine Ausstellung des Deutschen Literaturarchivs im Schiller-Nationalmuseum Marbach a. N. 1974.
Tagebuch	Die Tagebücher Arthur Schnitzlers. Unveröffentlichte Typoskripte nach der Handschrift Arthur Schnitzlers im Deutschen Literaturarchiv im Schiller-Nationalmuseum Marbach a. N.
Urbach, Schnitzler-Kommentar	Urbach, Reinhard: Schnitzler-Kommentar zu den erzählenden Schriften und dramatischen Werken, München 1974.
Briefwechsel Hofmannsthal–Schnitzler	Hugo von Hofmannsthal – Arthur Schnitzler, Briefwechsel, hg. Therese Nickl und Heinrich Schnitzler, Frankfurt a. M. 1964.
Briefwechsel Schnitzler–Brahm	Der Briefwechsel Arthur Schnitzler – Otto Brahm, hg. Oskar Seidlin. Tübingen 1975 (Deutsche Texte 35, hg. Gotthart Wunberg).
Briefwechsel Brandes–Schnitzler	Georg Brandes und Arthur Schnitzler. Ein Briefwechsel, hg. Kurt Bergel, Bern 1956.

Schnitzler, Arthur: Süßes Mädel. Eine bisher unveröffentlichte Anatol-Szene, in: Forum IX, Mai 1962, S. 220–222.
Schnitzler, Arthur: Brief an Theodor v. Sosnosky vom 26.5.1901, zitiert nach: Theodor v. Sosnosky, Unveröffentlichte Schnitzler-Briefe über die ›Leutnant-Gustl‹-Affäre. Eine Sensation vor dreißig Jahren, in: Neues Wiener Journal vom 26. 10. 1931.
Schnitzler, Arthur: Ritterlichkeit, hg. Rena R. Schlein, Bonn 1975.
Schnitzler, Arthur: Schnitzler and the Military Censorship. Unpublished Correspondence, hg. Otto P. Schinnerer, in: Germanic Review 5, 1930, S. 238–246.
Hofmannsthal, Hugo von: Gesammelte Werke in Einzelausgaben, Frankfurt a. M. 1945 ff. Gedichte und Lyrische Dramen, hg. Herbert Steiner, Frankfurt a. M. 1963.

Hofmannsthal, Hugo von: Prosa I, II, hg. Herbert Steiner, Frankfurt a. M. 1956, 1959.
Wilde, Oscar: The Picture of Dorian Gray, Harmondsworth 1974 (Penguin Modern Classics 616).
Wilde, Oscar: De Profundis and Other Writings, Harmondsworth 1973 (Penguin Books).

2. Andere Quellen und Darstellungen

Adorno, Theodor W.: Minima Moralia, Frankfurt a. M. 1962.
Adorno, Theodor W.: Gesammelte Schriften 7, Ästhetische Theorie, Frankfurt a. M. 1970.
Adorno, Theodor W.: Prismen, München 1963.
Adorno, Theodor W.: Vorlesungen zur Ästhetik WS 1968/69, o. O., o. J.
Alewyn, Richard: Nachwort zu Arthur Schnitzler, Liebelei. Reigen, Frankfurt a. M. 1960.
Alewyn, Richard: Über Hugo von Hofmannsthal, 2. Aufl., Göttingen 1960.
Allen, Richard H.: An Annotated Arthur Schnitzler Bibliography. Editions and Criticism in German, French and English 1879–1965, Chapel Hill 1966.
Altenberg, Peter: Wie ich es sehe, Berlin 1896.
Aspekte der Gründerzeit, Katalog der Ausstellung in der Akademie der Künste, Berlin 1974.
Bahr, Hermann: Josef Kainz, Wien 1906.
Bahr, Hermann: Zur Überwindung des Naturalismus. Theoretische Schriften 1887–1904, hg. Gotthart Wunberg, Stuttgart, Berlin, Köln, Mainz 1968.
Balint, Michael: Angstlust und Regression, Stuttgart 1959.
Bar, L. v.: Das Überhandnehmen der Duelle, in: Deutsche Revue, 11, 1886, 3. Quartalsband Juli – September, S. 55–63.
Barbasetti, Luigi: Ehren-Codex, 2. Aufl., Wien und Leipzig 1901.
Bayerdörfer, Hans-Peter: Vom Konversationsstück zur Wurstelkomödie. Zu Arthur Schnitzlers Einaktern, in: Jb. der Deutschen Schillergesellschaft, XVI, 1972, S. 516–575.
Beer-Hofmann, Richard: Der Tod Georgs, Berlin 1900.
Benjamin, Walter: Deutsche Menschen. Eine Folge von Briefen, in: W. B., Gesammelte Schriften IV, 1, Frankfurt a. M., 1972.
Benjamin, Walter: Charles Baudelaire, hg. und mit einem Nachwort versehen von Rolf Tiedemann, Frankfurt a. M. 1974.
Below, Georg von: Das Duell in Deutschland, Kassel 1896.
Below, Georg von: Zur Entstehungsgeschichte des Duells. in: Index lectionum quae auspiciis augustissimi ac potentissimi imperatoris regis Guilelmi II in academia theologica et philosophica Monasteriensi per menses hibernos A. MDCCCXCVI/ VII inde a die XV mensis octubris publice privatimque habebuntur, Münster 1896.
Benneton, Norman A.: Social Significance of the Duel in Seventeenth Century French Drama, Baltimore, London, Paris 1938.
Bernfeld, Siegfried: Über Faszination, in: Imago 14, 1928.
Blei, Franz: Erzählung eines Lebens, Leipzig 1930.
Blume, Bernhard: Das nihilistische Weltbild Arthur Schnitzlers, Diss. Stuttgart 1936.
Blumenberg, Hans: Geld oder Leben, in: Ästhetik und Soziologie um die Jahrhundertwende: Georg Simmel, hg. Hannes Böhringer und Karlfried Gründer, Frankfurt a. M. 1976, S. 121–134.
Bobek, Hans, Lichtenberger, Elisabeth: Wien. Bauliche Gestalt und Entwicklung seit

der Mitte des 19. Jahrhunderts (Schriftenreihe der Kommission für Raumforschung der österreichischen Akademie der Wissenschaften, Bd. 1), Graz, Köln 1966.

Borchmeyer, Dieter, ›Reigen‹ in: Kindlers Literatur Lexikon, 1965, Bd. VI, Sp. 94–97.

Bourdieu, Pierre et Darbel, Alain: L'amour de l'art. Les musées d'art européens et leur public, Paris 1969.

Bourdieu, Pierre: L'invention de la vie d'artiste, in: Actes de la recherche en sciences sociales, 2, 1975, S. 67–93.

Bourdieu, Pierre: Zur Soziologie der symbolischen Formen, Frankfurt a. M. 1970.

Bourdieu, Pierre: The Sentiment of Honour in Kabyle Society, in: Honour and Shame. The Values of Mediterranean Society, hg. J. G. Peristiany, London 1965, S. 193–241.

Broch, Hermann: Hofmannsthal und seine Zeit, Frankfurt a. M. 1974.

Brügel, Ludwig: Geschichte der österreichischen Sozialdemokratie, 5 Bde., Wien 1922–1925, Bd. 4.

Burckhardt, Jacob: Die Kultur der Renaissance in Italien, München 1860.

Chiarini, Paolo: L'Anatol di Arthur Schnitzler e la cultura viennese fin de siècle, in: studi germanici 1963, S. 208–227.

Couch, Lotte S.: Der Reigen: Schnitzler und Sigmund Freud, in: Österreich in Geschichte und Literatur 16, 1972, S. 217–227.

Critique, 339–340, 1975: Vienne, début d'une siècle.

Czeike, Felix: Liberale, christlichsoziale und sozialdemokratische Kommunalpolitik (1861–1934), dargestellt am Beispiel der Gemeinde Wien, München 1962.

Demeter, Karl: Das deutsche Offizierskorps in seinen historisch-soziologischen Grundlagen, Berlin 1930.

Derré, Françoise: L'œuvre d' Arthur Schnitzler. Imagerie viennoise et problèmes humains, Paris 1966.

Deutsch-Österreichische Literaturgeschichte, hg. Eduard Castle, Bd. 4, Wien 1937.

Diersch, Manfred: Empiriokritizismus und Impressionismus. Über Beziehungen zwischen Philosophie, Ästhetik und Literatur um 1900 in Wien, Berlin 1973.

Emrich, Wilhelm: Die Erzählkunst des 20. Jahrhunderts und ihr geschichtlicher Sinn, in: W. E., Protest und Verheißung, Frankfurt a. M. 1960.

Endres, Franz Carl: Soziologische Struktur und ihr entsprechende Ideologien des deutschen Offizierskorps vor dem Weltkriege, in: Archiv für Sozialwissenschaft und Sozialpolitik, 58, 1927, S. 282–319.

Erikson, Erik H.: Das Problem der Ich-Identität, in: E. H. E., Identität und Lebenszyklus, 2. Aufl., Frankfurt a. M. 1974, S. 124–212.

Farese, Giuseppe: Individuo e società nel romanzo ›Der Weg ins Freie‹, Rom 1969.

Fehr, Bernhard: Das gelbe Buch in Oscar Wildes ›Dorian Gray‹, in: Englische Studien 55, 1921, S. 237–256.

Fenichel, Otto: Schautrieb und Identifizierung, in: Internationale Zeitschrift für Psychoanalyse, 21, 1935.

Fenichel, Otto: The Psychoanalytic Theory of Neurosis, New York 1945.

Fenichel, Otto: The Counter-Phobic Attitude, in: O. F., Collected Papers, Bd. II, New York 1954, S. 163–173.

Fischer, Walther: ›The Poisonous Book‹ in Oscar Wildes ›Dorian Gray‹, in: Englische Studien 51, 1917–18, S. 37–47.

Franz, Rudolf: Kritiken und Gedanken über das Drama. Eine Einführung in das Theater der Gegenwart, München 1915.

Freud, Sigmund: Beiträge zur Psychologie des Liebeslebens (I Über einen besonderen Typus der Objektwahl beim Manne, II Über die allgemeinste Erniedrigung des Liebeslebens), in: Gesammelte Werke, Bd. VIII, 5. Aufl., Frankfurt a. M. 1969, S. 66–91.

Freud, Sigmund: Psychoanalytische Bemerkungen über einen autobiographisch beschriebenen Fall von Paranoia (Dementia paranoides), in: Gesammelte Werke, Bd. VIII, 5. Aufl., Frankfurt a. M. 1969, S. 239–320.

Freud, Sigmund: Über einige neurotische Mechanismen bei Eifersucht, Paranoia und Homosexualität, in: Gesammelte Werke, Bd. XIII, 6. Aufl., Frankfurt a. M. 1969, S. 193–207.

Freud, Sigmund: Das Unheimliche, in: Gesammelte Werke, Bd. XII, 3. Aufl., Frankfurt a. M. 1966, S. 227–268.

Geiger, Ludwig: Renaissance und Humanismus in Italien und Deutschland, 1882.

Glaser, Horst Albert: Arthur Schnitzler und Frank Wedekind – Der doppelköpfige Sexus, in: H. A. G. (Hg.), Wollüstige Phantasie, München 1974, S. 148–184.

Goethe, Johann Wolfgang: Wilhelm Meisters Lehrjahre, Hamburger Ausgabe, Bd. 7, 4. Aufl., Hamburg 1959.

Goffman, Erving: Stigma. Über Techniken der Bewältigung beschädigter Identität, Frankfurt a. M. 1967.

Goffman, Erving: Interaktionsrituale. Über Verhalten in direkter Kommunikation, Frankfurt a. M. 1971.

Goffman, Erving: Das Individuum im öffentlichen Austausch, Frankfurt a. M. 1974.

Gold, Hugo: Geschichte der Juden in Wien, Tel Aviv 1966.

Gräf, Hansjörg (Hg.): Der kleine Salon, Szenen und Prosa des Wiener Fin de siècle. Mit Illustrationen von Gustav Klimt, Stuttgart 1970.

Grimm, Reinhold: Pyramide und Karussell, in: R. G., Strukturen. Essays zur deutschen Literatur, Göttingen 1963.

Grimm, Reinhold: Naturalismus und episches Drama, in: R. G. (Hg.), Episches Theater, Köln, Berlin 1966, S. 13–35.

Guthke, Karl S.: Das deutsche bürgerliche Trauerspiel, Stuttgart 1972.

Habermas, Jürgen: Nachwort zu: Friedrich Nietzsche, Erkenntnistheoretische Schriften, Frankfurt a. M. 1968.

Habermas, Jürgen: Strukturwandel der Öffentlichkeit, Neuwied 1962.

Hamann, Richard/Hermand, Jost: Impressionismus, 2. Aufl., München 1974. (Epochen deutscher Kultur von 1870 bis zur Gegenwart, Bd. 3).

Hamann, Richard/Hermand, Jost: Naturalismus, 2. Aufl., München 1973. (Epochen deutscher Kultur von 1870 bis zur Gegenwart, Bd. 2).

Hart, Julius: Der neue Gott, Leipzig 1899.

Hauser, Arnold: Sozialgeschichte der Kunst und Literatur, München 1967.

Hautmann, Hans/Kropf, Rudolf: Die österreichische Arbeiterbewegung vom Vormärz bis 1945. Schriftenreihe des Ludwig-Boltzmann-Instituts für Geschichte der Arbeiterbewegung, Bd. 4, Wien 1974.

Hegel, Georg Wilhelm Friedrich: Vorlesungen über die Ästhetik, in: Werke in zwanzig Bänden, hg. Eva Moldenhauer und Karl Markus Michel, Bd. 13–15, Frankfurt a. M. 1970.

Hermand, Jost: Vorschein im Rückzug. Zum Sezessionscharakter des Jugendstils, in: Ein Dokument Deutscher Kunst Darmstadt 1901–1976, 22. Oktober bis 30. Januar 1977, Bd. 1–5, Bd. 1, S. 12–20.

Hergsell, Gustav: Duell-Codex, 2. Aufl., Wien, Pest, Leipzig 1897.

Hönnighausen, Lothar: Die englische Literatur 1870 – 1890, in: Jahrhundertende – Jahrhundertwende (I. Teil), hg. Helmut Kreuzer, Wiesbaden 1976, S. 359–400.

Hogarth's Graphic Works. First Complete Edition, compiled and with a commentary by Ronald Paulson. 2 vols., New Haven and London, 1965.

Höllerer, Walter: Warum dieses Buch gemacht worden ist. Nachwort zu: Spiele in einem Akt. 35 exemplarische Stücke, hg. Walter Höllerer, Frankfurt a. M. 1961.

Iser, Wolfgang: Walter Pater, Die Autonomie des Ästhetischen, Tübingen 1960.

Jäger, Manfred: Schnitzlers »Leutnant Gustl«, in: Wirkendes Wort 15, 1965, S. 308–316.

Janik, Allan/Toulmin, Stephen: Wittgenstein's Vienna, New York 1973.

Janz, Rolf-Peter: Zum sozialen Gehalt der ›Lehrjahre‹, in: Literaturwissenschaft und Geschichtsphilosophie. Festschrift für Wilhelm Emrich, Berlin 1975, S. 320–340.

Janz, Rolf-Peter: Autonomie und soziale Funktion der Kunst. Studien zur Ästhetik von Schiller und Novalis. Stuttgart 1973.

Janz, Rolf-Peter: Schillers ›Kabale und Liebe‹ als bürgerliches Trauerspiel, in: Jb. der Deutschen Schillergesellschaft XX, 1976, S. 208–227.

Jugend in Wien. Literatur um 1900. Eine Ausstellung des Deutschen Literaturarchivs im Schiller-Nationalmuseum Marbach a. N. 1974.

Jullian, Philippe: Oscar Wilde, Paris 1967.

Kapner, Gerhard: Ringstraßendenkmäler, Wiesbaden 1973. (Die Wiener Ringstraße. Bild einer Epoche, hg. Renate Wagner-Rieger, Bd. IX, 1).

Kehr, Eckart: Zur Genesis des Königlich Preußischen Reserveoffiziers, in: ders.: Der Primat der Innenpolitik. Gesammelte Aufsätze zur preußisch-deutschen Sozialgeschichte im 19. und 20. Jahrhundert, 2. Aufl., Berlin 1970, S. 53–63.

Kesting, Marianne: Entdeckung und Destruktion, München 1970.

Kienzl, Hermann: Dramen der Gegenwart, Graz 1905.

Kilian, Klaus: Die Komödien Arthur Schnitzlers, Sozialer Rollenzwang und kritische Ethik, Düsseldorf 1972.

Kluge, Gerhard: Die Dialektik von Illusion und Erkenntnis als Strukturprinzip des Einakters bei Arthur Schnitzler, in: Jb. der Deutschen Schillergesellschaft, XVIII, 1974, S. 482–505.

Koopmann, Helmut: Gegen- und nichtnaturalistische Tendenzen in der deutschen Literatur zwischen 1880 und 1900, in: Helmut Kreuzer (Hg.), Jahrhundertende – Jahrhundertwende (I. Teil). Wiesbaden 1976, S. 189–224.

Korwin-Dzbański, Dr. Stanislaus Ritter von, k. u. k. Major-Auditor: Der Zweikampf, 2. Aufl., Wien 1900.

Kracauer, Siegfried: Jacques Offenbach und das Paris seiner Zeit. S. K., Schriften, hg. Karsten Wille, Bd. 8, Frankfurt a. M. 1976, S. 80.

Kraus, Karl: Die Demolirte Literatur, Wien 1897.

Kreuzer, Helmut: Die Bohème – Analyse und Dokumentaion der intellektuellen Subkultur vom 19. Jahrhundert bis zur Gegenwart, Stuttgart 1971.

Kreuzer, Helmut (Hg.): Jahrhundertende – Jahrhundertwende (I. Teil), Wiesbaden 1976. (Neues Handbuch der Literaturwissenschaft Bd. 18, hg. Klaus von See).

Kreuzer, Helmut: Eine Epoche des Übergangs (1870 – 1918), in: Jahrhundertende – Jahrhundertwende (I. Teil), hg. Helmut Kreuzer, Wiesbaden 1976. S. 1–32.

Laermann, Klaus: Georges Bataille – Das Auge als Fetisch, in: Wollüstige Phantasie. Sexualästhetik der Literatur, hg. H. A. Glaser, München 1974, S. 62–102.

Licht, Hugo: Die Architektur Berlins. Sammlung hervorragender Bauten der letzten zehn Jahre. Berlin 1877.

Lichtenberger, Elisabeth: Wirtschaftsfunktion und Sozialstruktur der Wiener Ringstraße, Wien, Köln, Graz 1970 (Die Wiener Ringstraße. Bild einer Epoche, hg. Renate Wagner-Rieger. Bd. VI).

Lichtenberger, Elisabeth: Von der mittelalterlichen Bürgerstadt zur City. Sozialstatistische Querschnittsanalysen am Wiener Beispiel, in: Beiträge zur Bevölkerungs- und Sozialgeschichte Österreichs, hg. Heimold Helczmanovski, München, Wien 1973, S. 297–331.

Lichtenberger, Elisabeth/Bobek, Hans: Wien. Bauliche Gestalt und Entwicklung seit der Mitte des 19. Jahrhunderts (Schriftenreihe der Kommission für Raumforschung der österreichischen Akademie der Wissenschaften, Bd. 1), Graz, Köln 1966.

Littré, Emile: Dictionnaire de la langue fran³aise, Bd. 4, Paris 1964.

Lublinski, Samuel: Die Bilanz der Moderne. Mit einem Nachwort neu hg. von Gotthart Wunberg, Tübingen 1974. (Deutsche Texte 29).

Lueger, Dr. Karl: Dringlichkeitsantrag an den Minister für öffentliche Erziehung, in: Fremdenblatt (Morgen-Blatt) Wien, 50. Jg., Nr. 148 vom 30. 5. 1896.

Luhmann, Niklas: Legitimation durch Verfahren, 2. Aufl., Darmstadt und Neuwied 1975.

Luhmann, Niklas: Rechtssoziologie, 2 Bde., Reinbek 1972.

Lukács, Georg von: Die Seele und die Formen, Essays, Berlin 1911.

März, Eduard: Österreichische Industrie- und Bankpolitik in der Zeit Franz Josephs I. Am Beispiel der k. k. priv. Österreichischen Credit-Anstalt für Handel und Gewerbe, Wien, Frankfurt, Zürich 1968.

Mattenklott, Gert, Bilderdienst. Ästhetische Opposition bei Beardsley und George, München 1970.

Mayer, Hans: Außenseiter, Frankfurt a. M. 1975.

Metscher, Thomas: Dialektik und Formalismus. In: Das Argument 49, 1968, S. 466– 492.

Mommsen, Wolfgang J.: Das Zeitalter des Imperialismus, Frankfurt a. M. 1969 (Fischer Weltgeschichte, Bd. 28).

Nestroy, Johann: Komödien, hg. Franz H. Mautner, Frankfurt a. M. 1970.

Neuse, Erna: Die Funktion von Motiven und stereotypen Wendungen in Schnitzlers ›Reigen‹, in: Monatshefte für deutschen Unterricht, 64, 1972, S. 356–370.

Offermanns, Ernst L.: Arthur Schnitzler, Anatol. Texte und Materialien zur Interpretation besorgt von E. L. Offermanns, Berlin 1964 (Komedia 6).

Offermanns, Ernst L.: Arthur Schnitzler. Das Komödienwerk als Kritik des Impressionismus, München 1973.

Pater, Walter: The Renaissance. Studies in Art und Poetry. London 1913.

Patzer, Franz: Die Pioniere des Sozialismus im Wiener Rathaus. Die Entwicklungsgeschichte der Wiener Sozialdemokratischen Gemeinderatsfraktion von ihren Anfängen bis zum Ausbruch des Ersten Weltkriegs (1900–1914), Wien 1949.

Perl, Walter H.: Arthur Schnitzler und der junge Hofmannsthal, in: Studies in Arthur Schnitzler, hg. Herbert W. Reichert und Herman Salinger, Chapel Hill 1963, S. 79–94.

Pestalozzi, Karl: Die Entstehung des lyrischen Ich. Studien zum Motiv der Erhebung in der Lyrik, Berlin 1970.

Pickerodt, Gerhart: Hofmannsthals Dramen. Kritik ihres historischen Gehalts, Stuttgart 1968.

Pikulik, Lothar: »Bürgerliches Trauerspiel« und Empfindsamkeit, Köln, Graz 1966 (Literatur und Leben 9).

Plan der k. k. Reichs Haupt- und Residenzstadt Wien, R. Lechners k. k. Hof- und Universitäts-Buchhandlung, Wien 1887.

Politzer, Heinz: Diagnose und Dichtung, in: Forum IX, 1962, S. 217–219, S. 266– 270.

Praz, Mario: Liebe, Tod und Teufel, 2 Bde., München 1970.

Pütz, Peter, Friedrich Nietzsche, 2. Aufl., Stuttgart 1975.

Reclams Kunstführer Österreich I, hg. Karl Oettinger, 3. Aufl., Stuttgart 1968.

Rehm, Walter: Der Dichter und die neue Einsamkeit, Göttingen 1969.

Reichert, Herbert W.: Nietzsche and Schnitzler, in: Studies in Arthur Schnitzler, Chapel Hill 1963, S. 95–107.

Reik, Theodor: Arthur Schnitzler als Psycholog, Minden o. J. (1913).

Ristow, Gustav, k. u. k. Oberstleutnant im Infanterieregiment Freiherr von Rheinländer Nr. 24: Ehrenkodex, Wien 1909.

Roditi, Edouard: Oscar Wilde, Dichter und Dandy, München 1947.

Róheim, Géza: The Evil Eye, in: The American Imago 9, 1952.

Rosenberg, Hans: Wirtschaftskonjunktur, Gesellschaft und Politik in Mitteleuropa, 1873–1896, in: Moderne deutsche Sozialgeschichte, hg. Hans-Ulrich Wehler, 2. Aufl., Köln, Berlin 1968, S. 225–253.

Ruprecht, Erich/Bänsch, Dieter (Hg.): Literarische Manifeste der Jahrhundertwende 1890–1910, Stuttgart 1970.

San Juan, Epifanio: The art of Oscar Wilde, Princeton 1967.

Scheible, Hartmut: Arthur Schnitzler in Selbstzeugnissen und Bilddokumenten, Reinbek 1976.

Schelling, Thomas C.: The Strategy of Conflict, Cambridge (Mass.) 1960.

Schlaf, Johannes, Maurice Maeterlinck, in: Die Literatur, hg. Georg Brandes, 22. Bd., Berlin o. J. (1906).

Schnitzler, Olga: Spiegelbild der Freundschaft, Salzburg 1962.

Schorske, Carl E.: Schnitzler und Hofmannsthal. Politik und Psyche im Wien des Fin de siècle, in: Wort und Wahrheit 17, 1962, S. 367–381.

Schorske, Carl, E.: The Transformation of the Garden: Ideal and Society in Austrian Literature, in: Dargestellte Geschichte in der europäischen Literatur des 19. Jahrhunderts, hg. Wolfgang Iser und Fritz Schalk, Frankfurt a. M. 1970.

Seeba, Hinrich C.: Kritik des ästhetischen Menschen. Hermeneutik und Moral in Hofmannsthals ›Der Tor und der Tod‹, Bad Homburg, Berlin, Zürich 1970.

Seidel, Josef Edler von, k. k. Hauptmann-Auditor des zeitlichen Ruhestandes: Der Zweikampf und dessen Beurtheilung in der österreichischen und preußischen Armee. Kritische Vergleichung der einschlägigen Normen mit den Grundzügen für ein Verfahren vor den einheimischen Ehrengerichten bei Ehrensachen zwischen Officieren und für die Behandlung des Duells, Laibach 1896.

Seidler, Herbert: Die Forschung zu Arthur Schnitzler seit 1945, in: Zs. f. dt. Philologie 95, 1976, S. 567–595.

Servadio, Emilio: Die Angst vor dem bösen Blick, in: Imago 22, 1936.

Sternberger, Dolf: Panorama oder Ansichten vom 19. Jahrhundert, Frankfurt 1974.

Strauss, Anselm: Spiegel und Masken. Die Suche nach Identität, Frankfurt a. M. 1974.

Swales, Martin: Arthur Schnitzler, A critical study, Oxford 1971.

Szondi, Peter: Das lyrische Drama des Fin de siècle, hg. Henriette Beese, Frankfurt a. M. 1975.

Szondi, Peter: Die Theorie des bürgerlichen Trauerspiels im 18. Jahrhundert, hg. Gert Mattenklott, Frankfurt a. M. 1972.

Szondi, Peter: Theorie des modernen Dramas, 3. Aufl., Frankfurt a. M. 1963.

Tietze, Hans: Die Juden Wiens, Leipzig, Wien 1933.

Treppner, Friedrich, Hauptmann des k. k. Landwehr-Infanterie-Regimentes Graz Nr. 3: Duell-Regeln für Officiere und Nachschlagebuch in Ehrenangelegenheiten, Graz (Im Selbstverlage des Verfassers) 1898.

Urbach, Reinhard: Arthur Schnitzler, Velber bei Hannover 1968.

Veblen, Thorstein: The Theory of the Leisure Class, New York, London 1899, Reprints of Economic Classics, New York 1965.

Wagner, Renate/Vacha, Brigitte: Wiener Schnitzler-Aufführungen 1891–1970, München 1971.

Weber, Max: Die protestantische Ethik und der Geist des Kapitalismus, in: M. W., Die protestantische Ethik I. Eine Aufsatzsammlung, hg. Johannes Winckelmann, 3. Aufl., Hamburg 1973.

Weber, Max: Wirtschaft und Gesellschaft, 2 Bde., Köln und Berlin 1964.

Wehler, Hans-Ulrich: Das Deutsche Kaiserreich 1871–1918, Göttingen 1973. (Deutsche Geschichte, hg. Joachim Leuschner, Bd. 9).

Wehler, Hans-Ulrich: Bismarck und der Imperialismus, 3. Aufl., Berlin, Köln 1972.

Wibiral, Norbert/Mikula, Renate: Heinrich von Ferstel, Wiesbaden 1974 (Wiener Ringstraße. Bild einer Epoche, hg. Renate Wagner-Rieger, Bd. VIII).

Wien und Umgebung, Griebens Reiseführer Bd. 8, Berlin 1912–13.

Winter, Max: Das goldene Wiener Herz. Großstadt-Dokumente, hg. Hans Ostwalt, Bd. 11, Berlin und Leipzig o. J.

Winter Max: Im unterirdischen Wien, Großstadt-Dokumente Bd. 13, 3. Aufl., Berlin und Leipzig 1905.

Wunberg, Gotthart (Hg.): Das Junge Wien. Österreichische Literatur- und Kunstkritik 1887 – 1906, 2 Bde. Tübingen 1976.

Zweig, Stefan: Arthur Schnitzler zum 60. Geburtstag, in: St. Z., Europäisches Erbe, Frankfurt a. M. 1960, S. 183–186.

4-79

Due